DE NOTARIS EN HET MEIS

Michiel Stroink

De notaris en het meisje

2017 Prometheus Amsterdam

Omslagontwerp Bart van den Tooren
Foto auteur Bob Bronshoff
www.uitgeverijprometheus.nl
ISBN 978 90 446 3364 1

Voor Fenne

Ween vrijelijk, mijn vrouw: er bestaat geen wijde, wijde wereld – er is een aarde met klamme kamertjes en straten, er is geen God: er zijn kérken – er is geen liefde: er is gehoereer om geld en bezit – er zijn geen ménsen: er zijn níet voelende, stupide clowns – er is geen vrijheid: er is de gedrochtelijke overheersing van een alles bevuilende klasse.

Uit: *Kamertjeszonde* (1896), Herman Heijermans

HOOFDSTUK I

Het laagland

1

Voor Anna was het de vijfde keer dat ze het begrafenisritueel aanschouwde. Bij de vorige processie mocht ze voor het eerst met de vrouwen meelopen. Ze droeg toen een zwarte overrok die ze bij iedere stap tot aan haar enkels de kleigrond in trapte.

Nu zat ze gehurkt achter de kruiwagen met het zware gevoel in haar keel en kon ze zich niet eens meer voorstellen hoe licht het leven was toen ze met de kinderen mee mocht huppelen, achter de bellen en de fakkels aan.

De stoet trok langs het ondiep en zou nog eenmaal in de richting van het dorp komen voor hij afboog naar het droogveld. De dikke mist die over het laagland dreef, leek er altijd te zijn als er dingen gebeurden die God niet mocht zien. Nu zorgde Hij ervoor dat Anna alleen de kop, het midden en de staart van de meanderende rouwstoet zag.

'Het lijkt op een aal.' De krassende mannenstem kwam van achteren, naast de schuur. 'Hij kronkelt het moeras in.'

De man was niet van het laagland. Hij droeg een zwarte overjas over een donker pak, en onder de hoed die tot aan zijn wenkbrauwen over zijn voorhoofd was getrokken, staarden twee kraalogen haar onafgebroken aan. Onder zijn linkeroog liep een litteken, als een traan, langs zijn neus tot aan zijn mondhoek.

Het duurde even voor Anna de man vanuit hurkzit durfde aan te spreken.

'Wie bent u, meneer? Bent u soms familie?' Anna stond op en wilde een stap naar achteren zetten, maar stootte tegen de kruiwagen aan.

'Je bent mooi. Geen kleikop, je hebt een fijn gezicht. Hoe oud ben je, meisje?'

'Ik ben zeventien, bijna achttien. Ik heet Anna. Wie bent u?'

De glimlach van de man drukte het litteken schuin omhoog. 'Bijna achttien, toe maar. Waar zijn je ouders, meisje?'

'Mijn vader en moeder lopen mee. Ze lopen naar het droogveld. Ze zijn pas rond de middag weer terug.'

'Werkt je vader aan het veen of op het veld?'

'Mijn vader werkt op het veld. Mijn broers werken aan het veen, als stikkers.'

'Lopen je broers ook mee?'

'Iedereen loopt mee. Wat komt u doen? Wie bent u, meneer?'

De man lachte opnieuw. 'Je bent nieuwsgierig. Dat is onbeleefd. Ik ben op doorreis. Ik ben koopman.'

De kop van de stoet kwam langzaam in het zicht. Anna hoorde de bellen en het blaffen van de honden en wist dat ze de laatste bocht voor het droogveld naderden.

'En waarom ben jij hier? Zou je niet mee moeten lopen met de rest?'

Anna wist niet of ze die vraag kon beantwoorden. 'Dat weet ik eigenlijk niet, meneer. Ik kan dat niet goed uitleggen.'

'Dat hoeft ook niet hoor, meisje. Ik zal je met rust laten. Ik denk dat ik even een stuk met de groep meeloop. Misschien zie ik je straks nog. Zul je dan wat minder vragen stellen?'

2

Het laagland was een uitgehold stuk aarde waar je overheen zou kijken als je je hoofd plat op de grond zou leggen. De moerassen waren langzaam maar zeker afgestoken en door de geulen en kanalen zou een buitenstaander kunnen denken dat er een systeem bestond, maar in werkelijkheid was het de willekeur die de omgeving domineerde.

Hier en daar was het land ontgonnen en op andere plekken ademde het moeras dampen uit die zich, tijdens de mistmaanden, vermengden tot de deken die het land aan de realiteit onttrok.

De koloniën waren opgedroogd of uitgewaaierd en in de schemerzone werd geleefd volgens de wetten van de ouden en de sterken. Onder die omstandigheden bestond er misschien een dertigtal dorpen die de naam nauwelijks verdienden. Het waren gemeenschappen die geboren waren uit een mengelmoes. Een samenraapsel van verlatenen die de voorkeur gaven aan het gezamenlijk lijden boven eenzaam sterven.

Anna woonde met honderddertig andere zielen in het zogenaamde Zuiderdorp. Families, op een hoop geharkte gezinnen, bewoonden twintig huizen die in veel gevallen tegen elkaar aan drukten en voornamelijk bestonden uit het wrakkige hout van betere tijden. Net als de huizen steunde de gemeenschap op elkaar en wankelde het geheel bij iedere onverwachte zucht.

De vader van Anna werkte op het land en genoot daardoor meer aanzien dan het gros van het dorp, dat uit turfstekers bestond. Hij verbouwde gewassen en creëerde waarde terwijl de stekers de grond uitsluitend verarmden. Anna was de middelste van de zeven kinderen en ze was de jongste dochter. Haar moeder was ziekelijk en teer en nauwelijks in staat het gezin te verzorgen. De huishoudelijke taken waren in de eerste plaats de verantwoordelijkheid van Martha, Anna's zus. Samen volgden ze de bevelen van hun moeder op, die ze meestal vanuit haar bedstee kenbaar maakte.

Het laagland kende zijn eigen regels en wetten. Ze werden overzien en nageleefd door een raad van mannen die werd voorgezeten door de predikant. Als je in het moeras geboren werd, zou je er ook sterven. De dagen die tussen geboorte en dood lagen werden besloten en ingevuld door mensen die ouder waren en bij wie ieder restje hoop en verbeelding allang vervlogen was.

Zo werd tijdens het vollemaansgericht na haar eerste menstruatie besloten dat Anna op haar achttiende verjaardag zou trouwen met Jakob, oudste zoon van Jacob de Krooier, tweede stikker bij de oostelijke veenput, en de verpersoonlijking van alles wat ze haatte.

3

De dag na de raad was hij, na de werkdag, op haar afgekomen. Voor de gelegenheid had hij zijn bonkige vuisten in zijn broekzakken verstopt.

'Het is besloten, hè?' Na zijn constatering spuugde hij een groene snotkegel weg. Het slijm landde tussen hen in en leek daarmee de kloof die tussen hen lag te benadrukken.

'Wat is er besloten?' Ze wilde het hem horen zeggen. Ze wilde hem duidelijk maken dat dit tegen alles inging waar ze van droomde. Ze wilde hem het verschil laten voelen. Hij moest weten dat de raadsleden konden doen wat ze wilden – al smeedden ze een stalen kooi, zonder deur om het tweetal heen – maar dat ze nooit zou berusten in een situatie die leidde tot iets wat haar kon verplichten ook maar iets te delen met deze man. Ze wilde hem vernederen, voordat alles begon. Ze wilde hem pijn doen en ze had maar één vraag nodig om dit duidelijk te maken.

De boomlange man verschrompelde en werd een jongetje dat keek alsof hij varkens zag vliegen.

'Nou gewoon... Dat jij en ik... Ze hebben besloten dat jij en ik... Je weet wel.'

'Wat dan?'

'Dat wij gaan trouwen, Anna. Dat weet je best!' Jakob draaide zich om, schopte een plag weg en spuugde opnieuw wat snot uit. Nu landde het projectiel ver uit haar richting naast de trog waar hij op mikte.

4

De processie kronkelde terug langs dezelfde weg die ze eerder had afgelegd. De zon stond al hoog aan de hemel, maar was nauwelijks in staat de schemer te breken. De stoet was aan de achterkant al uitgewaaierd. De kinderen renden om elkaar heen alsof er niks was gebeurd, zorgeloos en nietsvermoedend onderweg naar de eerste zonde die hen ergens in de toekomst onmiskenbaar opwachtte, om hun leven voor altijd in duisternis onder te dompelen. De kop van de slang draaide nog een keer naar het noorden, om daarna definitief in de richting van het dorp te lopen. In de buik van de stoet ontdekte Anna de hoed van de man met de kraalogen. Ze draaide zich om en ging naar binnen.

Door het raam zag ze de kop dichterbij komen. Jakob liep bijna vooraan. Alleen de fakkeldragers en de predikant gingen hem voor. Naast hem liepen zijn vader en zijn oom. De laatste hield zijn hand onafgebroken op Jakobs schouder. Iedereen was erbij. Behalve Jonas. Die lag nu voor altijd op het droge.

5

Al zolang Anna zich kon herinneren werd ze pas echt wakker als de zon onderging. De dag was van het ritme en de sleur. In het donker was alles helderder. De mist loste op en de sterren speelden spelletjes met haar verbeelding. In het donker leek de wereld groter, en als de maan op zijn bolst was en Anna dacht dat ze hem bijna aan kon raken, dan voelde ze zich licht. In de nacht sloop ze het huis uit en lag ze soms uren naast de boom op het bietenveld te staren naar het vonkende sterrenlicht. Als ze lang genoeg in de sterren staarde voor ze haar ogen dichtkneep, leek het alsof ze de vlammetjes in haar hoofd kon prenten en dan waren ze voor even helemaal van haar.

Op zo'n warme lentenacht waarin Anna het dwaallicht oogstte, staarde ze plotseling voor het eerst in de ogen van Jonas. Ze had hem niet horen aankomen en hij zat op zijn hurken naast haar hoofd.

'Ben je je huis kwijt?'

Anna dacht dat ze de vraag begreep. 'Ik weet het niet. Ik denk het wel.' De jongen voelde op een vreemde manier vertrouwd. Misschien was het zijn rustige ademhaling of misschien was het omdat hij anders was, zoals zij.

Jonas kwam naast haar liggen. 'Zie je die ster?' Met zijn linkerarm wees hij in de diepte haar favoriete ster aan. Zijn schouder raakte haar rechteroor.

'Dat is Polaris. De Poolster. Hij weet de weg.' Jonas liet haar de sterrenbeelden zien die bepalen waar het noorden is.

'En als ik niet naar het noorden wil?'

'Dan draai je je om en loop je de andere kant op.'

Misschien maakte het antwoord haar zo gelukkig omdat het zo simpel was. Of misschien was het fijn dat ze niet de enige was die dacht dat er een keuze was.

'Waarom lig je niet in je bed?' Jonas had zijn arm laten zakken en legde zijn hoofd tegen haar oor aan.

'Een bed is een plank van een kastje waar je je lichaam op legt als je het niet gebruikt. Nu heb ik het nodig.'

Jonas knikte. 'Dat begrijp ik wel.'

6

De hele zomer fonkelden Jonas en Anna om elkaar heen. Overdag van een grote afstand, maar altijd in het zicht, en 's nachts lagen ze samen, onder de eikenboom, starend naar de toekomst, rillend van de rare warmte die ze elkaar bezorgden. De dagen duurden lang. Te lang. Niet alleen omdat de maan in de zomer maar een figurant was, maar ook omdat ze iedere seconde van de dag dat ze niet bij Jonas kon zijn dubbel telde.

'Maar waarom kunnen we niet weggaan?' Anna fluisterde de vraag nu voor de derde keer in zijn oor, en steeds hoopte ze op een ander antwoord.

'Ze zullen ons vinden.'

'Dan gaan we nog verder.'

'Waar moeten we dan naartoe?'

'Dat maakt niet uit.'

'Wat gaan we doen?'

'Als we maar weg zijn bij de rest.'

'Dat wordt ons nooit vergeven.'

Telkens wanneer Anna de eenvoudige vraag stelde, kwamen er lastigere vragen bij. Anna wilde vrij zijn. Jonas wilde onschuldig blijven. Hij was al dieper weggezakt in het moeras dan zij.

Anna voelde dat er bij Jonas geen ruimte voor ratio was. Hij moest het willen, zoals zij ernaar verlangde, dus pakte ze die nacht zijn hand en draaide haar neus naar het zachte plekje in zijn hals. Ze ademde het verlangen in zijn oor en drukte zijn handpalm stevig tegen haar bovenlijf. Met die ene zucht laaide de lust in Jonas op en er bestond geen enkel argument dat zijn onschuld kon beschermen.

7

Het donker was meer dan ooit alleen van hen. De lust verdreef langzaam iedere behoedzaamheid en omdat de nachten te kort waren, snoepten ze steeds vaker stukjes van de dag af. Op het laagland was iedere minieme verandering direct merkbaar, maar Anna en Jonas hadden elkaar verblind en verdoofd en ze waren vergeten dat er meer mensen waren.

Op de laatste korte nacht zaten Anna en Jonas allebei met hun rug tegen de eik. Ze staarden ieder een andere kant op. De schemering kwam langzaam terug en ze zochten beide in een andere richting naar de Poolster.

'Als ik hem zie...' zei Anna.

'... dan lopen we meteen van hem weg.'

'We lopen naar het zuiden. We gaan dag en nacht door.'

'Na drie dagen en nachten zijn we bij de Rijn en dan lopen we met hem op.'

'Ik kan werken als knecht.'

'Ik kan wassen en helpen in het huishouden.'

Anna speurde vol ijver de sterrenhemel af. Tussen de schemerwolken ontdekte ze soms een combinatie van sterren die leek op het sterrenbeeld dat ze zocht. Maar de Poolster liet zich niet zien. Ze woog iedere ster zorgvuldig af tot ze de zwakke schemer herkende. 'Ik heb hem! We kunnen gaan...'

Anna kreeg geen reactie. Ze hoorde alleen maar de stilte, en toen hoorde ze een andere stem.

'Jij bent het.' Het was de stem van Jakob, en Anna voelde hoe haar hele lichaam verstijfde.

Ze durfde niet te kijken en ze hoopte dat als ze maar heel stil was, alles weer weg zou gaan en dat ze wakker zou worden uit een donkere droom.

Maar Jakob ging niet weg, en toen ze zich omdraaide zag ze hoe hij de steel van zijn schop naar achteren liet zwaaien. Hij stootte het lange plat met de metalen oplegger met al zijn kracht in Jonas' borstkas. Anna hoorde een doffe klap en daarna het kraken van de ribben. Ze wilde gillen, maar er kwam geen geluid uit haar mond. Jakob leek bezeten en hieuwde door alsof hij op een stugge slootrand inhakte. Toen het kraken was verstomd en alleen het doffe gebons aanhield rook Anna de stank van het slachthok, het zuur van gal en de metalen geur van bloed. Toen pas voelde ze haar benen weer en ze rende zo hard als ze kon, niet naar het zuiden, maar in de richting van het huis.

8

Ze bleef twee dagen en twee nachten in bed liggen. Niemand sprak met haar. Zelfs Martha niet. Pas op de derde dag kwam haar vader naar haar toe.

'Hoe kon je dat nou doen?' Hij keek naar het kleed dat voor haar lag. Anna wist niet wat ze gedaan had, dus kon ze geen antwoord vinden.

'Waar hebben wij dit aan verdiend?' Die vraag begreep ze ook niet. Haar vader kwam naast haar op de bedrand zitten. Hij staarde naar de bedstee waar haar moeder nu eens niet in lag te kermen. Anna vocht tegen de tranen die langzaam haar ogen vulden.

'Er is vanavond een gericht. We moeten iets beslissen.' Anna wist niet wat dat betekende. Toen liet haar vader zijn hoofd in zijn handen zakken. Zijn schouders schokten en Anna begon eindelijk te huilen.

De beslissing van de ouderen werd zonder inspraak van haar vader genomen. Anna werd verbeurd verklaard. Ze hoorde nu bij niemand en was eigendom van het dorp. Er werd gevonnist alsof ze vee was in een geschil tussen twee boeren.

9

De man met de kraalogen zette zijn hoed op toen hij de woning van de predikant verliet. Met zijn handschoenen klopte hij wat zand van zijn jas. Hij keek even om zich heen en haalde een uurwerk uit zijn vestzak. Toen hij het dichtklapte, liep hij in de richting van het huis. Anna wist dat ze weg moest, maar ze rende niet naar buiten. Ze rende niet langs de eik en over het droogveld. Ze liep niet naar het zuiden. Ze zocht niet naar de Rijn. Ze wilde niet vluchten zonder hem, dus bleef ze staan en ze zag de man en haar noodlot stap voor stap dichterbij komen.

'Het is gebeurd, meisje.'

Wat is er gebeurd? wilde ze vragen, maar ze wist dat ze deze man niet kon laten wankelen.

'Ik weet het,' zei ze. En na een korte stilte: 'Waar brengt u me heen?'

'Dat zul je wel zien.'

'Bent u voor mij gekomen?'

'Je zou toch geen vragen meer stellen?'

'Waarom laten ze me zomaar meenemen?' Even leek de man te twijfelen bij deze vraag. Toen draaide hij zijn hoofd en knipperde met zijn kraalogen in de richting van het zuiden.

'Ha! Dat is een goede vraag... Dat zou ik echt niet weten, meisje. Je hebt roofdieren en je hebt kuddedieren. Ik denk dat jouw ouders tot die laatste groep behoren... Pak je spullen maar. Je hoeft niemand gedag te zeggen. Daar is nog nooit iemand beter van geworden. Je hoeft nu geen herinneringen meer te maken. Het is beter om zo min mogelijk mee te nemen van hier.' Bij die laatste zin tikte de man met zijn wijsvinger tegen zijn voorhoofd.

Anna ging niet naar binnen om haar spullen te pakken. Wat zou ze mee moeten nemen? 'Heeft u hem betaald?' Ze smeet de vraag giftig in de modder voor zijn voeten. De man bracht een hand naar zijn mond en trok met zijn vinger een lijn door het litteken naast zijn neus.

'Ik zal je hier niet slaan, maar iedere volgende vraag bepaalt of jij de reis zittend op een bankje maakt of gekneveld in de bagagekoffer. En geloof me, dat doet nog steeds minder pijn dan het antwoord op je vraag.'

Hij pakte haar pols en trok haar mee in de richting van het rijtuig. Anna keek niet meer om naar het dorp van planken. Ze staarde naar de eikenboom. Dat was de enige herinnering die ze wilde meenemen van deze plek.

HOOFDSTUK II

Het theater

10

Anton Vroom geloofde niet in het noodlot. Hij geloofde niet in voorbestemming en het was voor hem ook moeilijk om een goddelijk plan te zien. Hij geloofde in de eigen verantwoordelijkheid van de mens, dat wel. Natuurlijk zorgde het toeval soms voor een uitzonderlijke samenloop van omstandigheden, maar je bepaalde zelf of je je daardoor liet verrassen.

'Kijk naar buiten. Blijft het droog, denkt u?' Vroom keek de man die tegenover hem zat strak aan. Zijn ijsblauwe ogen dwongen de man in de richting van het raam te kijken.

Misschien was Anton daarom wel notaris geworden. Niet omdat hij zo veel vertrouwen had in het geschreven woord. En ook niet omdat hij het als zijn missie zag om het 'heilige verbond van afspraken', zoals zijn concurrenten het noemden, te bekrachtigen.

'En vergeet niet, we wonen in Nederland, mijnheer. Iedere westenwindvlaag kan uw voorspelling van de tafel blazen.'

Het vak was hem niet in de schoot geworpen door zijn vader of diens vader, en na zijn opleiding had hij diverse veel interessantere keuzes kunnen maken. Maar Vroom had bewust voor het notariaat gekozen.

'Het zou wel eens droog kunnen blijven.' De man bromde het van onder zijn borstelsnor, die hem meer op een terriër deed lijken dan op een man die zijn respect verdiende.

'Het zou wel eens droog kunnen blijven.' Vroom herhaalde de woorden een fractie langzamer dan de borstelsnor ze uitgesproken had. Ze dreven daardoor wat onbenullig door de kamer, precies zoals Vroom het had bedoeld.

'Maar het zou ook wel eens kunnen gaan regenen.'

De man wreef met zijn linkerwijsvinger hard door de snor, alsof hij het de stugge borstel kwalijk nam dat hij zijn eerdere uitspraak had laten passeren.

Het was de twijfel die Vroom het beste kon verkopen. Juist omdat hij daar zelf niet in geloofde. Hij verafschuwde vraagtekens, omslachtigheid, gefluister en geneuzel. Hij minachtte mannen die zich overgaven aan de situatie. Aan de grillen van het zogenaamde plan dat hun zelfgekozen God voor hen in petto had.

'Ik zal u uitleggen wat ik bedoel.' De borstelsnor hing nu achterover in de stoel die Vroom bewust wat lager had laten maken dan de zijne.

'Er zijn mannen die vertrouwen op inschattingen en aannames. Ze kijken naar buiten en zien een blauwe hemel. Misschien ontdekken ze een wolkje en in de verte een tweede iets grotere wolk, maar ze zien deze natuurverschijnselen niet als bedreiging voor een droge dag. Ze zijn optimistisch. Ze denken: gisteren was het droog en toen waren er drie wolken aan de hemel; vandaag zie ik er twee, dus zal het niet gaan regenen. Ze onderschatten de wolk. Ze vergeten even dat die wolken op hun beurt dromen van een stortbui. Het zal wel loslopen, denken ze, dus ze lopen naar buiten.'

De man met de snor knikte en gaf daarmee aan dat Vroom hem rustig mee kon voeren op het pad dat allang was uitgestippeld.

'U begrijpt waar ik heen wil.'

'Ja. Die mannen worden nat?'

'Ja, natuurlijk worden ze nat. Maar waarom worden ze nat? Niet omdat ze het weer onderschatten. Niet omdat ze een verkeerde inschatting hebben gemaakt. Ze worden nat omdat ze geen paraplu hebben meegenomen! Begrijpt u het nu?'

'Ze worden nat omdat ze geen paraplu hebben?'

'Ze worden nat omdat ze het de wolken toestonden hen te verrassen.'

De borstelsnor ging opnieuw voorzichtig op en neer.

'Dat onderscheidt ons van de beesten, meneer Bos. Wij hebben de middelen tot onze beschikking om ons te behoeden voor situaties die wij liever niet willen ondergaan. En daarom zitten wij hier vandaag. Omdat u dat inziet. U ziet in dat er geen tragedie bestaat zolang u de tegenwoordigheid van geest bezit zich hier vooraf tegen te wapenen. Dat is wat ik u bied: tegenwoordigheid van geest. Met dikke permanente inkt op kraakhelder en eeuwig blank papier.'

11

De stad stuipte. Er waren plekken – rond het Rokin, de grachten en aan de andere kant, in het oosten – waar de groei de voornaamste oorzaak leek te zijn. De blinde dromers, de bouwers, de grote meneren met hun parken, paleizen en hotels haalden hun schouders op bij de onrust en wezen naar de toekomst, maar de convulsie die je echt kon ruiken, zien en proeven speelde zich vooral af in het donkere deel van de stad: de sloppen van de Jordaan, de tuin die bezaaid was met onkruid.

Voor Vroom was die chaos van de werkelijkheid veel aantrekkelijker dan de afgemeten architectuur van de nieuwe orde. Je kon een contract, een testament of een akte opstellen, maar die documenten kregen pas nut als de regels die ze bewaakten werden overtreden. Je kon een stedenplan met dikke inkt belijnen, maar het ging uiteindelijk om de invulling en de overschrijding van die grensgebieden. Daar speelde het echte leven zich af. Niet in het hoofd, het hart of zelfs de onderbuik van de stad, maar in de cloaca. Het riool van de stad was smerig en de bestuurders keken er liever voor weg, maar in het donker woekerde het rustig door en in de anonimiteit van die chaos voelde Vroom zich eigenlijk het meest op zijn gemak.

Daarom maakte hij er een gewoonte van om dit deel van de

stad regelmatig te bezoeken. Je kon de echtheid ruiken in de stront van de Amsterdammers die op slechte dagen de grachten zo troebel maakte dat het leek alsof je eroverheen kon lopen. Je hoorde hem in het medeklinkerloze gebalk van de buurvrouwen die tijdens het wassen de straat in de volle breedte in het zicht hielden op zoek naar 'kansies' of anders wat simpel geroddel. Je zag de echtheid in de doffe ogen van de arbeiders als ze van of naar de kroeg liepen om maar overal te zijn behalve thuis of in de haven. De sloppen waren anders gekleurd dan de rest van de stad. Het zand was donkerrood van het bloed dankzij het slachtafval, het illegale prijsvechten en de nachtelijke vechtpartijen tussen de dronken zeelui en de ongefundeerde principes die ze leenden.

12

De doolhof van de sloppen leidde Vroom vrijwel altijd naar het Fransepad. De pestgeuren van de rottende grachten maakten dat mannen van zijn stand dit deel van de stad nooit zouden bezoeken, maar Vroom had een specifiek doel. In een zijsteeg van het pad lag de krakkemikkige kapperszaak van Weissman. Op het ooit zo statige bord waren alleen de laatste vier letters van 'coiffeur' te lezen.

Weissman was een kapper van de oude stempel. Hij wist wanneer hij zijn mond moest houden. En hij wist wanneer hij moest spreken, en vooral voor die laatste eigenschap maakte Vroom de omweg.

'Het weer draait.' Weissman haalde zijn mes een aantal keer langs het leer. Hij was van een raadselachtige eenvoud, of een berekenende diepgang. Voor Vroom was het verschil daartussen minimaal.

'Het wordt drukker op straat.'

'Ja.' Weissman zei eigenlijk nooit nee. 'Het begint weer te broeien.'

De kapper had geen instructies nodig. Hij wist hoe Vroom zijn snor droeg en hij begreep wat zijn klant wilde horen.

'De mensen zijn boos. Ze zien dat de stad opbloeit en ze merken ook dat ze vergeten worden. Het is een eiland en het aantal drenkelingen neemt toe. Steeds meer monden om te voeden, terwijl de koek slinkt.'

Weissman schonk zijn klanten na het middaguur een zelfgestookte jenever. Het was gebruikelijk in dit deel van de stad. Het bitter werd met water aangelengd tot een soort grog. Spraakwater. Eigenlijk pas drinkbaar vanaf het achtste glas. Vroom bood hem een sigaar aan, die Weissman in een zakdoek rolde en opborg onder de toonbank.

'Wat heeft de Amsterdammer aan een station? Waar zou ik heen willen? Wat hebben wij aan al die hotels? Wie gaat er nu naar een park? Er is geen tijd en er is geen geld. Als je het mij vraagt, wachten de heren gewoon rustig af tot we weggerot zijn en dan dempen ze dit moeras en bouwen een paleis op onze beenderen.' Weissman blies de haartjes uit de nek van Vroom. De intimiteit tussen een man en zijn kapper ging eigenlijk veel verder dan die tussen een man en zijn vrouw.

Vroom knikte goedkeurend terwijl Weissman een doek in het warme water liet zakken. 'Brood en spelen. Meer heeft het volk niet nodig.' Hij streek een lucifer aan en bracht hem naar zijn sigaar.

Vroom was niet meer de enige klant in de kapperszaak. In de stoel naast hem was een man met een bolhoed gaan zitten. De man droeg twee imposante bakkebaarden die het hoofddeksel leken te stutten. Het was een raar gezicht, de hoed op twee pootjes, zeker omdat het modebeeld anders voorschreef. De man weigerde het glas dat Weissman hem aanbood en spuwde in de kwispedoor die onder de spiegelwand stond. 'Brood en spelen, of drank en vrouwen,' antwoordde hij ongevraagd. 'Het gaat om de lusten. Pas als het vuur van de lust gecontroleerd en constant brandt, kunnen we ons als mensen gedragen. Tot die tijd zijn we niets meer dan een op hol geslagen kudde.'

'U vergeet de ratio, meneer. Wij beschikken zelf. Dat moet u niet vergeten,' zei Vroom, die het eigenlijk niet gewoon was zich te bemoeien met mensen die hij niet kende.

'Ha! Zelfbeschikking. Dat is een overgewaardeerd begrip, meneer. Gereserveerd voor de onkreukbaren die het gebruiken als slaapliedje of opium. Nee hoor, wij zijn ten dode opgeschreven, dat is een zekerheid als dag en nacht. Wat we tot ons laatste uur doen is alleen maar bedoeld om dat ene onvermijdbare te vergeten.'

'Brood en spelen,' herhaalde Vroom.

'Juist. Brood en spelen en alcohol en vrouwen.'

'U bent een melancholicus, meneer. Maar toch wens ik u een goede dag.' Vroom trok zijn overjas aan en bracht zijn hand naar de rand van zijn hoed.

'Een goede dag, als alle andere, meneer.'

13

De werklieden in de dokken hadden alweer acht uren gewerkt. Voor hen was de dag halverwege. Voor diegenen, iets hoger geboren, met functies die meer gevoel voor symboliek en politiek vergden dan daadkracht en een rechte rug, zat het productiefste deel van de dag er alweer bijna op. Zij hadden wat documenten getekend, misschien een overleg bijgewoond of soms zelfs een decreet uitgevaardigd, en verzamelden zich nu alweer – soms licht beschonken van de zoete wijn – bij de poorten van een theater voor een matinee.

Een groot deel van de mannen liet zich vergezellen door een vrouw, niet noodzakelijkerwijs hun echtgenote – soms een nichtje – die al bijna even symbolisch aan hun zijde bungelde als het zakhorloge dat ze willekeurig en licht verveeld openklapten, alsof de notie van tijd ze nog belangrijker leek te maken dan ze zichzelf waanden.

De dagen dat Vroom zich in het openbaar liet vergezellen door zijn vrouw waren al jaren geleden vervlogen. Het huwelijk was een noodzakelijk kwaad dat door beide partijen op die manier werd beleefd. Vroom had het vermogen van haar familie nodig gehad om zijn praktijk op te starten, en hij was voor haar de laatste kans op een enigszins eerzaam bestaan. Zelfs in huis liep Dora hem nauwelijks voor de voeten. Ze gingen samen naar de kerk. Daar combineerde hij de twee toneelstukken, huwelijk en geloof, die hij voor het publieke oog moest opvoeren zonder veel moeite. Het was het noodzakelijk kwaad dat hoorde bij het leven waaraan hij gewend was geraakt.

Op het trottoir voor het theater leek zich inmiddels heel koket Amsterdam te hebben verzameld. Pauwen en haantjes drongen zich, getooid en met de borst vooruit, in de richting van de ingang. Dit was voor Vroom de werkelijke middagvoorstelling. Het muziek- of toneelstuk interesseerde hem niet. Het ging hem om de ingesnoerde paniek in de rijen voorafgaand aan het schouwspel. Het geroezemoes van de roddeltantes, de pralende dandy's in driedelig kostuum en de debutantes in hun mooiste jurk. De overdadige excuses van de gespeeld ruimhartigen: 'Duidt u mij niet euvel, mijnheer. Gaat u voor. Nee, na u. Welnee, gaat uw gang. Nee, na ú!' En de plotse ploert die zijn schouder voor die van zijn buurman draait terwijl hij tabaksrook in het gezicht van zijn vrouw blaast. De plaatsen waren gereserveerd, maar het was iedereen erom te doen eerder in de zaal te zitten dan de ander, zodat er voor het doven van het licht nog even goed geobserveerd kon worden wie er wel of niet was.

Vroom groette wat mensen, tikte zijn hoed aan of knikte en nam toen een strategische plek in het midden van het gedrang in. Toen de deuren opengingen en het grote gedrang echt kon beginnen, zette hij zich eerst een seconde schrap – de rijen achter hem stuwden al omhoog in zijn rug – en vervolgens duwde hij zijn borst en schouders ferm in de ruggen van zijn voorgangers. Daarna zette hij snel twee passen zijwaarts naar links, de rij uit, om het echte schouwspel van een afstandje te kunnen bekijken. Het lukte niet altijd, maar vandaag was een goede dag. De heren achter en voor hem begonnen met duwen en de stortvloed breidde zich al snel uit naar de twee zijkanten. Twee heren gingen met elkaar op de vuist en een dame slaakte een noodkreet toen in het gedrang klaarblijkelijk haar korset was gesprongen.

Vroom haalde zijn zakhorloge tevoorschijn. Het had ongeveer tien minuten geduurd voor het gedrang weer tot een natuurlijke orde was hersteld. Niet slecht. Het record stond op twaalf minuten.

14

Het contrast tussen het Fransepad en de Herengracht was dat van ijs en vuur. Hemelsbreed zaten er nog geen duizend passen tussen het rottende hout van de Jordaan en de statige stenen van de gouden bocht, maar in die afstand leken er jaren verstreken te zijn. Aan deze bocht huisden enkele van Vrooms beste cliënten. Hij moest het niet hebben van de koopaktes of de testamenten. Zijn voornaamste bron van inkomen bestond uit de bezorgdheid van rijke weduwes.

'Mevrouw Pigeaud kan u nu ontvangen, meneer Vroom.' De façade van de audiëntie intrigeerde hem, maar dat weerhield hem er niet van met alle egards de werkkamer van de weduwe te betreden.

'Mevrouw, ik ben u bijzonder dankbaar. Wat fijn dat u wat tijd heeft kunnen vrijmaken voor mij.'

'Nonsens, heer Vroom. Ik ben maar een oude dame. U moet vast een druk programma hebben. Ik zou ú dankbaar moeten zijn.'

'Mevrouw, vergeeft u mij, maar… "oude dame"! Mocht ik met

uw jaren nog zo'n fit en jeugdig voorkomen hebben, dan zou ik mij gezegend voelen.'

'U vleit mij, meneer. U bent een slechte leugenaar. Maar uw leugen is in dit geval aan dankbare oren besteed.'

Vroom pakte de hand die hem aangeboden werd en bewoog zijn hoofd in de richting van de paarse handschoen. 'Hoe mag ik u vandaag van dienst zijn?'

'Laten we de beleefdheden maar even laten voor wat ze zijn, meneer Vroom. Wij zijn inmiddels oude bekenden, vindt u niet?'

'Nu vleit u mij, mevrouw Pigeaud. Maar ik zal u niet tegenspreken. Wij zijn niet meer van gisteren.'

'Precies, dat heeft u goed gezegd. En dat brengt mij meteen op de zaak die ik u wil voorleggen. Als u mij toestaat?'

'Mevrouw, u heeft mijn oor.'

'Sinds het overlijden van mijn man kan ik mij niet aan de indruk onttrekken dat onze samenleving verkilt. Misschien zijn het mijn oude botten die mij weemoedig maken, maar het komt mij voor dat onze mooie stad, waar mijn man zaliger zich zo hard voor heeft ingezet, zijn beste dagen heeft gehad. Laatst nog bereikte mij een verschrikkelijk verhaal over de toenemende zedenloosheid in de lagere wijken.'

'Mevrouw, ik begrijp wat u bedoelt.'

'Wist u, meneer Vroom, en vergeef me mijn onbeschaamdheid, dat er op tal van plekken in onze stad vrouwen zijn die hun lichaam aanbieden aan vreemden, alleen maar om een korst oud brood te kopen waarmee ze zichzelf en vaak nog drie of vier kinderen moeten voeden?'

De weduwe draaide haar blik naar het manshoge portret van haar man, de oude staatsman van wie werd gezegd dat hij het juk van zijn huwelijk met enige regelmaat van zich af had gegooid.

'Mijn man zou zich omdraaien in zijn graf.'

'Mevrouw, u doelt ongetwijfeld op dat wat in de overlevering als het oudste beroep ter wereld te boek staat?'

‘Precies. Natuurlijk begrijp ik dat dit niet nieuw is. U zei al: wij zijn niet van gisteren. Maar in deze tijd, meneer. We leven in volle beschaafde bloei. In deze tijd kan het toch niet meer zo zijn dat een mens zich in zoverre moet verlagen?’

‘Ik ben het volkomen met u eens, mevrouw. Het is een mens onwaardig. Maar wat kunnen we eraan doen?’

‘Daar heb ik over nagedacht en ik wil u mijn ideeën voorleggen.’

‘Een en al oor, mevrouw.’

‘Ik wil een stichting opzetten. Net zoals u dat gedaan heeft met die stichting voor de weeskinderen. Ik wil dat u in onze naam een deel van ons vermogen, verantwoord, beschikbaar stelt voor de gevallen jonge vrouwen. U stelt een bestuur aan dat beoordeelt wie er in aanmerking komt voor een toelage, en dat bestuur ziet erop toe dat deze arme vrouwen opnieuw, en waardig, onderdeel van onze samenleving kunnen worden. Iedereen verdient een tweede kans, vindt u niet?’

‘Dat vind ik zeker, mevrouw. En wat een bijzonder sympathiek en ruimdenkend idee. U bent werkelijk een unieke aanwinst voor onze stad. Ik weet zeker dat uw man trots zou zijn op deze vooruitstrevende gedachte. Mag ik u vragen hoeveel van uw vermogen u zou willen reserveren voor deze weldaad?’

15

Tijdens de avonddienst was de gelaagdheid van de stad pas echt goed te merken. Op de voorste rijen van de kerk zaten de bestuurders, de edelen en de patriciërs, zij bezaten de stad. Daar achter de advocaten en de notarissen, zij controleerden het bezit. Daar weer achter de hoge ambtenaren, de militairen, de artsen en de hoogleraren, zij verzorgden de bezitters. En vervolgens de lagere ambtenaren, de docenten, de vaklui en wat je al niet meer hebt. Keurig in een rijtje op gepaste afstand van het hoge woord van de geestelijke leiders. Voor het oog van God was ieder mens gelijk, daar had men geen invloed op, maar we konden dondersgoed bepalen wie de Heer als eerste zag en wie we in de schaduw verstopten.

De schijnheiligheid leek te worden benadrukt door de woorden van de predikant die zich vergreep aan Matteüs.

'De belangrijkste onder u zal uw dienaar zijn. Wie zichzelf verhoogt zal worden vernederd, en wie zichzelf vernedert zal worden verhoogd.'

De weduwe Pigeaud keek een aantal keer opzichtig zijn kant op. Op zoek naar een bevestigende blik wellicht. Het maakte niet uit welke woorden er uit de Bijbel geplukt werden, het lukte iedereen altijd er uitsluitend in te horen wat ze zichzelf graag wijsmaakten.

De predikant besloot zijn kerkdienst met de mededeling die Vroom hem voor de dienst had ingefluisterd. 'En alle belangstellenden voor de samenkomst die wordt voorgezeten door de heer Vroom verwijs ik graag naar de consistoriekamer. Er is voor koffie en koek gezorgd.'

16

De consistoriekamer puilde uit. Zeker de helft van de kerkgangers, voornamelijk mannen, had zich verzameld in de ruimte waar de stoelen uit verwijderd waren. De bijeenkomsten, die Vroom ruim een halfjaar geleden begonnen was, droegen de naam 'Kruistochten tegen de zedenloosheid' en wonnen wekelijks aan populariteit. Vroom wachtte in de hal naast de consistoriekamer tot hij aangekondigd werd. Zijn vrouw was alweer onderweg naar haar bed. Bij de laatste woorden van de aankondiging drukte hij zijn sigaar uit tegen de muur. Hij trok zijn jasje uit voor hij op het preekgestoelte stapte en schraapte zijn keel voor hij het woord nam.

'Dank u, dominee, voor uw mooie woorden en de schitterende dienst.' En nog harder: 'Heren! Dames en heren! Dank u dat ik nog even een woord tot u mag richten. Wat fijn dat u hier met zovelen naartoe bent gekomen.

Mag ik u vragen, dames en heren... mag ik u vragen, wat onderscheidt ons van de dieren?'

Vroom liet een korte pauze vallen. Niet bedoeld om aan zijn gehoor een antwoord te ontlokken, maar om zijn retoriek te onderstrepen.

'Zijn het onze duimen? Onze duimen die ervoor zorgen dat wij met hamer en beitel ons brood kunnen verdienen? Is het de taal? Heeft de Heer ons de taal geschonken om ons te onderscheiden van de beesten? Of is het ons gezond verstand?'

Opnieuw pauzeerde Vroom even. Nu wees hij met een glimlach op twee kinderen die, ongehinderd door zijn optreden en het late uur, hun spel speelden.

'Ik zal het u zeggen. Het enige wat ons onderscheidt van de beesten is ons fatsoen! Onze waarden en normen maken ons menswaardig... Dat is een zegel dat we allemaal moeten verdienen. Stuk voor stuk. Want, mijn medemens, zijn wij het waardig ons mens te noemen? Werkelijk waardig ons mens te noemen, als wij onze medemens nog steeds – terwijl ik dit vertel – als eenvoudig vee te koop aanbieden op iedere straathoek van deze mooie stad?'

Uit het publiek steeg een instemmend geroezemoes en applaus op.

'Dank u wel. Terwijl ik dit vertel, onderhandelt een vader over zijn dochter. Christenen, zogenaamd, onze medemensen, zogenaamd. Zij heeft hem teleurgesteld. Haar beloften zijn gebroken. Het zegel van haar kuisheid is te grabbel gegooid en ze is bestempeld als een zondaar. De vader heeft geen keus. De gemeenschap heeft haar verstoten en voor wat stuivers geeft hij haar mee aan de eerste de beste koehandelaar. Deze man rijdt met zijn veestapel naar de stad, onze stad. De dochter, een meisje nog, bevend van angst en niet beducht voor haar noodlot.'

Vroom liet opnieuw een stilte vallen. Net zoals hij dat die ochtend geoefend had.

'En in de stad wordt de handelaar onthaald met sigaren en jenever. Hij drijft zijn vleeswaar de kar uit. De dochter, allang geen meisje meer, nu ook geen vrouw meer, wordt gekeurd. Ze voelen aan haar vlees, ze bekijken haar oogwit, ze trekken aan haar tong. Wat is zij nog waard?

Haar dagwaarde, beste medemens, haar dagwaarde bedraagt tweehonderd gulden! De koopman spuugt in zijn hand. De koop is gesloten. Een mens is verkocht voor de prijs van een half rund! De kont van een koe! Dat is de waarde van een mens. Is dat menswaardig?'

Het publiek joelde misprijzend. 'Een schande!' riep iemand.

'En ondertussen kijken wij allemaal de andere kant op. We luisteren naar de mooie preek van de dominee. We breken ons brood. We gaan naar huis. We kussen onze vrouw en dochters en we gaan slapen. Medemens, u bent blind! Onder u leven slavendrijvers, duivelsgezanten die handeldrijven met de ziel van dolende dochters! Waarom staat u dit toe! Dit gebeurt in uw straat. Ze lopen over dezelfde stenen. Het is genoeg!'

Vroom sloeg hard met zijn trouwring op het preekgestoelte. Zweetdruppels parelden over zijn voorhoofd en langs zijn ogen naar beneden.

'Het is genoeg! Dit is mens-on-waardig! En wij zullen dit niet langer aanzien! Dit zijn onze straten. Dit zijn onze dochters! Dit zijn onze medemensen!'

Vroom wachtte tot het luide applaus verstomde.

'Heren, volg het goede voorbeeld uit Haarlem. Volg de middernachtzendelingen in hun kruistocht door de straten van onze stad. Gaat heen en beschermt uw medemens voor het donker van de nacht.'

17

Terwijl de consistoriekamer leegliep, wandelde Vroom terug naar de gang. Hij gaf de dominee een hand, bedankte hem nogmaals en liep naar de andere uitgang die hem naar de zijstraat bij de Westerkerk zou brengen. De straat was leeg en voor een kort ogenblik voelde Vroom hoe het donker en de eenzaamheid hem beslopen. Het leer van zijn schoenzolen maakte het enige geluid dat echode door de steeg. Plots bekroop hem het gevoel dat hij niet langer alleen was. Hij zette nog twee passen en bleef toen stilstaan. Hij hield zijn adem in om nog beter te kunnen horen.

Achter hem klonken voetstappen. Eenzame passen, met een vergelijkbare evenwichtige kalmte als die van hemzelf. Ze kwamen dichterbij, maar dat spoorde Vroom niet aan door te lopen of zich om te draaien. Toen de echo van de andere passen hem volledig omsingeld had, hield het geluid op.

'Dat was weer een mooi verhaal.' De krassende mannenstem kwam Vroom bekend voor. 'U zou een carrière in de politiek moeten overwegen.'

Met zijn zwarte overjas en hoed was de man vrijwel onzichtbaar in de donkere steeg. De maan lichtte zijn kraalogen op en Vroom herkende het litteken dat als een traan van het linkeroog langs de neus naar beneden liep. Hij pakte een pijp uit de binnenzak van zijn jas en vroeg Vroom om een lucifer.

Vroom gaf hem het pakje, waar nog twee lucifers in zaten. 'Je bent lang weggeweest, of niet?'

'Zeven of acht weken. Ik ben wel eens langer weggeweest.' De man stak de flok van de pijp tussen zijn snijtanden en maakte een knarsend geluid.

'Heb je nog wat kunnen vinden?' Vroom ontweek de kraalogen en staarde de diepte van de steeg in.

'Het gaat. Twee kippetjes van over de grens en een veulentje van het veen.'

'Van het veen? Spreekt ze Nederlands?'

De man lachte. 'Zo goed en zo kwaad als dat kan. Ik heb haar bij de raven weggehaald. Daar joelen ze nu waarschijnlijk nog steeds jankend naar hun god.'

'Ja,' zei Vroom. 'De honden janken het mooist. Dat is de echo van de trouw. Zelfs als je hun poten verbrijzelt, blijven ze likkebaardend tegen hun meester opkijken. Heb je haar naar de lijpe gebracht?'

'Ja, hij heeft meteen betaald.'

'En is hij met haar langs het maison gegaan?'

'Ja. Ze zit bij Weisenthal.'

'Dat is mooi. Vers vlees. Heel mooi. Laten we daar maar eens gaan kijken dan.'

HOOFDSTUK III

De rode jood

18

Het was ijskoud in het donkere hok dat Anna nog het meest deed denken aan het huis op het laagland. Ze kon zich niet meer precies herinneren hoe ze hier was gekomen. Het waren vage flitsen, onsamenhangende beelden en onbekende geluiden, die aan een onrustige droom deden denken. Veel gekrijs, hoefgetrappel, de jutezak over haar hoofd, de geur van nat stro, nog meer gekrijs, de geluiden die haast wel van een trein moesten zijn, de stok die telkens zonder waarschuwing in haar knieholte landde als ze zich moest verplaatsen, de planken in de kar waaraan ze haar nagels en vingertoppen kapot gekrabd had, veel meer gekrijs, en uiteindelijk de doffe klap die een einde leek te maken aan de nachtmerrie.

Haar ogen waren inmiddels gewend aan het donker. In het hok stond een emmer. Er waren houten kratten opgestapeld. In een hoek lag een berg aarde waar een schop in stak. Ze hoorde kippen, misschien, soms wat geblaf van honden, maar in de verte ook een vreemd soort muziek die ze niet herkende. Het hok had geen ramen en was grotendeels van hout, op de stenen zijwand na. Hieruit stak de ring waaraan de ketting bungelde die al wekenlang aan haar linkerpols vastzat. Anna kroop in de hoek van het hok op een stapel jutezakken. De rok die ze droeg was aan de zijkant opengescheurd. Ze trok haar benen op en plaatste ze in hurkzit tegen haar bovenlijf om haar eigen warmte te bewaren terwijl ze wachtte. Al wist ze niet zeker of het wel wachten was wat ze deed.

Anna schrok wakker van het geluid dat de deur maakte toen

die opengetrapt werd. Hij zwaaide naar binnen open en viel vrijwel direct weer dicht. De man die binnenkwam schopte nogmaals tegen de deur aan.

'Wie bent u? Waarom... Waar ben ik?'

Zonder te antwoorden stak de man een lamp aan. Pas toen de ruimte werd verlicht begreep Anna hoe onzinnig haar vragen waren.

'Rustig maar, meisje. Het komt heus wel goed. We zullen je zo even schoonmaken en dan zoeken we wat moois voor je uit. Noem mij maar Kool. Iedereen noemt me Kool. Je mag meneer Kool zeggen, maar Kool is ook goed. Als mevrouw zo komt dan kun je maar beter even je mond houden. Ze houdt niet van vragen. Dat leer je snel genoeg.'

Kool zette de lamp op een van de kratten in de hoek en pakte de emmer water. Zonder waarschuwing smeet hij de inhoud over Anna heen. Ze schreeuwde. Opnieuw stokte de waaromvraag in haar keel. Ze wreef het water uit haar ogen, streek haar haren naar achteren en keek toen recht in het gezicht van de vrouw die Kool al had aangekondigd.

Ze was in alles anders dan de vrouwen die Anna kende uit haar dorp. Ze droeg een vederlichte rok die een lichtblauwe gloed over zich had en uit verschillende lagen leek te bestaan. De rok bolde rond haar heupen als een perfecte koepel en daarboven stak haar middel als een slanke stam, onder de forse buste die ferm vooruitstak. De vrouw verborg haar haren niet, maar had ze met pinnen in lange krullen op haar hoofd opgestoken. Tussen haar felrode lippen stak een slanke sigaar, die Anna alleen kende in de brede uitvoering die de predikant op zondag rookte. Anna schaamde zich voor haar voorkomen en trok haar knieën nog verder op.

'Wie bent u, mevrouw?' Ze stamelde de vraag en slikte hem half in omdat de woorden van Kool haar weer te binnen schoten.

Het duurde even voor de vrouw haar aankeek. 'Ha! Toe maar. Dat zijn grote vragen, kindje. Ik houd niet zo van vragen, toch, Kool?'

De man knikte bevestigend en keek naar de grond.

'Maar dit is niet zomaar een vraag. Het is een mooie vraag. Een levensvraag. Daar horen vaak antwoorden bij die pijn kunnen doen. Wie ben jij, kindje?'

'Ik ben Anna, mevrouw.'

'Weet je dat zeker? En wat ben jij, Anna?'

'Ik ben Anna. Wat bedoelt u, mevrouw?'

'Ben jij een mens, Anna?'

'Ja.'

'Echt waar? En wat is een mens?'

'Ik begrijp het niet, mevrouw.'

De vrouw draaide zich naar de man die zichzelf Kool noemde en gaf hem een bevel: 'Uittrekken.'

Kool haalde zijn handen uit zijn zakken en liep op Anna af. Hij trok haar aan haar rechterpols omhoog en scheurde de jurk verder open. Anna begon te huilen.

'Wat wilt u van mij?'

'Wat is een boom?'

'Waarom vraagt u dat?'

Kool trok nu ook het laatste stuk stof weg, dat Anna voor haar borsten hield.

'Wie zijn jullie? Waarom doet u dit?'

'Wat is een boom?'

Kool trok haar van de grond en hield haar armen achter haar naakte lichaam. Zelfs haar tranen leken nu opgedroogd.

'Ik begrijp het niet. Ik wil naar huis.'

'Geef antwoord! Wat is een boom?'

'Ik weet het niet. Een plant?'

Kool duwde haar terug. Ze viel achterover op de baal jutezakken.

'Nee. Wat is een boom?'

'Ik weet het echt niet, mevrouw. Hout?'

De vrouw dirigeerde Kool met een simpel handgebaar de schuur uit.

'Ja! Een boom is hout. Prachtig. En logisch. Als een boom hout is, wat ben jij dan?'

'Een mens?'

'Nee, geen mens. Wat is een mens als een boom hout is?'

Anna hield haar handen voor haar gezicht. Ze voelden koud aan tegen haar gloeiende wangen.

'Vlees?'

'Juist! Dat is goed! Vlees! Dat ben jij, Anna. Jij bent vlees. Vers vlees. En vlees moet besterven.'

Kool kwam de schuur weer binnen en droeg een stapel paardendekens. Hij smeet ze in haar richting. De vrouw draaide zich om. Het zoet van haar parfum hing nog in het donkere hol toen Kool de deur weer dichtsloeg.

19

Het daglicht scheen al enkele uren door de kieren van de schuur toen de deur opnieuw openzwaaide. De zon drong de ruimte binnen en door de deuropening zag Anna een torenhoog, statig pand dat niet van deze wereld leek. De stenen waren roetzwart en boven de hoge ramen benadrukten witte stenen, als wenkbrauwen, de donkere ogen van het gebouw. Kool kwam binnen, bijna routineus, en zette een kan melk en een bord met droog brood voor haar op de grond.

'Dat was mevrouw Rowel, gisterenavond. Je kunt haar beter niet tegenspreken. Je kunt eigenlijk maar beter helemaal niet met haar praten. Als zij iets zegt, dan doe je dat. Dat houdt je van de ketting.'

Anna dronk de melk uit de kan bijna ineens op. Ze nam een hap van het brood en bedacht wat ze Kool zou kunnen vragen.

'Hoelang moet ik hier blijven, meneer Kool?'

'Je mag zo met me mee. Als je belooft dat je je gedraagt, hoef je niet meer in het kot te slapen. Kun je dat beloven?'

'Ik zal doen wat u zegt.'

'Dat zal best. Als je maar doet wat mevrouw zegt, dan heb je van mij weinig last.'

'Ik zal doen wat mevrouw zegt.'

Kool pakte de lege kan op en zocht in zijn broekzak naar een sleutelbos. Hij stak de sleutel in het slot bij haar linkerhand. Van onder het ijzer verscheen haar geschaafde polsgewricht.

'Meneer Kool, wilt u mij vertellen waar ik ben?'

'Weet je dat niet?' Kool produceerde een glimlach. In de bovenste rij van zijn gebit ontbraken twee tanden. 'Je bent in Maison Weisenthal, meisje. Het paleis van de nacht. De trots en de schande van Amsterdam.'

'Amsterdam? Ben ik in de stad?'

20

Vanuit de ondiepe tuin achter het maison ving Anna voor het eerst een glimp van de stad op. In elke richting zag ze gebouwen van steen die hoger dan de hoogste bomen uit het bos op haar neerkeken. Overal om haar heen klonken geluiden die ze nooit eerder gehoord had. Ze rook as, urine en paardenstront en nam zich voor niet meer door haar neus te ademen.

Kool duwde haar voor zich uit. Anna had een paardendeken uit het hok meegenomen, maar Kool zei haar deze achter te laten toen hij de deur aan de zijkant van het gebouw voor haar openhield. Binnen liep hij een smalle gang door in de richting van een trap. Hij liep naar boven.

Anna twijfelde. Ze hield haar rechterarm voor haar borsten, pakte de trapleuning en klom uiteindelijk toch achter hem aan. Iedere tree die ze beroerde maakte een krakend geluid.

'Hier zijn we dan, meisje.' Kool zwaaide een andere deur open. 'De badkamer.' Opnieuw lachte hij zijn gehavende gebit bloot. Vanuit de ruimte hoorde Anna vrouwenstemmen en even was ze

bang dat ze mevrouw Rowel opnieuw onder ogen moest komen.
'Maak je maar geen zorgen. Ze is er niet.' En door de deuropening riep hij: 'Dames, Rosa, dit is jullie nieuwe collega. Help haar even, alsjeblieft.'

Vanuit de ruimte nam het rumoer toe. 'Wegwezen, Kool! Als je wilt gluren, moet je betalen!'

Kool duwde Anna naar binnen en deed de deur achter haar dicht.

21

De ruimte die Anna zag, had ze zich in haar vreemdste dromen niet kunnen voorstellen. De vloer was bedekt met een donkerrode stof die doorliep tot halverwege de muren. In de kamer zag ze drie tobbes. Er stonden drie donkergroene stoelen en er waren tafels tegen de muren gezet waar spiegels boven hingen. Ze was bang en ze schaamde zich. Van alle kanten keken ogen haar dreigend aan. Heel even was het stil in de ruimte, tot de vrouwen in de tobbes, die tegen elkaar aangeschoven stonden, met elkaar begonnen te praten.

'Het is weer zo'n schrielkip.'

'Dat was jij ook, Mariëtte.'

'Niet zó benig. Kijk eens naar die billen. Daar zit geen grammetje vet aan.'

'Het is de mode. Ze worden ook steeds jonger.'

'Wij worden ouder. Dat is veel erger.'

'Je kunt me nog meer vertellen. Mannen houden niet van botten. Ze willen iets kunnen vastpakken!'

'Noem je dat íets, Fien? Als jij straks opstaat moeten we die tobbe van je reet trekken!'

Anna zette een stap naar achteren en voelde de deurklink in haar rug steken. Misschien zou Kool haar zo weer komen halen en kon ze hem vragen of ze terug mocht naar het hok.

'Maak je maar geen zorgen, kindje. Ze pesten je maar. Ik ben Rosa. Dat is Josefien, dat zijn Mariëtte, Eva en Evelien.'

'Evelyn,' verbeterde de laatste vrouw, waarmee ze opnieuw de aandacht opeiste.

'Wat nu weer?' zei de dame met de tobbe aan haar billen. 'Kom je ineens uit Amerika?' Ze sprak het uit als 'amèwika'.

'Nee, Fien. Londen. Daar houden die Amerikanen van. Scheelt zeker een gulden fooi. Dat Franse gedoe is uit. Passé.' De vrouwen schaterden het uit.

'Evelyn. Josefyn. Eve. Evelien. Wat maakt het uit.' De forse vrouw in de tobbe pakte haar borsten in haar handen en bewoog ze op en neer. 'Deze dames spreken voor mij. Daar hebben ze geen accent voor nodig.' Om haar woorden kracht bij te zetten, probeerde Fien op te staan uit de tobbe. Net toen ze haar enorme lichaam bijna horizontaal had, gleed ze weg. Ze zakte onderuit de tobbe in en kwam een paar tellen later weer proestend boven. 'Mijn haar! Mijn haar is nat! Verdomme, Lien! Dat is jouw schuld!'

Anna had vaak gedacht dat alles beter was dan het laagland, maar nu kon ze niet bevatten waar ze terechtgekomen was. Ze rilde, nu niet van de kou, maar van al het andere dat over haar heen denderde, en ze begon opnieuw te huilen.

'Dames! Ma-nie-ren! Doe even niet alsof de hele wereld om jullie draait. Dat meisje is bang. Ik weet nog hoe jij hier binnenkwam, Fien. En jij, Eva! Hebben jullie dan werkelijk geen greintje fatsoen in jullie donder?' Ze liep met een doek op Anna af en hing hem om haar schouders.

'Ik ben Rosa, meisje. Hoe heet je?'

Anna pakte de doek aan, maar gaf geen antwoord. Ze wilde niet opnieuw de fout maken mensen zomaar te vertrouwen.

Nu was het de forse Fien die zich tot haar richtte. 'Ze heeft gelijk, meiden. Maak je maar geen zorgen, meissie. We blaffen harder dan we bijten. Kom maar even. Je mag mijn bad hebben. Ik moet toch met mijn haar aan de slag.'

Fien was uit de tobbe gestapt en zette een stap in haar richting. Ze stak haar arm uit en draaide haar pols naar boven. Het spek van haar onderarm deinde met de beweging mee. 'Josefien, *enchanté.*'

Anna trok de doek nog verder omhoog, tot over haar ogen. Even verbeelde ze zich dat ze weer in het bos was, en ze hoopte dat de vuurvliegjes haar snel kwamen halen, tot ze een duw kreeg met de uitgestoken arm van de kolossale vrouw. 'Dan niet. Arrogante spillepoot. Alsof we hier in de rij staan om aardig tegen je te doen.'

Rosa voorkwam dat Anna haar evenwicht verloor. Dat was genoeg stilte, dacht ze, wat had ze eigenlijk nog te verliezen en waarom zou ze zich vastklampen aan haar naam. Alsof haar naam wel echt van haar was. Ze had hem alleen maar gekregen bij haar geboorte. Van dezelfde mensen die haar nu hadden uitgewist.

'Ik ben Anna.' Ze draaide haar hoofd naar Rosa. 'Dankjewel. En sorry, Josefien.'

'Hè, hè, het praat,' zei Fien. 'Laten we nu dan eindelijk weer even normaal doen.'

22

Het was een vreemde gewaarwording voor Anna. Het leek alsof ze een nieuwe diersoort ontdekt had. De vrouwen waren brutaler en eigenzinniger dan alle vrouwen die ze ooit gezien had. Ze leken vrijgevochten, maar waren tegelijkertijd net zozeer slachtoffer en gevangene als zijzelf. Er was geen sprake van verzet, terwijl het niet onmogelijk kon zijn om hier weg te rennen. Het was moeilijk om het moeras te ontvluchten. Het laagland leek een onneembare barrière, maar in de stad kon je toch onmogelijk gegijzeld worden? Zouden ze hun lot bewust hebben gekozen, of waren ze daadwerkelijk murw geslagen en getemd? Was het vlees bestorven, zoals de vrouw met de grote buste dat noemde? Wat was ervoor nodig om een mens te breken? Was een man met een stok genoeg? Je had toch altijd een eigen wil? Of was dat maar een illusie en bestond de zelfbeschikking waarover de voorganger in de kerk het altijd had alleen maar om compromissen te sluiten? Kiezen we het beste, of het beste van alle kwaden? Voorlopig besloot Anna dat ze zich niet zou laten imponeren door de façade die de vrouwen om haar heen opgetrokken hadden. Dat ze hier waren bewees het tegenovergestelde van wat ze probeerden uit te stralen.

'Geloof me maar, Anna. Dit is niet het einde van de wereld. En er zijn veel plekken in de stad die afschuwelijker zijn dan deze.' Rosa zat in de tobbe naast haar. Het water was lauwwarm en beet in de schaafplekken op haar polsen.

'Je hebt Maison Steen, bij de haven, daar komen alleen maar dronken zeelui. Ze zijn smerig en hardhandig. Houthof, bij de kazernes. Daar werk je dag en nacht. Gefrustreerde onderofficieren en kadetten die niet weten wanneer het genoeg is. Of bij De Taveerne, waar je soms mee moet naar achteren, het gemak in, om een dronkenman te pijpen terwijl hij zit te kakken. Of nog erger: in de steegjes bij de krotten, waar je geslagen wordt als je om geld vraagt en niet zeker weet of je de nachten overleeft. Nee, je kunt van de weduwe zeggen wat je wilt, maar ze houdt het tenminste netjes. Hier komen de mannen met geld. Mannen met een vrouw. Mannen van aanzien. Op een goede avond komen ze met je praten. Ze kopen champagne voor je en lispelen in je oor dat je mooi bent.'

'Waarom doen ze dat?' Het was de eerste vraag die Anna durfde te stellen sinds het hok. Misschien kwam het door de tobbe, of misschien vertrouwde ze Rosa omdat ze voor haar was opgekomen.

'Waarom? Omdat het mannen zijn. Ze zijn verzot op bezit. Ze denken dat ze alles kunnen hebben en wij doen net alsof dat zo is.'

'Net alsof?'

'Ja. Vergis je niet. Mannen worden geboren met een gruwelijk verlangen. Zodra ze zich bewust worden van dat ding dat tussen hun benen hangt, zijn ze een slaaf. Het is als honger en dorst voor ze, en na elke maaltijd denken ze alweer aan de volgende. Ze willen je bezitten. Ze hebben die illusie nodig. Zolang ze seks kunnen hebben met wie ze willen, geloven ze in hun bestaansrecht. Wij geven ze die illusie. Wij verkopen sprookjes.'

'Dat begrijp ik niet.' Rosa gebruikte woorden die ze nog nooit gehoord had en ze sprak ze achteloos uit. Ze leek niet per se ongelukkig. Zou zij ook opgehaald zijn door de man met de kraalogen?

'Kijk. Dit is een huls.' Rosa sloeg met platte hand op haar buik. 'Net als een mooie jurk, of kousen van satijn, is het alleen maar de buitenkant. Dit is wat je ziet en wat je aan kunt raken. Het is gereedschap. Het is het eerste wat mannen willen hebben. Sommige mannen denken dat dit alles is. Ze proberen een vrouw te bezitten, zo goed als ze kunnen. Ze schuren met hun behaarde naaktheid tegen mij aan, klimmen stuntelig op of achter me en rollen minuten later weer van me af. Ze denken dan dat er iets is gebeurd. Meestal trekken ze vlug en stilzwijgend hun kleding weer aan om zich uit de voeten te maken. Ze ruilen de lust om voor schaamte en rennen naar huis, om zich soms pas maanden later weer eens te vertonen.'

Anna vroeg zich af of ze wel eens lust had ervaren. Ze wist hoe schaamte voelde. Zou lust dan het tegenovergestelde zijn? En zou het net zo krachtig zijn?

'Sommige mannen willen meer. Ze denken dat de illusie echt is. Ze proberen meer te krijgen dan mijn lichaam en stellen vragen. "Wil je niet bij me blijven? Zal ik je meenemen? Ben je verliefd op me?" Deze mannen zijn verdwaald in hun slaafsheid. Ze begrijpen hun honger niet meer en verwarren die met liefde. Dan pas begint het echte spel. Je vertelt ze wat ze willen horen. Je geeft antwoord met je zachtste stem en dat maakt ze gek. "Neem me mee. We moeten samen weg van hier." Zij betalen meer, dus zij krijgen meer van het sprookje. Ze mogen denken dat ze me bezitten tot ze eraan onderdoor gaan. Ze verdrinken in hun dorst. Want dat mogen ze hebben. Hun lust, hun verlangen en hun honger. Die komen ze stillen, maar ik geef ze er meer honger voor terug. Want mij zullen ze nooit krijgen, snap je? Ik ben dit lichaam niet. Ik ben het raadsel in mijn eigen hoofd.'

Dat laatste begreep Anna. Ze had niet één raadsel in haar hoofd, maar misschien wel zoveel als er sterren aan de hemel stonden. Het waren de raadsels die haar Anna maakten. Die raadsels waren alleen van haar en dat waren ze ook altijd geweest. Niet van haar vader, of haar moeder, niet van Jakob en zelfs niet van Jonas of Martha. Ze had er nooit aan gedacht dat die raadsels haar uniek maakten, en al helemaal niet dat ze ze kon oogsten en gebruiken.

23

De kamer met de tobbes werd de poederkamer genoemd. Hij bevond zich op de eerste verdieping aan de voorkant van het huis. De ramen konden wel open, maar waren constant bedekt door zware gordijnen die in twee lagen ieder zweempje frisse lucht buitenhielden. Alles in de ruimte was donkerrood. Het hoogpolige tapijt, dat deels tegen de muren opliep, de verf tegen de wanden en het plafond, die laag op laag over de schimmelplekken werd aangebracht, de lijsten om de twee spiegels, en de brede fauteuils. Zelfs de kleine kolenkachel in de hoek werd tijdens verfsessies meegenomen, zodat het regelmatig voorkwam dat mensen hem niet zagen en ertegenaan liepen. De poederkamer was in de ochtend badkamer, werd na de lunch kleedkamer en werd meteen daarna door Kool getransformeerd tot een tweede ontvangstruimte.

In totaal had het gebouw vier verdiepingen, als je de kelder niet meetelde. Rechts van de voordeur bracht een kleine deur de leveranciers direct naar de ondiepe achtertuin. Naast het deurtje en in het vertrek erboven woonde madam Rowel. Het was verboden terrein en dat werd benadrukt door de verschillende zware sloten waarvan alleen zij en Kool de sleutels hadden.

De voordeur werd uitsluitend gebruikt door de klanten. Als ze met de massieve klopper op de deur sloegen, zwaaide Kool deze zwierig open. Hij nam de jassen in ontvangst, zorgde ervoor dat ongewenst bezoek buiten bleef of, als de ongewenstheid zich pas later openbaarde, dat deze bezoekers hardhandig het pand uit gewerkt werden.

Als de klanten binnen waren, werden ze in de hal ontvangen door madam Rowel. Speciaal hiervoor had ze zich een Duits accent aangemeten, waarmee ze haar gasten verwelkomde. 'Willkommen!' Zelfs als het vaste gasten waren benaderde ze hen op deze manier. Waarschijnlijk om hun anonimiteit te benadrukken, of misschien om de schijnbare afstand tussen deze plek en het echtelijke bed te vergroten.

Vervolgens werden de mannen met veel egards naar de salon gebracht. Bij het buffet werden ze voorgesteld aan Bo. Hij schonk altijd een 'klein versterkertje' in voor de gasten, 'met de complimenten van mevrouw' en gaf de heren te kennen dat ze met al hun vragen bij hem terecht konden. 'Geen verzoek is ons vreemd,' werd zo op een avond zeker vijftig keer herhaald.

Zodra er een nieuwe gast binnen was, werd er met een belletje gerinkeld. Dat was het teken voor alle dames die 'vrij' waren. Ze moesten zich direct melden in 'het gelag' om zich daar zo snel mogelijk te laten trakteren op champagne. Deze werd altijd ingeschonken door Bo, onder het buffet, en bestond uit een mengsel van spuitwater en zoete wijn. Het kwam maar een heel enkele keer voor, als gasten een hele fles bestelden, dat er echte champagne werd gedronken.

Vanaf dat moment begon 'het spel van de verleiding', zoals Rosa het noemde – de handel in raadsels. Dan waren de dames de beste vriendinnen, kirden ze om het hardst en wierpen ze zich aan de voeten van de klanten om bij hen om hun gunsten te dingen.

De gasten lieten zich vrij eenvoudig in drie soorten onderbrengen. Zeker één op de drie kwam alleen. Hij dronk zijn traktatie op en bestelde daarna nog een jenever en misschien een glas 'champagne' voor het meisje dat hij op het oog had. Deze mannen keken vaak verlegen, of hooguit schalks om zich heen en stonden meestal binnen een halfuur weer buiten. Het waren de 'passanten', de makkelijke klanten die vaak weinig fooi opleverden. Ze stelden geen vragen en gaven korte, gesloten antwoorden als ze zich überhaupt lieten verleiden tot een gesprek. Ze kenden meer schaamte dan lust en leken alleen langs te komen om die schaamte te voeden zodat de lust weer even getemd kon worden.

De tweede categorie bestond uit de 'schobbejakken'. Ze waren vaak met z'n tweeën en hadden elkaar dan eerst opgejut in een of ander café. Alleen zouden ze nooit de moed hebben om binnen te komen, maar samen hadden ze brutaliteit voor drie. Ze schepten er plezier in te provoceren en namen deze stemming vaak mee naar boven, waar ze er op de kamer achter kwamen dat ze tot weinig meer in staat waren dan flauwe grappen maken. Soms werden ze hardhandig als hun mannelijkheid hen in de steek liet en veel vaker nog ramden ze gefrustreerd en eindeloos hun halfzachte vlees tussen de dijen van het meisje, om haar daarna onverrichter zake uit te maken voor alles wat ze hun eigen vrouw kwalijk namen, maar nooit durfden te vertellen.

Een klein deel van de klandizie van Maison Weisenthal bestond uit de elite van de stad. Ze kwamen de salon binnen, groetten Bo nonchalant, bestelden cognac en rookten, bijna altijd in gezelschap van drie of meer andere heren, een sigaar bij de open haard. Ze besteedden aanvankelijk geen aandacht aan de meisjes die elkaar verdrongen om hun gunsten. Ze stonden garant voor hoge fooien, veel champagne en, met een beetje geluk, een makkelijke avond en nacht. De officier, de advocaat of de directeur speelden het spel van de verleiding bijna net zo bedreven als Rosa, alleen hadden zij de indruk dat ze werkelijk interessant waren en dat het niet alleen om hun beurs te doen was. Die schijn was het fundament voor het maison en al zijn bewoners en gasten.

24

Als de klant en het meisje tot een overeenkomst waren gekomen, waar eerst flink wat gefluister en gegiechel voor nodig was, dan liepen ze elk een andere kant op. Hij vertrok naar de rode kamer, overdag de poederkamer, die diende als sluis tussen de salon en de peeskamertjes, en zij meldde zich bij het buffet van Bo, waar ze een sleutel kreeg. Met de sleutel liep ze vervolgens achter de klant aan de trap op.

Iedere stap die je zette deed het maison kraken, waardoor het onmogelijk was om iemand te besluipen. Het was onduidelijk of de steunende en krakende rode balken het huis nog staande hielden of dat het de verschillende lagen tapijt, kleden en verf waren die als het net van een trapezeartiest tussen wat hoekpunten leken te hangen. Geen enkele vloer liep recht, en soms veerden de planken zo ver mee dat het leek alsof je door het huis opgeslokt zou worden. Het huis was een spinnenweb, waarbij het nooit echt duidelijk was wie de jager was en wie de prooi.

Als het meisje haar klant ging ophalen in de poederkamer begon er een tweede spel. Alsof het spel kaarten opnieuw geschud was. Het kwam regelmatig voor dat de klant nu van jager in prooi veranderde. Dat had alles te maken met de vaardigheden van het meisje van zijn keuze. De transformatie moest subtiel verlopen. De man leefde nog steeds in het zorgvuldig geschapen sprookje en zodra de zeepbel knapte, zou de magie voorbij zijn.

Dat de droomwereld zou instorten was onvermijdelijk. Het was ook al duidelijk dat het meisje de rol van spelbederver zou spelen. Alleen het precieze moment waarop dat zou gebeuren hing af van haar vaardigheden als hoer.

Zou ze de man direct uit de waan halen en het gesprek een zakelijke wending geven, dan liep ze het risico dat hij zelfs weer naar beneden zou gaan. Als ze de maskerade ophief tijdens of direct na de daad, kon ze haar fooi vergeten. Vlak na de betaling was een goed moment, maar de echte expert opereerde als een regisseur en liet de klant zeker nog vijfmaal terugkomen. Ze liet hem verliefd worden zonder dat hij afhankelijk werd. Ze speelde dan de rol van begunstigde in een langlopende reeks uitgebalanceerde verhalen.

Rosa was een expert in het dirigeren van zo'n 'verhaal zonder eind'. Soms onderhield ze wel acht relaties tegelijk. Dat dit niet zonder gevaar was, legde ze broodnuchter uit. 'Soms wordt-ie verliefd, ja. En dan? Hoezo is dat mijn schuld? Ja, en dan loopt-ie weg bij zijn vrouw. Staat-ie huilend voor de deur. En dan? Moet ik dan opeens met open armen klaarstaan? Ik lijk wel gek. Ja, en dan kan het zijn dat zo'n idioot van de kerktoren springt. Eigen schuld. Mannen hebben hun ogen in hun reet zitten. Het verbaast me überhaupt dat ze denken dat ze ook maar ergens de baas over kunnen spelen.'

25

Anna had van de dominee wel vaker verhalen gehoord over de stad. Toen had ze honderden vragen gehad over deze magische plek. De verhalen, of eerder instructies, die ze van Rosa kreeg, riepen geen vragen op. Ze had er simpelweg niet genoeg woorden voor. Er bestond geen groter verschil tussen haar wereld en die waarin ze was beland. Waar ze eerst vanaf de aarde droomde over de sterren leek alles nu omgedraaid. Ze had niet op aarde geleefd, maar eerder op zo'n ster. Ze kon de wereld zien, maar zou er altijd een vreemdeling blijven. En al waren de woorden die ze hoorde niet de hare, toch leek ze de taal wel te begrijpen. Misschien omdat ze altijd al snel van begrip was geweest, of misschien omdat het eigenlijk heel simpel was. De vragen, de twijfels en de dilemma's waren herkenbaar, ze hadden hier alleen een ander – onheilspellender en angstaanjagender – gezicht dan in het laagland. Tussen de turf had haar begrip haar sterker gemaakt, maar hier versterkte het haar angst. Hoe meer antwoorden ze kreeg, hoe meer ze begreep dat ze in een kuil was gevallen.

In de poederkamer werd ze aangekleed door Rosa en Eva. Ze kon niet meer huilen, haar tranen waren op en de angst zorgde ervoor dat ze ieder werkelijk besef van plaats en tijd verloren had. Eva reeg een koord door het korset dat in haar middel en onder haar borsten sneed terwijl Rosa maar door bleef praten en met pinnen haar haar opstak. Ze trok zelf haar kousen omhoog en toen Eva een knie in haar rug zette en de koorden aantrok, dacht ze even dat ze flauwviel. Ze had geen benul van wat er van haar werd verwacht en ze kon zich geen voorstelling maken van de realiteit. Als iets zo onecht lijkt, dan is het dat misschien ook wel, dacht ze en even dwaalden haar gedachten af. Voor heel even zat ze onder de boom. Ze was alleen, Jonas zou nog komen. Hij moest komen.

Dat droomde ze tot de deur met veel kracht werd opengezwaaid. Daar stond ze. De groeven rond haar felrode lippen trokken diepe lijnen naar de filter waarin het sigaartje was gestoken. Ze droeg een rode jurk die op sommige plekken strak zwart kant onthulde. Haar inktzwarte haar torende met krioelende pijpenkrullen de hoogte in.

'*Mädchen*! Stop maar. Geen poeder op die kleine. Zij is natuur. En klaarmaken. *Fünfzehn* minuten!'

Anna trilde en kroop ineen. Ze merkte niet dat de deur dichtgeslagen werd en dat de andere meisjes om haar heen alweer, drukker dan eerst, in een zwerm doorfladderden.

'Maak je geen zorgen, Anna. Wij houden je in de gaten. Luister maar goed, dan hoef je niet bang te zijn voor haar. Het is niet zo moeilijk. Zet je hoofd uit. Je lichaam weet wel wat je moet doen.'

Maar hoe kon ze haar hoofd uitzetten? Hoe harder ze dat probeerde, hoe meer ze zich bewust was van alle gedachten die door elkaar stormden. Wat gebeurde er met haar als ze niet kon voldoen aan de verwachtingen die er kennelijk waren? Hoe kon ze deze rol nu ooit spelen? Wat gebeurde er met haar als het wel zou lukken? Waar brachten ze haar naartoe? Bestond er nog een kuil in deze kuil? Hoe kon ze hier ooit wegkomen? En: waarom moest dit haar overkomen? Was het de schuld van Jonas, of van Jakob? Was haar vader hier schuldig aan, of was het toch haar eigen schuld? Het waren de gedachten die nog echt van haar zelf waren. Niet haar kleren, niet haar vragen, niet haar lichaam, niet de dag van gisteren en de dag van morgen, niet haar lot, maar alleen maar de gedachten daarover die ze niet uitsprak. Hoe moest ze die loslaten? Wat zou er dan gebeuren? Die gedachten overspoelden haar hoofd dat veranderde in een emmer die te zwaar was om te dragen, en opnieuw brachten ze haar aan het wankelen, tot ze het felle geluid van het belletje hoorde.

26

Rosa liep als eerste de trap af, met achter haar Evelien, en Eva die haar met zich meetrok. Fien en de andere meisjes bleven wachten. Kool was al begonnen met het leegmaken van de poederkamer.

'Wie is het?' fluisterde Eva toen Rosa door de kier van het gordijn voor de salon gluurde. Anna had voor even geen last van de vragen. De spanning klopte in haar hals.

'Sst! Het is de rode jood.'

'De rode jood? Welke? De kleine of de grote?'

'De kleine.'

'Ik ga wel,' fluisterde Evelien naar Rosa, 'hij was er gisteren ook al.'

'Nee.' Rosa blafte het woord de trap op. 'Hij is voor Anna. Zo kan ze wennen.'

'Waar slaat dat nou weer op?' Evelien fluisterde niet meer.

Rosa duwde haar opzij en pakte Anna bij haar arm.

'Luister, meisje. Loop op hem af en vertel dat je nieuw bent. Zeg maar dat je dit nog nooit hebt gedaan. Vraag of hij weet wat je nu moet doen. En bestel champagne. Niet vergeten om champagne te bestellen!' Ze trok Anna langs Eva en Evelien en duwde haar door het zware doek. Bijna verloor ze haar evenwicht. Haar ogen moesten wennen aan het donker van de salon, en toen zag ze Bo die haar met een handgebaar naar het buffet riep. De man die de rode jood werd genoemd zat over het buffet geleund, met zijn rug naar het doek.

'Dat is toevallig. Daar heb je haar net.' Bo keek niemand aan toen hij de woorden uitsprak.

De man droeg een halfhoge hoed. Vanuit de hoed liepen, links en rechts van zijn hoofd, twee strengen haar. Toen hij zich omdraaide, zag ze een overwoekerde baard en een klein brilletje zonder montuur.

'Sjalom,' zei de man. 'Ben je joods?'

Anna begreep de vraag niet, maar durfde hem geen antwoord te weigeren. 'Nee, ik ben nieuw.'

De man lachte. 'Vergeet dan maar wat ik heb gezegd. Wat maakt het ook uit. Te laat voor een koosjer leven, hè?' Hij knikte naar Bo en dronk zijn glas leeg.

'Vergeet je niet wat, meisje?' De man tikte met zijn wijsvinger tweemaal op het buffet. Anna was bang om weer het verkeerde antwoord te geven.

'Moet je me niet vragen of je wat mag drinken?' De man lachte opnieuw. Anna zag dat hij een voortand miste.

'Mag ik een glas champagne, alstublieft?'

Bo had al ingeschonken en zette het glas voor haar neer. Het spul smaakte een beetje naar suikerwater. Ze dronk het glas, naar het voorbeeld van de man met de strengen naast zijn hoofd, in één keer leeg.

'Zo, zo. Het meisje heeft haast.' Door het gat in zijn glimlach zag ze hoe bruin zijn tong was. 'Dat is geen probleem. Dat begrijp ik wel. Ik lok dat wel vaker uit.' Bo liet hem deze keer alleen lachen, greep onder de bar en pakte een sleutel, die hij over het buffet naar de man schoof.

'Toe maar, Aron, je weet de weg.'

27

De man liep voor haar uit door de twee doeken die als deur dienden zonder ze voor haar open te houden. Ze hoorde de traptreden kraken, draaide zich om en keek naar Bo. Met een knik en een handgebaar maande hij haar de trap op. Met het rode deurkleed in haar linkerhand twijfelde ze. Ze kon nergens anders heen dan naar boven. Opnieuw kraakten de treden. Rosa kwam naar beneden.

'Schiet nou op! Hij is al op de kamer. Je mag hem niet laten wachten!' Ze greep Anna bij de pols met de striemen en trok haar mee naar boven. Via de poederkamer stuurde ze haar een gang in. Weer een krakende trap. Het was donker. Rosa ging haar voor en klopte zachtjes op een deur. Ze wachtte niet op antwoord, trok de klink naar beneden en duwde Anna naar binnen.

De ruimte werd verlicht door een olielamp en twee kaarsen die naast het bed stonden. Toen haar ogen aan het licht gewend waren, zag ze de man met de vlassige baard en de strengen voor het bed staan. Hij had de hoed nog op, maar zijn kleren lagen op de stoel naast het bed. Hij droeg rood ondergoed, een hemd en een broek die één geheel vormden, dat van voren met knoopjes was dichtgemaakt.

'Kom maar, meisje. Maak je geen zorgen. Je bent niet de eerste merrie die ik heb moeten temmen.' Hij lachte om zijn eigen opmerking en knoopte het rode ondergoed van onderen open. Uit de klep aan de voorkant stak het lichaamshaar van de man als een overwoekerd woud naar buiten. Anna keek naar zijn schaamstreek en ontdekte met moeite het minuscule, opgewonden geslacht. Ze bevroor, en even dacht ze dat alles misschien zou verdwijnen als ze maar stil bleef staan.

'Je walgt van me. Ik zie dat wel. Je kunt niet eens doen alsof. Wat denk je wel? Denk je dat ik niet walg van jou? Denk je dat je beter bent?' De man lachte, maar met minder overtuiging dan eerst.

'Doe je jurk uit. Kleed je uit bij de lamp. Ik wil je zien.'

Ze liet de jurk zakken. Ze trok de kousen naar beneden. De man ging op het bed zitten en schuurde met zijn hand door de klep in het rode ondergoed. Anna voelde het touw van het korset, maar ze kreeg het niet te pakken. Als ze zich vooroverboog om er beter bij te kunnen, sneed het harnas in het vlees onder haar borsten.

'Schiet op. Ik ben er al bijna.' Zijn stem klonk minder dwingend, haast smekend.

'Kom nou. Waar wacht je op?' De man was gaan staan. Hij liep op haar af en bewoog zijn hand onophoudelijk door het schaamhaar. Ze rook het rotte van zijn adem die hij in haar gezicht uitstootte. Misschien was dit het? Misschien was dit genoeg?

En toen stopte de man. Hij pakte haar bovenarm. De klamme hand omsloot hem volledig. Hij kneep en sleepte haar met al zijn kracht naar het smalle bed. Bijna viel ze aan de kant van de kaarsen weer uit het bed. Ze wilde gillen, maar hield zich in toen ze de man hijgend aan de bedrand zag staan. Toen hij op adem was gekomen, zag ze dat zijn geslacht nu volledig in de beharing was opgegaan.

'Houd maar aan. Wat maakt het uit. Ik gebruik toch alleen de onderkant.' Hij pakte haar pols en schuurde hem door het schaamhaar.

'Doe je werk! Je bent een hoer. Ik heb voor je betaald. Doe je werk!' Ze voelde de testikels van de man. Het schaamhaar sneed in de schrammen rond haar polsen.

'En nu ga je liggen!' De man gebruikte zijn hele gewicht en leunde met zijn ellebogen op haar schouders, waardoor ze diep het matras in werd geduwd. De punten van zijn ellebogen priemden in het zachte vlees onder haar sleutelbeen en nagelden haar aan het bed. Het vette, vlassige haar van de man hing in haar gezicht en even dacht Anna dat ze stikte. Ze hield haar benen strak tegen elkaar aan, maar voelde hoe hij zijn knokige knieën ertussen probeerde te wikken. Met haar knuisten sloeg ze tegen zijn schouders, die hier niets van leken te merken. Hij haalde zijn stinkende haar voor een fractie uit haar gezicht en stootte zijn voorhoofd toen vol tegen haar rechteroog. Anna verslapte en verloor de controle over haar benen. Zijn knieën waren nu tussen de hare beland en in één beweging schoof hij ze naar buiten. Opnieuw stikte ze bijna in het ranzige haar van de man, die zijn onderlijf nu tegen haar aan begon te schuren. Met haar handen zocht ze naar het hoofd, dat nu steeds wilder op en neer bewoog. Haar longen stonden in brand, ze moest ademhalen en haar vingers klauwden naar houvast. Ze voelde het vettige haar. Zijn zweet druppelde nu in haar ogen, in haar neus en in haar mond. Ze kokhalsde en balde opnieuw haar vuisten. Toen ze haar rechterknuist wegtrok, voelde ze het hoofd van de man ineens meebewegen. Meteen hapte ze naar lucht en opnieuw gaf ze een flinke ruk met haar rechterhand. Ze had een van de lange strengen haar te pakken. Toen ze een derde keer hard trok, schreeuwde de man het uit.

'Laat los! Vuile hoer! Laat los!'

Maar Anna liet niet los. Ze trok met alle kracht die ze nog in zich had en sleurde de man aan de rechterkant van het bed naar de vloer. Nog steeds had ze het vlassige staartje in haar hand en ze verbeterde de grip door het tussen haar vingers te draaien. De man lag nu op de grond en Anna zette haar voeten naast zijn hoofd. Ze zette zich af en stortte zich volledig achterover terwijl ze de streng nog steeds tussen haar vingers geklemd had. Ze voelde hoe het haar scheurde vlak voor ze naar achteren viel. De man schreeuwde als een speenvarken en Anna keek naar haar rechterhand die nu, in plaats van de man, alleen nog maar het strengetje haar vasthield. Ze gooide het staartje in de richting van de krijsende man en kroop naar haar jurk. Met haar kleren voor haar buik geklemd draaide ze zich naar de deur die openzwaaide, net toen ze zich oprichtte. In de deuropening stonden Bo en Kool en daarachter zag Anna het zwart en rood van de jurk van de madam. Bo keek naar de krijsende man in de hoek.

'Aron! Wat is er gebeurd?' Maar de man kon zich niet verstaanbaar maken. Het geschreeuw was overgegaan in een jammerend gehuil.

Bo draaide zich om en keek langs Kool naar de madam, die alleen maar knikte. Bo stroopte zijn mouwen op, draaide zijn schouders en hoofd weg en haalde toen met al zijn kracht uit. Zijn vlakke hand en pols raakten Anna tegen haar wang en ze viel direct achterover. Bo en Kool pakten haar vast, ieder bij een enkel, en trokken haar de kamer uit, de trap af, de poederkamer door, weer een trap af, en via de zijdeur naar buiten. Kool draaide zijn sleutelbos om in het slot van het hok en Bo tilde haar bij haar oksels omhoog en smeet haar een hoek in. Toen de deur dichtsloeg en de sleutel weer omdraaide, hoorde Anna nog steeds het gehuil van de rode jood.

HOOFDSTUK IV

De witte pauw

28

Twee uur nadat Aron Rosenblatt, 'de rode jood', het maison jammerend door de kleine deur aan de zijkant had verlaten, was er in de salon en in de peeskamertjes op de eerste en tweede verdieping niets meer te merken van de opschudding die 'het nieuwe meisje' had veroorzaakt. Het vanzelfsprekende geroddel van de andere meisjes zou pas de dag erna op gang komen. De donderdagavond was altijd druk. Te druk om stil te staan bij de nukken van een dom wicht en zelfs te druk om het onvermijdelijke verlies van een vaste klant te betreuren. Johanna had het nog geprobeerd met de enige valuta die haar klandizie nooit zou weigeren, maar zelfs voor een gratis uur met twee dames naar keuze kon het gemoed van Rosenblatt niet tot bedaren worden gebracht. Het verlies van de pijpenkrullen die uit de linkerkant van zijn hoofd groeiden had hem niet alleen fysiek pijn gedaan, het had hem ook voor een religieus dilemma geplaatst. Natuurlijk moest hij nu ook zijn rechterbakkebaard laten bijknippen, en dat werd door zijn Thora niet toegestaan. Nu was Rosenblatt heus niet bang om zijn God te beledigen. Hij had met Hem zo zijn eigen afspraakjes gemaakt over het wel en niet naleven van de geschreven en ongeschreven regels. De rode jood maakte zich meer zorgen om de verklaring die hij diezelfde avond zou moeten geven aan zijn vrouw en haar ouders, die bij hem inwoonden. En over drie maanden, de eerste sjabbat van mei, zou zijn zoon de geboden erkennen. Met welk recht kon hij zijn eerstgeborene nog op zijn *drasja* wijzen nu hij verminkt was?

Als het vooral om een verklaring te doen was, dan was je bij Johanna Rowel aan het goede adres. Zoals een smid zijn staal op een aambeeld besloeg, spleet en boog, zo bewerkte zij de waarheid. Het was een talent dat ze van jongs af aan had geperfectioneerd. Ze knakte met haar vingerkootjes en wees Bo op het lege glas dat voor de man stond.

'*Herr* Rosenblatt, maakt u zich geen zorgen. Wij kunnen u vanzelfsprekend helpen,' had ze gezegd toen de man zijn grootste zorgen had opgebiecht. 'Het is zo helder als glas. Luistert u naar mij?'

De mogelijkheid van een excuus had hem voor het eerst doen ophouden met grienen.

'Het is een schitterende avond. U wilde nog even een ommetje maken. Zonder dat u het echt doorhad was u al bijna bij het IJ aangekomen. Het havenvolk, morsig, onbeschoft en dronken als altijd, sprak u aan en schoffeerde u en uw geloof. Met een vurige monoloog wees u ze terecht. U probeerde de ongelovigen nog wat fatsoen bij te brengen, en daarna liep u verder in de richting van de slecht verlichte Brouwersgracht. In een steegje werd u ingehaald. Twee, nee, drie of vier mannen pakten u bij uw schouders. U twijfelde niet en gaf de eerste man een dreun, die hem direct vloerde, maar uiteindelijk liet u zich toch nog overmeesteren door de overmacht. De mannen waren antisemieten van het walgelijkste soort en waren er uitsluitend op uit om u te kleineren na uw mooie woorden. Met een klapmes sneden ze het haar van uw bakkebaarden, en goddank dat ze het daarbij lieten.'

'Maar, madam Rowel, denkt u dat ze dat geloven? Bovendien: het is maar één kant die door uw helleveeg is bezoedeld. En het lijkt toch helemaal niet of ik heb gevochten?'

'Maakt u zich daar geen zorgen om, heer Rosenblatt. Wij maken dat in orde. Als u straks thuiskomt is er niemand meer die aan u twijfelt. Ze zullen het te druk hebben met hun medelijden. Als u even met Josefien en Bo mee naar boven loopt, dan maken zij het plaatje af. Kosteloos uiteraard. Dat is onze plicht.'

De donderdagavonddrukte kwam pas goed op stoom toen Rosenblatt, gekortwiekt en met een vers blauw oog, dat hij na een paar glazen jenever schoorvoetend 'voor het verhaal' van Bo accepteerde, weer op straat liep. Na een aantal studenten, wat schobbejakken van de dokken en een groepje officieren, was het uur voor de 'goede lui' nu bijna aangebroken in het maison. Ze kwamen meestal pas na het diner of na een avondvoorstelling.

Hoge ambtenaren, commissarissen en succesvolle ondernemers hadden haar etablissement een jaar of vijf geleden ontdekt. Ze waren frequente bezoekers van haar peeskamers, maar hadden ook een duidelijke interesse in de salon getoond. Waar veel van haar klanten het hazenpad kozen na hun ontlading, bleven deze mannen zitten, en voor hen had madam Rowel ook de menukaart van het buffet uitgebreid. Ierse en Schotse whisky, gin uit Londen, brandy en blended whisky uit Amerika en goede flessen champagne voor de meisjes uit het noorden van Frankrijk. Om haar zaak wat extra cachet te geven, had ze ook de entree opgefleurd. Meteen bij binnenkomst keken haar klanten tegen een opgezette witte pauw aan. Het was een opmerkelijk en zeldzaam exemplaar dat ze op een vlooienmarkt had weten te bemachtigen. Het zorgde niet alleen voor sfeer, maar het was een ijkpunt in het geroezemoes van de stad geworden. 'Ga je nog naar de witte pauw?' was een begrip geworden waar madam Rowel bijzonder trots op was. Maar voor de rijke uren aanbraken was er nog de luwte tussen zeven en acht. Etenstijd. Voor haar klanten, maar ook voor de meisjes. En op donderdag was er ook het moment dat de dokter langskwam.

29

De dokter had de witte pauw nog nooit gezien. Hij kwam binnen via de zijdeur en liep via de vertrekken van Johanna naar de poederkamer, waar de meisjes hem routineus opwachtten. Het was een eerbare man die nooit een betaling in natura accepteerde, al was het hem regelmatig aangeboden. Zijn oordeel was uitsluitend professioneel. Hij keurde het werk niet af en behandelde de meisjes met dezelfde egards als de patiënten die hij bezocht in hun grachtenpanden. Voor hem was prostitutie een vak als alle andere. Het was legaal, er was behoefte aan en bij de professie hoorden specifieke kwalen, voorschriften en behandelwijzen.

'*Guten Abend,* Herr Schulz.' De achternaam van de dokter maakte dat Johanna haar aangeleerde Duitse accent extra aanzette. 'De dames zitten al klaar voor u. Wilt u iets drinken, of misschien wat te eten?'

'Dank u, mevrouw Rowel. Het is al laat. Ik ga liever direct aan de slag.' De dokter was de vijftig al gepasseerd. Hij was kaal en leek dit te willen compenseren door zijn bakkebaarden en snor alle ruimte te geven. Op zijn kin had hij geen gezichtsbeharing, waardoor het leek alsof er twee harige handvatten aan het kale hoofd zaten. Misschien hoopte hij dat het geheel hem het uiterlijk van de Habsburgse adel zou bezorgen, maar in werkelijkheid leek zijn hoofd nog het meest op de sponsjes die hij verkocht als anticonceptiemiddel.

In de poederkamer zaten de meisjes al klaar. Bo deelde borden met gebakken vis en hompen brood uit en trok soep van het visafval. Op donderdagavond waren alle elf de meisjes aanwezig. Over het algemeen woonden en werkten zes meisjes permanent in het maison. De anderen woonden op kamers, meestal in de krotten van de Jordaan, en werkten op andere dagen als schoonmaakster. De vaste bewoonsters hadden de grootste mond, dit was hun thuis, maar op de doktersavond waren ze steevast wat stiller dan normaal. Er hing veel af van het oordeel van de dokter, want als hij een aandoening vaststelde waardoor ze niet konden werken, werd hun permanente verblijf direct bedreigd.

De pikorde was bepaald door de anciënniteit. De avondmeisjes, die door de andere dames 'visite' werden genoemd, waren als eerste aan de beurt en verdwenen na hun consult naar de salon. Daarna volgden de residenten. Eerst Evelien, dan Eva en Mariëtte, en als laatsten Josefien en Rosa. Dokter Schulz hield vast aan zijn routine. Hij begon met twee vragen: 'Ongemak of pijn bij het toilet?' En: 'Afscheiding of nare geurtjes?' Daarna volgde een simpel 'spreiden', en met een spatel en soms een pincet volgde een grondige inspectie van de koopwaar, waarbij hij de monocle die aan een touwtje uit zijn vestzak bungelde soms voor zijn linkeroog klemde. Zijn vonnis gaf hij nooit in de poederkamer. Na het consult liep hij, via dezelfde weg, naar het kantoortje in de privévertrekken van Johanna om daar verslag te doen.

30

'Slecht nieuws, Johanna. De syfilis is terug. De hele stad heeft er last van. De zedeloosheid viert hoogtijdagen. Maar goed, dat hoef ik jou niet te vertellen. Twee meisjes hebben het.' Schulz kamde met beide handen door de handvatten langs zijn gezicht. Op zijn schoot sneeuwde het witte schilfers.

'Dat kan toch niet. Weet u het zeker, dokter? Het is vast wat anders. Misschien heeft u het niet goed gezien, toch?' Johanna wees op de monocle en schonk de dokter ondertussen een glas van de zelfgestookte jenever in. Syfilis stond voor iedere bordeelhouder gelijk aan een financieel drama. Bedorven handelswaar, mogelijke reputatieschade en een waarschijnlijke opstand onder het personeel.

'Geloof me maar, Johanna, hier heb ik geen bril voor nodig. Geen twijfel. Bij één meisje zit het al op haar handen en voeten. Beginnende zweren in haar nek. Je moet ze direct naar huis sturen. Ze zullen de anderen aansteken.'

'Ik kan ze niet naar huis sturen, Schulz. Niet vanavond. En wat moeten ze dan? Kun je ze behandelen? Heb je iets voor ze?'

'Behandelen is duur. En niet effectief. Ze moeten naar huis, Johanna. Anders moet ik dit melden. Dat weet je.'

'Nee, nee, je hoeft het niet te melden. Je hebt gelijk. Ik zal ze naar huis sturen. Zeg me maar wie het zijn. Ik zal het direct doen.'

'Het Franse meisje, Frederique. En Mariëtte.'

'Mariëtte? Nee, je bedoelt Lisette? Jet woont hier. Die is niet ziek. Die weet wel beter.'

'Het spijt me, Johanna. Het is Mariëtte. Ik weet het zeker. Ze zit in een vergevorderd stadium. Ik weet eigenlijk niet hoe ze het heeft kunnen verbergen. Ik had dit de vorige keer ook al moeten zien.'

'Jezusmina. Jodenjet. Zij is al bijna drie jaar bij me. Ik kan het haast niet geloven.'

'Als je wilt, kan ik haar wat voorschrijven, maar ik weet niet of het haar zal helpen.' Nu schonk de dokter het glas van Johanna bij. Ze staarde naar het plafond alsof het antwoord daar geschreven stond.

'Laat maar, dokter. Ik ga het haar direct vertellen. Het is spijtig. We zullen haar in een gasthuis onderbrengen. Het is niet nodig om dit te melden en ik zal u wat extra drinkgeld geven.'

'Geef dat maar aan Mariëtte. Wens haar veel sterkte. Ik ben er volgende week weer. Zorg ervoor dat de meisjes extra voorzichtig zijn.'

31

Het runnen van een bordeel in de hoofdstad was nooit een wens of ambitie van Johanna geweest; het was haar overkomen net als zo veel dingen in die grillige levensfase waarin je niet in staat bent beslissingen te nemen, omdat je de gevolgen niet kunt overzien. Haar noodlot openbaarde zich in de persoon van Rolf Rowel die op haar pad kwam ver voor ze ook maar het flauwste idee had van wat goed voor haar was.

Het gebeurde op de koudste winterdag, die zich dat jaar, nu alweer zeker dertig jaar geleden, pas in maart aandiende. De ijzige noordenwind had de smalle grachten van Leeuwarden in één nacht veranderd in een kraakhelder ijslabyrint. De kinderen uit de buurt liepen stapvoets met stokken en hoepels over het donkere ijs. De vrieskou die opgestuwd werd door de wind bracht een overschatting van het winterweer teweeg en zorgde ervoor dat ze die dag al twee buurmeisjes door het ijs had zien zakken. Johanna had boodschappen gedaan voor haar moeder en op de terugweg was ze op de brug bij de Tuinsterpoort blijven staan om te kijken naar een jongetje dat samen met zijn hond op het ijs speelde. Het jongetje gooide een tak, steeds dichter bij het midden van de nieuwe singelgracht, en wachtte tot het dier hem terugbracht. Ze dacht dat ze alleen was op de brug, tot ze zijn stem hoorde.

'Hij gaat erdoorheen zakken. Let maar op.' Johanna draaide haar hoofd in de richting van de zware mannenstem en schrok toen ze recht in zijn ogen keek. Voor enkele momenten gijzelde hij haar blik, en pas toen ze weg durfde te kijken voelde ze de warme gloed die van haar buik tot in haar vingertoppen tintelde.

'Waarom zeg je dat nou? Doe niet zo eng. Er zijn er al twee doorheen gezakt vandaag.'

'Ik ken dat soort jongens. Ik was er zelf ook eentje. Hij houdt niet op tot het te laat is. Dat hoort bij het spel. De meeste jongens zijn spelers. Ze willen weten hoever ze kunnen gaan tot het misgaat.'

Het jongetje trok de tak uit de bek van de hond en zwaaide hem nu onderhands over het ijs, tot aan de overkant. De hond zette zich af, gleed weg op het ijs en sprintte met moeite maar enthousiast achter de tak aan.

'Pas je op!' riep Johanna tegen het jongetje, en tegen de man zei ze: 'Wie ben jij dan, dat je dat zo goed weet?'

'Rolf Rowel, juffrouw. Maar ik zou het mezelf nooit vergeven als ik u mijn achternaam zou laten uitspreken tot hij de uwe is. Rolf dus. Aangenaam.'

Johanna lachte hardop, al probeerde ze dat te onderdrukken. 'Wat een brutaliteit, meneer. Wat denkt u wel niet?'

'Té ver?' antwoordde Rolf, en met een lichte buiging probeerde hij zich bij haar te verontschuldigen.

'Tot over de rand.'

Het jongetje had, na de waarschuwing van Johanna, zijn aandacht verlegd en mikte met zijn tak nu op het ijs dat onder de brug lag.

'Mag ik je misschien mijn jas aanbieden?' Rolf was achter haar gaan staan.

'Ik weet het niet, meneer. Ik ken u niet.'

'Dat is niet waar. Ik heb je mijn naam gegeven. Ik ken jou niet en toch geef ik je mijn jas. Dat vertrouwen kun je toch wel beantwoorden? Hoe heet je?' Johanna twijfelde. Ze kende de verhalen, haar moeder had haar gewaarschuwd voor de schakingen en de handelsreizigers van buiten de stad.

Het jongetje trok opnieuw de stok uit de bek van de hond. Hij rende het beest voorbij en zwierde de stok nu tot onder de brug. De hond rende achter de stok aan, die vaart minderde in een plas onder de brug. De hond probeerde af te remmen, gleed weg en zakte door het dunne ijs.

Het jongetje schreeuwde de naam van zijn hond: 'Karel!' en rende achter het dier aan. Voor Johanna iets kon uitbrengen was het te laat. Het ijs scheurde en vlak voor de brug schoof het ventje eronder. Ze twijfelde geen seconde en liet zich via de brug in het ijskoude wak zakken. 'Doe iets! Help!' schreeuwde ze. Links en rechts hoorde ze het gekraak van het ijs. Haar voeten zochten naar de bodem. Twee keer zakte ze weg, tot ze eindelijk grip had gevonden. Ze keek om zich heen en zag niks. Geen hond en geen jongetje. Opnieuw schreeuwde ze: 'Rolf! Help!' En toen hoorde ze de plons waarmee Rolf zich in het water stortte. Hij pakte het jongetje bij zijn kraag en trok Johanna mee aan haar arm. Via een kleine boot klommen ze op de wal.

Doordrenkt en rillend van de kou liepen ze de herberg bij de poort binnen. Pas toen het jongetje was opgehaald door zijn moeder en ze langzaam weer wat opwarmde bij het vuur in de herberg kwam ze weer bij zinnen.

'Nu wil ik uw jas wel hebben.'

'Mag ik dan eindelijk je naam weten?'

'Johanna. Ik ben Johanna.'

32

Het was niet de eerste keer dat Maison Weisenthal werd getroffen door syfilis. De eerste keer had het bijna de ondergang betekend voor het bordeel, dat toen pas twee jaar open was. Rolf had resoluut gehandeld. Alle meisjes moesten weg. Hij wilde het risico niet lopen. 'We moeten opnieuw beginnen. De reputatie van een maison valt of staat bij de notie van reinheid en discretie. Iedereen die hier een voet over de drempel zet moet weten dat hij hier in alle veiligheid aan zijn gerief kan komen.'

Die laatste twee zinnen herhaalde Johanna nu in haar kantoor tegenover Jodenjet, die tot een constant jammerend gehuil was overgegaan.

'Het komt wel goed, Jet. Ik ken gevallen waarbij het vanzelf weer over is gegaan. Je weet het niet. Je moet hoop houden.'

'Maar wat moet ik nu? Ik kan nergens heen. Mag ik niet wat anders doen? Ik kan schoonmaken. Ik wil Bo wel helpen.'

'Dat gaat niet, Jet. Je moet vanavond nog weg. Ik heb Kool gevraagd je spullen te pakken. Je gaat niet meer terug naar de andere meisjes.'

'Waar moet ik dan slapen? Je kunt me toch niet zomaar op straat zetten? Moet ik soms een sloppenhoer worden? Is dat wat je wilt?'

Die laatste vraag zorgde ervoor dat het beetje medelijden dat Johanna ooit had gehad direct verdampte.

'Wat ik wil? Ben je helemaal gek geworden? Zit die syfilis al in je kop? Dit is je eigen schuld! En het gaat niet om wat ik wil. Het gaat om wat ik zeg! De deuren van Maison Weisenthal zijn vanaf nu voor jou gesloten. Je bent een onvoorzichtig, smerig en ondankbaar wijf. Ga maar terug naar Haarlem! Een havenhoer, dat ben je!' Ze pakte het belletje waarmee ze Kool en Bo bestuurde en liep naar de deur.

'Dat pik ik niet! Ik ga hier gewoon voor de deur staan. Ik zal ze eens even zeggen wat dit voor tent is. Als je mij wegstuurt, komt er hier niemand meer binnen!'

Johanna smeet de deur van haar kantoor dicht en riep Kool.

'Waar bleef je nou?'

'Ik was binnen, mevrouw... De commissaris...'

'Laat maar. Gooi dat wijf in het hok. Dit lossen we morgen wel op.'

33

Met 'de commissaris' bedoelde Kool politiecommissaris Voute. Hij had de dagelijkse leiding over het Amsterdamse politiekorps en kwam gemiddeld een keer per maand naar het maison. Niet voor een inspectie, zoals hij zijn aanwezigheid formeel verklaarde, maar vooral om zijn steekpenningen in ontvangst te nemen. Die ontving hij deels in klinkende munt en deels in natura. De afgelopen paar maanden was Voute een steeds frequentere bezoeker geweest. Steeds vaker trok hij op met de mannen van invloed en hij merkte dat er in de salon van het maison veel meer over het dagelijks bestuur werd gesproken dan in de hallen en achterkamers van het gemeentehuis. Voor Johanna was hij niets meer dan een teek. Een profiteur die niet alleen lastig was, maar op termijn ook voor grote problemen kon zorgen. Natuurlijk was het handig om iemand met invloed tot je klantenkring te kunnen rekenen, maar op een drukke donderdagavond na een desastreus bezoek van de dokter en met het opstootje met de rode jood vers achter de rug, was zijn aanwezigheid een risico.

'Herr Voute, welkom. Wat kan ik voor u betekenen? Het gebruikelijke?' De commissaris was niet in zijn uniform, dus daarom had ze hem bij zijn achternaam aangesproken. Hoe minder formaliteiten, hoe beter.

'Misschien later, mevrouw Rowel. Ik kom in de eerste plaats voor een onderhoud met u.' Zonder de epauletten en het rapier was de man een fractie van de imponerende verschijning die hij nastreefde. Hij oogde futloos en sprak zelfs met minder overtuigingskracht.

'Maar meneer Voute... Wat een eer voor een oude dame als ik. Normaal verkiest men de jongere dames boven mij.' Het was bedoeld als grapje, maar Voute begreep het niet, of wist zich geen houding te geven in deze informele situatie.

'Ik bedoel... Ik wil even met u praten, mevrouw Rowel.'

'Zoals u wenst. Mag Bo wat voor u inschenken?'

'Ik verkies een minder openbare omgeving, als u begrijpt wat ik bedoel.'

'Meteen, meneer Voute. Mag ik u voorgaan naar mijn kantoor? Of als u mij een moment gunt om het daar even in orde te maken? Ik wil u graag ordentelijk ontvangen. Bo zal u zo dadelijk naar boven begeleiden.'

'Akkoord. In dat geval mag hij wel even een versterkertje voor me inschenken.'

Johanna draaide zich direct om en haastte zich naar het smalle kantoortje. Op de trap kwam ze Kool tegen.

'Is ze weg?' Ze siste het gefluister in zijn gezicht.

'Madam, ik weet niet waar ik haar naartoe moet brengen.'

'Het hok. Breng haar naar het hok.'

'Daar ligt het nieuwe meisje: Anna. Ik kan ze toch niet allebei...'

'Verdomme, moet ik dan alles zelf doen? Breng dat nieuwe meisje buitenom via de voordeur naar de poederkamer. Zeg Rosa dat ze haar in het zolderkamertje stopt. Maar haal Jodenjet hier nu meteen weg. Stop haar vannacht in het hok, doe de deur op slot en luister niet naar haar. Dat is belangrijk, Kool. Laat je niets wijsmaken door dat wicht. Ik probeer de commissaris even op te houden, maar zodra ik de deur hoor, loop ik met hem naar boven.'

34

Het kantoor van Johanna had geen ramen. Er stonden twee stoelen en een smalle secretaire, waardoor er nauwelijks beweegruimte was voor Johanna, die zich daar nu met het totale volume van haar rokken doorheen moest manoeuvreren. Pas toen ze zich op een presentabele wijze in de stoel had geposteerd rinkelde ze met het belletje. De deur ging vrijwel direct open.

'Mevrouw Rowel, ik heb maar weinig tijd voor u.'

'Excuses, commissaris, vergeeft u mij. Ik dacht dat een man van uw stand de tijd aan zijn zijde had.' Ze gebruikte zijn titel deze keer bewust. Als hij haar hier wilde spreken, was er vast iets aan de hand. Als ze hem op de een of andere manier in verwarring kon brengen, dan werkte dat in haar voordeel.

'Niks is minder waar, mevrouw. Mijn tijd staat ter beschikking van de stad en de laatste tijd slokt zij die gretig op.'

'Laat mij u niet langer ophouden met de plichtplegingen dan. Waarom vereert u ons met een bezoek deze avond?'

'Ik kom met informatie en het is van het grootste belang dat u deze niet van mij heeft ontvangen.'

'Vanzelfsprekend.'

'Ik ga mijn boekje te buiten, mevrouw, maar dat doe ik omdat ik u en uw onderneming respecteer. Sinds het verscheiden van meneer Rowel heeft u zich standvastig getoond. U mag best weten dat velen fluisterden dat u zich in deze wereld niet zou kunnen manifesteren. Ik houd mij verre van gefluister en ik ben blij dat u deze boze tongen het ongelijk heeft bewezen.'

Het was waar. Na de dood van Rolf waren veel van haar concurrenten, sommige subtiel, sommige onomwonden, komen informeren naar haar prijs. Het was ondenkbaar dat ze de onderneming voort zou zetten. Wat wist zij, een vrouw nota bene, nu van de exploitatie van een horeca-etablissement dat zo opzichtig in deze sector opereerde? Op verschillende manieren probeerden ze haar tot verkoop te dwingen. Haar leveranciers liepen weg, meisjes werden geroofd door andere huizen, er gingen soms dagen voorbij dat er geen klant binnenkwam, maar toch lukte het haar uiteindelijk, met wat hulp niettemin, om het tij te doen keren.

'Dank u voor uw vertrouwen, commissaris. En ik ben blij dat we dit ook kunnen belonen bij uw maandelijkse bezoekjes.' Dat was misschien tegen het zere been, maar Voute mocht best weten dat hij eigenlijk niets meer dan een luis was.

De commissaris leek haar opmerking te negeren en ging verder: 'Goed. Dat brengt mij tot de reden van dit bezoek.' Voute boog iets naar voren en leunde met zijn ellebogen op zijn bovenbenen.

'De stad is rumoerig, dat heeft u vast gemerkt. Steeds vaker zijn er opstootjes in de sloppen. Het volk is ontevreden.'

'Dat gaat heus wel weer over. Daar zorgt u vast voor.'

'Uiteraard. En dat is ook niet waar ik me zorgen om maak. Het rumoer dat u aangaat komt uit een heel andere hoek.'

'Hoe bedoelt u, commissaris?'

'De protestanten, mevrouw. Ze organiseren een opstand tegen ondernemers in uw sector.'

'Mijn sector?'

'De prostitutie, mevrouw. U heeft vast gehoord van de ongeregeldheden in Haarlem. Plichtsgetrouwe, godvrezende burgers die kwaadspreken over uw beroep. Ze protesteren tegen de onzedelijkheid. Ze waken in patrouilles en weren de bezoekers van bordelen.'

'Dat kunt u niet menen. Waarom zouden ze dat doen? Wij doen niets onrechtmatigs.'

'Zij beweren dat veel meisjes hun beroep tegen hun wil uitoefenen. Onder dwang, zogezegd.'

'Welnee. Waar baseren ze dat op? Wij hebben de wet aan onze kant. Daar kunt u toch voor instaan?'

'Nog wel, mevrouw. Nog wel. Formeel staan zij machteloos, maar zij richten zich op de bezoekers. Op uw klanten. Ze spreken ze aan en spelen in op hun gemoed. Ze hebben het over onkuisheid en zonde en een enkele keer heeft zo'n confrontatie al tot een handgemeen geleid. Stelt u zich maar eens voor: twee zedenprekers die voor uw voordeur de privacy van uw klanten bedreigen.'

'Dat is verschrikkelijk, commissaris. Dat is ondenkbaar. De reputatie van een maison valt of staat bij de notie van discretie.'

'Precies, mevrouw. Nu begrijpt u het.'

'Wat kunnen we doen, commissaris?'

'Op dit moment hopen we dat het vanzelf weer overgaat. Het geloof is grillig en snel afgeleid. Ik zou denken dat het zijn pijlen snel weer ergens anders op richt. Maar u moet mij beloven dat u zich in geen geval laat verleiden de confrontatie aan te gaan met deze zedenprekers. Ze zullen vanzelf weer verdwijnen. Geef ze geen reden hun aanwezigheid te legitimeren. Er is al genoeg onrust in deze stad. Wij hebben de tijd aan onze kant, mevrouw. De langste adem wint altijd. Het gaat hier tenslotte over het oudste beroep van de wereld.' Voute oogde tevreden met het cliché dat hij koos om zijn pleidooi te besluiten, maar omdat hij geen aanstalten maakte om op te staan, wist Johanna dat er nog een vervolg zou komen op zijn 'tenslotte'. Ze gunde hem echter niet het genoegen ernaar te vragen en liet de stilte zijn werk doen.

'Natuurlijk kunnen we u wel proberen te helpen in het aankomende rumoer.' Daar was het. Hij was zelfs zo brutaal het haar rechtstreeks voor te stellen. 'Maar dat zal niet zonder moeite gaan. Mijn mannen patrouilleren al. Ze kunnen hier wat vaker langslopen, bijvoorbeeld. In dat geval kunnen ze deze geloofsridders wellicht een andere kant op sturen.'

'Natuurlijk. Dat zou fijn zijn, commissaris. En hiervoor zal uiteraard een tegemoetkoming worden verwacht?'

Opnieuw leunde de commissaris voorover op zijn knieën. Nu gebruikte hij de beweging om op te staan uit de lage stoel.

'U begrijpt de wereld, mevrouw. En dat is precies waarom u er goed aan heeft gedaan deze onderneming voort te zetten na het overlijden van uw man. Ik wens u nog een prettige avond.'

35

Het overlijden van Rolf Rowel was geen ongeluk, zoals in het politierapport vermeld stond. De kogel had zijn onderkaak en strottenhoofd volledig verbrijzeld, waardoor identificatie Johanna's aanwezigheid op het bureau vereiste. Maar daar kreeg ze het lichaam niet te zien. Het zou zinloos zijn om haar onnodig te choqueren, verklaarde de commissaris. Voute drong erop aan verder geen onderzoek in te stellen. Het was beter om dergelijke zaken te laten rusten. De lont was gedoofd voor hij het kruitvat had bereikt, had hij gezegd. Het recht was niet bedoeld voor mensen die in de schaduw leefden. Daar had ze zich bij neer te leggen.

Misschien verdiende Rolf een dergelijk schaduwgericht. Hij was nooit een modelburger geweest. Dat streefde hij ook niet na. En hij had haar vaker teleurgesteld en tot wanhoop gedreven. In de dertig jaar dat ze samen waren geweest, hadden ze nooit een windstilte meegemaakt. Het stormde altijd en vaak had ze erover gedacht hem te verlaten. Toch was er iets wat haar daar altijd van weerhield. Wat hij ook uithaalde, waar hij ook was geweest – als hij zich na maanden afwezigheid weer eens dronken van geluk kwam melden – hij zou haar altijd achterna springen als het erop aankwam. Daar kon ze onvoorwaardelijk van uitgaan en dat vertrouwen gaf haar de stoutmoedige kracht telkens weer haar rug te rechten.

De notaris bezocht haar twee weken na de dood van Rolf. In de periode daartussen had ze diverse aanbiedingen gekregen het maison van de hand te doen. Ze had het geld kunnen accepteren. Het was genoeg om eenzaam van te sterven op een plek ver van de stad, maar waar moest ze naartoe? Het bordeel was haar thuis en haar huis was haar identiteit. Ze was te oud om hiervoor weg te lopen. De aanbiedingen die ze kreeg begonnen sympathiek en kregen langzaam maar zeker een steeds dreigender karakter. Ze wist niet wie de moordenaar van Rolf was, maar ze wist zeker dat het een van de mannen was die het maison wilden hebben.

Wat dat betreft kwam de notaris precies op tijd. Hij begreep haar situatie en was er niet op uit haar met wortel en al uit te roeien. Hij stelde vragen die over haar gingen en gaf haar het vertrouwen om te volharden. Het was zijn borgstelling en het waren zijn contacten die ervoor zorgden dat ze de moeilijke maanden die volgden kon overleven op een manier die haar aanstond. Ze was niet afhankelijk en dat zou ze ook nooit meer worden. Die belofte had ze zichzelf al gedaan voordat Rolf stierf. Ze zou geen enkele man de toegang tot haar hoofd en haar hart geven.

36

Kool bracht verslag uit: Jodenjet zit in het hok. Krijsend, maar onhoorbaar van buitenaf. Het nieuwe meisje had zich zonder veel problemen, in shock, naar het zolderkamertje laten brengen. Ze had geen woord uitgebracht. Voute was verdwenen, maar niet voor hij zijn maandgeld had opgehaald, en de salon zat bomvol terwijl er nog maar twee kratten jenever waren. Johanna kwam twee meisjes tekort en moest zich bovendien zorgen gaan maken om een groepje geloofsfanaten die het elitaire deel van haar klantenkring zou bedreigen. Al met al een bewogen donderdagavond, maar nog niks dat ze niet aankon. Nu was het zaak zich zo snel mogelijk klaar te maken voor haar belangrijkste rol. Net als de witte pauw in de hal was haar aanwezigheid op de vloer van essentieel belang voor de reputatie van het maison.

Ze nam plaats voor de grote spiegel in haar geïmproviseerde boudoir. Op het smalle tafeltje onder de spiegel lagen haar instrumenten zorgvuldig uitgestald. Haar poeders, de borstels, de spelden en het lint lagen allemaal op hun vaste plek, en als een kunstschilder hanteerde ze de werktuigen intuïtief, zonder blauwdruk. Ze maskeerde haar zwakke plekken: de lijntjes naast en onder haar ogen, de futloze modderhuid rond haar mond, de groeven op haar voorhoofd, maar vooral het roostertje op haar bovenlip. Ze telde de korte lijntjes die verschenen als ze haar lippen tuitte. Het waren er zeven, een oneven aantal. Ze vormden het merkteken van een vrouw op leeftijd, alsof het zure – dat komt met de jaren – zich precies daar in je huid beet. Ze waren nauwelijks te verbloemen. Sommige vrouwen streken de kleur van hun lippen een fractie hoger op hun mond. Dat was geen gezicht. Het leek alsof ze de hele dag aardbeien hadden gegeten. Het was de kunst de lijntjes met een deppende beweging, met poeder, te dempen en het resultaat vervolgens ieder uur bij te werken. Bij iedere grimas, iedere slok champagne of ieder sigaartje kon het vakwerk verloren zijn gegaan. Daarom had Johanna overal in het huis spiegels opgehangen. Bij iedere ontmoeting moest ze zichzelf eerst zien voor de ander haar zag.

Het haar was een heel ander vakgebied. Als een bloemschikker stak ze de plukken bij of van elkaar. Het mocht geen statisch en geordend geheel lijken. De verleiding zat hem hier in de nonchalance. De vrouwen van haar klanten hadden, met hun calvinistische kleikoppen, al helemaal geen aandacht voor de dracht van hun haar. Ze trokken het in het geheel naar achteren en verstopten het onder een strak kapje. Juist het kapsel van de vrouw kon haar speelsheid verraden. Het was niet de deugd die de mannen zochten, maar juist het ondeugende dat gesymboliseerd werd door de verstrengeling van de krullen.

Het was al zeker tien jaar geleden dat Johanna voor het laatst een klant had bediend, maar nog steeds genoot ze van het spel van de verleiding. Zij was nu de prijs die buiten het bereik lag en juist dat verhief haar boven de andere meisjes. Deze status leek nog het meest op de sociale hiërarchie die heerste tussen de groepen waarin ze haar klandizie verdeelde. Onder de mannen in haar salon was het voor iedereen direct duidelijk wie met wie mocht spreken en wie er niet eens hoefde te peinzen over een onderhoud of zelfs maar de simpelste beweging van erkenning. Juist waar het product, de liefdesdaad, zo primair was, zou je verwachten dat de mores zouden vervagen, maar het tegendeel was waar. Alsof de lichaamssappen te ruiken waren, gedroegen de mannen zich hier het meest als apen in een strijd op leven of dood. De overlevingsdrang die seks met zich meebracht was niet alleen biologisch wezenlijk, het was ook het fundament voor iedere georganiseerde samenleving.

37

De sfeer in de salon verdrong alle zorgen over Jodenjet, de commissaris en het nieuwe meisje. Toen Johanna binnenkwam, kreeg ze van Bo het teken dat alles goed verliep. Kool speelde accordeon en de meisjes die aanwezig waren speelden een glansrol. Josefien dronk champagne uit de fles, twee Franse meisjes gingen van schoot tot schoot bij een groepje officieren en er was zeker nog een handvol meisjes druk bezig met de laatste plannen voor ze naar een kamer vertrokken. Johanna begon haar ronde bij de hoogste functionaris in de salon. Haar charmes waren een vakkundig uitgebalanceerd spel van perfectie. Met lichte aanrakingen, een brede glimlach, speelse knipogen en de juiste vragen en complimenten creëerde ze eigenhandig de sfeer die haar huis uniek maakte. Zij was de dirigente, vanuit het midden van de salon proefde en beheerste ze de sfeer. Ook al was ze als enige niet te koop, ze speelde de hoofdrol. De meisjes waren de figuranten. De werkelijke verleiding hing in de lucht, en daarvoor was haar rol als koppelaarster onontbeerlijk. Om de sfeer een vleugje mysterie te geven had ze zich wat Duitse, Engelse en Franse woorden aangeleerd. Alles wat Maison Weisenthal exotisch kon maken, was geoorloofd. Hoe verder de mannen van huis verwijderd leken, hoe meer ze zich zouden laten gaan. En dat was het moment dat ze geld verdiende: als de remmingen verdwenen, was de voorstelling geslaagd. Natuurlijk zouden er de volgende dag een aantal mannen wakker worden met hoofdpijn en schaamte, maar ze hadden gekregen wat ze nodig hadden. Ze had hun kunnen geven wat zo essentieel is in hun leven: verstrooiing, het droombeeld van de geest. En als de hoofdpijn was vervaagd en de schaamte langzaam transformeerde in de stoute herinnering, dan kwamen ze terug, als opiumverslaafden. Alleen was de verslaving veel heviger. Ze waren verslaafd aan hun eigen illusies.

38

De nacht liep op zijn einde en Johanna had een gedegen voorstelling neergezet. Ze was tevreden en de obstakels die zich eerder hadden gepresenteerd waren alweer naar de achtergrond verdrongen. Het poeder op haar gezicht en haar krullen waren intact gebleven, en haar spiegelbeeld staarde haar goedkeurend aan toen ze de deur opende voor, zoals ze al besloten had, haar laatste klant. Ze wachtte niet op Kool, die voor de derde keer vanavond op zijn accordeon speelde, maar draaide de voordeur zelf van het slot.

'*Willkommen bei Maison Weisenthal…*' zei ze voor de veertigste keer die avond toen ze de deur openzwierde, en pas toen ze uit haar kleine buiging opkrabbelde en van beneden naar haar bezoek keek, zag ze dat het de notaris was.

'Meneer Vroom, een goedenavond en welkom. Waaraan hebben wij uw bezoek op dit late uur te danken?'

De notaris gaaf haar zijn hoed en trok zijn overjas uit. 'Niets bijzonders, Johanna. Een afzakkertje. Meer niet. En misschien een vriendelijk gesprek. Heb je het druk vanavond?'

'Het was een drukke avond, maar de meeste heren zijn terug naar de vrouw des huizes.'

'Arme drommels,' zei Vroom lachend. 'Ze liggen verzadigd maar eeuwig dorstig, als Tantalus, in het echtelijk bed over u te dromen.'

'Laten we het hopen, meneer Vroom. Want mensen moeten altijd wat te dromen hebben.'

'Dat is zo. Johanna Rowel, handelaar in dromen.'

De notaris had een voor Johanna ondoorgrondelijk karakter. Hij reageerde anders dan anderen op haar charmes. Hij leek niet mee te doen aan haar spel, alsof hij iets anders speelde – zijn eigen spel. Een spel waarin hij regisseerde en geen rol te vervullen had.

'Zullen wij samen een glas drinken, Johanna?'

Ze namen plaats in de fauteuils bij de haard waar zich normaal gesproken haar 'hoogste' bezoek posteerde. Bo schonk twee glazen cognac in. Een fles Martell van voor de luizenplaag. Vroom walste het glas onder zijn neus en inhaleerde de dampen met zijn ogen dicht.

'Je moet respect hebben voor de leeftijd. Als je het niet kunt laten rijpen, waarom zou je het dan oogsten?'

'Dat heeft u goed gezegd, meneer. Het zijn de jaren die iets de moeite waard maken. Dat kun je alleen waarderen als je ze zelf genoten hebt.'

Vroom slurpte van het bolle glas en hield het goedkeurend bij de bijna uitgedoofde kaarsen in de kandelaar boven het buffet.

'Hoe gaat het met je, Johanna?' Hij bekeek haar door zijn lege glas. Johanna vroeg zich af of de bolling haar aantrekkelijker of juist lelijker zou maken.

'Het gaat. We raken er langzaam weer bovenop. Het zijn drukke avonden. Er zijn altijd problemen, maar ze zijn klein. Ik heb het onder controle.'

'En de meisjes? Hoe gaat het met de meisjes?'

'Dat gaat goed. Ze zijn tevreden. Ze werken hard. Ze zijn gezond.' De notaris hoefde niet alles te weten, en over het geheel gezien loog ze hem niet voor. De meeste meisjes waren gezond.

'Ik heb mijn compagnon gesproken. Hij heeft je een nieuw meisje gebracht.' Vroom pakte zijn glas en walste het opnieuw.

'Ja. Anna. Het nieuwe meisje. Ze is nog jong. Ik moet haar nog temmen.'

'Een wilde? Daar houd ik van. Roep haar even voor me.'

Johanna twijfelde. Waarom zou ze deze man alles moeten vertellen? Het meisje was van haar. Ze was onderdeel van een transactie waarvoor zij zich niet hoefde te verantwoorden. Bovendien vormde ze een risico. De angst had Anna nog niet overmeesterd. Het was Johanna nog onduidelijk wat daar de oorzaak van was. Was het meisje te onbenullig om te begrijpen wat goed was voor haar, of was ze juist te slim en daarom nog onredelijk weerbaar?

'Ze slaapt.'

'Kun je haar wakker maken?'

Zijn toon stond haar niet aan. Natuurlijk, het was een vraag en geen gebod, maar de vanzelfsprekendheid waarmee hij het vroeg veronderstelde een hiërarchie die ze de man niet kon toestaan. Ze kon hem eenvoudig weigeren. Maar waarom voelde ze zich dan toch opgelaten?

'Ze heeft een moeilijke avond gehad. Ze is niet presentabel. Het zal een andere keer moeten, vrees ik.'

Opnieuw slurpte Vroom van het glas. Hij zette het glas direct terug, maar hield het slurpen lang, bijna theatraal, aan. De stilte die hij daarna liet vallen was bijna oorverdovend. Moest ze haar laten halen? Of moest ze hem vertellen van de rode jood? Misschien had hij het al gehoord. De notaris was altijd bijzonder goed op de hoogte. Maar tegelijkertijd besefte Johanna dat de stilte in dat geval een test was. Ze greep hem aan en gebruikte hem door een lucifer te pakken. Ze streek hem af en hield hem bij de punt van het smalle sigaartje. Toen ze hem uitblies, keek ze de notaris in zijn ogen. Het werkte, Vroom keek weg. Zijn mondhoeken krulden licht omhoog en hij drukte zijn lippen naar binnen.

'Dat is jammer. Een andere keer dan maar. Als het goed is, dan kan het wachten,' besloot hij en met een laatste slok leegde hij zijn glas.

39

Voordat Johanna naar bed ging, gaf ze Bo en Kool haar laatste instructies. Jodenjet moest bij dageraad naar het station gebracht worden. In een envelop stopte ze honderd gulden. Daar zou ze het mee moeten doen. Het nieuwe meisje bleef op de zolderkamer tot Johanna haar daar zou toespreken.

Voor de spiegel die boven de kleine secretaire hing, keek Johanna naar haar vermoeide gezicht. Morgen was het vrijdag en begon alles opnieuw. Ze trok de laatste speld uit haar haar en voelde de verlichting die met het verdwijnen van de krullen op haar hoofdhuid verscheen. Met een natte doek veegde ze lang in haar ogen en over haar gezicht. Toen ze de lap liet zakken, zag ze opnieuw de sporen van de dag voor zich. Was dit de rol die ze voor zichzelf had bedacht? Waarom moest zij alle lasten dragen? Waarom was zij de enige die na moest denken over het lot van het huis?

Toen ze op de overloop voor de deur van haar slaapkamer stond, bedacht ze zich. Ze draaide zich om en liep de trap af naar de gang. Ze liep door de salon, waar Bo aan het opruimen was, en besteeg de trappen naar de kamers. Heel even bleef ze staan bij de poederkamer voor ze toch de laatste trap nam naar de deur van de zolderkamer, die ze met een ferme duw openzwaaide.

Het meisje lag ineengedoken op het smalle bed. Het bed kraakte, ze was wakker, maar ze bewoog niet. Johanna voelde zich gesterkt in haar frustratie. Weer probeerde een hoertje haar voor de gek te houden. Ze hadden geen respect voor alles wat zij deed om de meisjes te beschermen.

'Overeind!' Ze hoorde hoe haar eigen stem oversloeg. Het meisje ging zitten en hield haar benen opgetrokken voor haar lichaam. Er was iets anders aan haar. Anders dan bij de anderen in elk geval. Ze keek niet naar de grond. Haar ogen zochten niet angstig naar grip in de donkere ruimte, om Johanna heen, maar ze leken te staren. Ze keek haar ook niet aan. Het was niet een weerbarstige brutaliteit, ook dat had ze eerder meegemaakt. Nee, het leek alsof de ogen door haar heen priemden. Ze keek alsof er niemand in de kamer stond, alsof Johanna niet bestond.

'Wat denk je wel niet, secreet! Waar denk je dat je bent? Probeer je mij voor de gek te houden? Staan!'

Ze ging staan. Het licht van de gang schemerde op haar gezicht. Haar schouders schokten, maar er liepen geen tranen over haar wangen.

'Wil je dood? Want dat is je alternatief, meisje. Als jij niet werkt, ben je dood voor mij. Ik grijp je bij je nekvel als de eerste de beste straatkat en ik smijt je in een steeg als voer voor de honden. Begrijp je dat wel?' Het meisje staarde onbewogen naar de grond. Even dacht Johanna aan de stiltes in alle andere gesprekken die ze had gevoerd. Dit hoertje, dit vod, had geen recht op stiltes. Ze moest dankbaar aan haar voeten liggen. Trouw als een teefje en dolgelukkig met de tweede kans die zij haar had gegeven.

'Nou? Geef antwoord!' Maar ze antwoordde niet. Ze stond stijfbevroren tegenover haar.

Johanna deed twee passen naar voren tot ze vlak voor haar stond. Ze rook haar angst. Ze voelde haar beven. Dat was goed.

'Jij bent niks voor mij. Minder dan een transactie. Een kostenpost. Een zakelijk risico.' Ze siste de woorden in het oor van het meisje. Ze was moe. Gefrustreerd. Boos misschien. Ontdaan van haar uniform en van de codes die daarbij hoorden, vergat ze even de ijzige kalmte die ze zichzelf had aangeleerd. Ze klauwde in het haar van het hoertje en trok het rillende hoofd naar haar mond.

'Ik zal je verscheuren tot er niks meer van je over is. Ik smijt je weg en zal geen seconde meer aan je denken. En niemand die dat erg vindt. Er zal geen traan om je gelaten worden. Begrijp je dat wel!'

Bij het laatste woord smeet ze het hoofd naar achteren. Het meisje viel op het krakende bed. Haar hoofd stuiterde tegen de muur en ze begon opnieuw te huilen. Was het gejammer echt, of speelde ze het?

Johanna draaide zich om en sloot de deur. Op de gang voor haar slaapkamer keek ze naar haar gebalde vuist en zag de pluk haar die ze nog steeds vasthield. Pas toen ze haar vuist opende en de haren op de grond zag dwarrelen, ontspande ze zich.

HOOFDSTUK V

Shylock

40

'Het is erger dan anders.' Vroom stapte de kapperszaak van Weissman binnen met zijn pochet voor zijn neus. Hij had de doek voor hij van huis vertrok ondergedompeld in het geurwater dat hij bij een speciaalzaak had gekocht. Het was geen opsmuk in dit deel van de stad. Nu de zon vroeger doorbrak was de stank van de grachten, de open riolen en de rottende kadavers al voor het middaguur vrijwel onuitstaanbaar.

'Het went,' antwoordde Weissman. Hij schoof zijn mouwen omhoog met de typische mouwophouders die bij zijn kappersuniform hoorden en stak een kam in zijn stugge haar om die altijd paraat te hebben. 'Het zijn de honden.'

'De honden?' Vroom nam, volgens de routine, plaats in de stoel bij de spiegel en sloeg met een wegwerpgebaar het eerste bittertje van de dag af.

'De hondengevechten van hierachter. Ze dumpen de lijken in de steeg. Soms worden ze weggehaald, voor de soep of zo, maar meestal liggen ze de hele dag te rotten.'

'Ze houden hier gevechten met honden?'

'Me dunkt. Alweer een paar maanden. Een herrie! Godgeklaagd. Ze gaan soms tot diep in de nacht door. En er komt steeds meer volk op af.'

'Hoe werkt dat dan?'

'Ze fokken ze speciaal voor de sport, hè. Ze maken ze vals. Ze slaan ze met stokken, ze vijlen de tanden bij. Gruwelijk. En een herrie!'

'En dan?'

'En dan? Wat denkt u? Vechten, hè, in de ring. En de mensen staan er rijendik omheen. Om te wedden.'

'Ze wedden op de wedstrijd.'

'Ze zetten in op de winnaar, soms tot zo'n beest er dood bij neervalt. Niet dat dat uitmaakt, want de verliezer wordt negen van de tien keer toch afgemaakt. Bedorven waar. Wat heb je aan een vechthond zonder ogen, of zonder kaak?' Met een gebaar in de spiegel kondigde Weissman het zakelijke deel van hun bijeenkomst aan.

'Scheren. De snor in model houden. En misschien wat bijknippen aan de zijkant, maar dat laat ik aan jou.'

Weissman en Vroom bespraken achtereenvolgens het kuuroord in het Amstel Hotel, een nieuwe theatervoorstelling en een tentoonstelling in het Paleis voor Volksvlijt, totdat de deur van de kapperszaak, voor de tweede keer die dag, opensloeg. Vroom herkende de man met de bolhoed en de bakkebaarden die hij al eerder in de zaak van Weissman had getroffen. Hij bracht de rotte walmen van de straat met zich mee en Vroom besloot een sigaar op te steken.

'Des te schoner het volk... Een goedemorgen heren!' kondigde de bolhoed zich aan.

'Ach, meneer De Winter, neemt u even plaats, ik kom straks bij u.'

'Geen haast, Weissman. Ik kom hier voor mijn rust. Net als meneer, denk ik.'

Vroom draaide zich naar de man en stak, zonder op te staan uit de kappersstoel, zijn hand naar hem uit. De bolhoed stelde zich voor als Berthold de Winter. 'Ze zeggen ook wel eens "de Drost", maar ik heb eigenlijk geen idee waar dat vandaan komt. De Dorst zou passender zijn.' De laatste zin richtte hij tot Weissman toen die hem een drankje aanbood.

De zelfgestookte bitter van Weissman verdween in één teug, en het drankje leek De Winter extra brutaliteit toe te staan, want hij richtte zich direct tot Vroom: 'Meneer, vergeeft u mij, maar u treft mij niet als een man die zijn kantoor in deze omgeving houdt, noch lijkt u mij een toerist. Voor een inspecteur van de politie heeft u duidelijk een te goede smaak. Mag ik u vragen wat u toch telkens naar dit deel van onze stad brengt?'

Vroom twijfelde. Hij kon de aperte onbeschaamdheid eenvoudig ontwijken, maar iets in de toon van de man wekte zijn nieuwsgierigheid en bovendien was hij niet van plan zijn humeur en aanspraak op deze kapperszaak te verliezen.

'U vergist zich, meneer, ik ben wel degelijk een toerist. Al ben ik hier wellicht iets te frequent om nog recht te hebben op die titel. Ik kom erg graag in dit deel van de stad.'

'U komt vast niet voor het fijnbesnaarde volk.' De bolhoed knipoogde zichtbaar in de richting van Weissman.

'Als u het per se wilt weten: ik kom hier voor de chaos. Het is de wanorde die mij intrigeert.'

'Aha, dan komt u net op tijd voor de revolutie.'

'De revolutie?' Vroom richtte zijn vraag tot Weissman.

'Meneer doelt ongetwijfeld op de socialisten, meneer Vroom. De buurt kleurt langzaam roder en roder.'

'Het clubje van Domela Nieuwenhuis? Heeft hij aanhangers hier?'

'Me dunkt,' zei Weissman. 'Er vinden vrijwel dagelijks protesten plaats.'

'De mensen willen socialisme?'

De man met de bolhoed lachte schamper. 'U komt dus niet voor de revolutie, dat heb ik al gehoord. En gezien eigenlijk ook, maar dat zegt tegenwoordig niks meer. Maakt u zich geen zorgen, meneer, de Drost is kleurenblind. Politiek is slecht voor de zaken. Bovendien: als de zonsondergang rood kleurt, kan de zonsopgang zomaar weer oranje zijn. Van een mening is nog nooit iemand beter geworden. Mensen zijn te dom om te weten wat ze willen. Zelfs de heel slimme.'

De man intrigeerde Vroom. In zo'n hoge mate dat hij de bijna verwaande onbeschaamdheid voor lief nam.

'Daar heeft u misschien wel gelijk in, meneer De Winter. De slimste mensen zijn vaak de domste.'

'En andersom ook, nietwaar Weissman?' De man die zich de Drost liet noemen lachte om zijn eigen grap die door de kapper niet werd begrepen, of in elk geval werd genegeerd. Er viel een korte stilte, die door Weissman werd doorbroken.

'Meneer De Winter organiseert de hondengevechten waarover we zo-even spraken.'

41

Vroom was zestien toen hij eindelijk van de tirannie van zijn vader werd verlost. De oude heer Vroom was lakenhandelaar en had een bloeiend bedrijf in de haven van de hoofdstad opgebouwd. Hij runde zijn onderneming en gezin met harde hand en leek in een constante strijd verwikkeld met zijn omgeving. De enige rekenschap die de lakenhandelaar aflegde was aan de Bijbel, die hij als hugenoot op zijn eigen manier interpreteerde.

Voor de jonge Anton leverde dit een angstig bestaan op. Zijn moeder speelde als figurante een nauwelijks grotere rol in huis dan de beide dienstmeisjes. Anton was de enige die een incidenteel weerwoord tot zijn vader durfde te richten, en dat maakte hem de aangewezen uitlaatklep voor de stormachtige woedeaanvallen van de oude heer Vroom.

Zijn vader overleed op de enige manier die passend was voor zijn oplaaiende karakter: tijdens de grote brand in de Nieuwe Waalse Kerk. Voor de moeder van Vroom, die alleen het juk van haar echtgenoot kende, was het leven na de 'bevrijding' te groot om te bevatten. Ze werd langzaam krankzinnig en zwierf de laatste weken van haar leven langs de Amsterdamse grachten voor ze overleed aan een longontsteking.

De voogdij van Anton ging naar de broer van zijn moeder. In het grote gezin van zijn oom werd Anton opgenomen als een verstekeling. Hij werd gezien als de parasiet die zijn vorige gezin te gronde had gericht.

Iets meer dan een jaar na de dood van zijn moeder, op zijn achttiende verjaardag, kreeg Anton als enige erfgenaam de dagelijkse leiding van de Amsterdamsche Handelsmaatschappij in Laaken in handen. Hij verkocht het bedrijf drie weken later aan de Twentsche Bankvereeniging.

In de jaren na de verkoop volgde Anton het voorbeeld van zijn moeder. Hij zwierf, steenrijk, als beginnend alcoholist langs de krochten van de stad, de klippen van de hel. Hij voelde zich voor het eerst aangetrokken tot de wanorde en dwaalde telkens net zo lang tot het even leek alsof hij zweefde, om vervolgens weer met een enorme knal en bijbehorende kater tot leven gewekt te worden door een willekeurige passant, in de steeg waar hij zijn bewustzijn voor het laatst had achtergelaten.

De roofbouw die hij pleegde op zijn lichaam leek sterk op een boetedoening, terwijl hij niet zou kunnen bedenken waaraan hij zich schuldig had gemaakt. Misschien louterde hij in de plaats van zijn vader omdat die zelf het lef niet had gehad, net als in dat achterlijke boek waarin de oude man zo veel vertrouwen had gelegd.

En zo leken de loze, luchtige dagen Anton op een ramkoers af te sturen. Hij leerde de obscure sociëteiten, de ongure bierhuizen en gevaarlijke nachtlokalen te gebruiken als decor voor zijn afdaling. Hij dronk als een zeeman en verloor zichzelf regelmatig in het baldadige dat hem de eenzaamheid opleverde die hij probeerde te ontvluchten.

Als Tantalus zocht hij zijn eigen ondergang in de brutaliteit, wanneer hij in de donkerste uren van de nacht de andere stamgasten tergde door ieder rondje te weigeren en zijn eigen bestellingen maar half op te drinken. Achteraf gezien was de wraak van de stamgasten zijn redding en geluk. Toen ze hem na de laatste ronde achtervolgden en met korte knuppels molesteerden en vrijwel levenloos en berooid de gracht in rolden, gaf het ijskoude water hem op twee manieren het leven terug. Het bracht hem bij het bewustzijn dat hem in leven hield en gaf hem het inzicht dat leven drastisch te veranderen.

De jonge Vroom adopteerde een nieuw doel en gebruikte het geld van zijn vader om panden aan de grachten te kopen. Allereerst kocht hij de huizen naast zijn ouderlijk huis op. Hij wilde een ring van rust om zich heen creëren. Langzaam breidde hij de kring uit. Sommige panden verhuurde hij, maar meestal liet hij ze leegstaan. Hij probeerde rust in zijn hoofd te kopen door de leegte om hem heen uit te breiden, en voor lange periodes gaf dit hem grote voldoening. Toch was dit vacuüm niet genoeg, en af en toe zocht hij de onrust van de Jordaan op, omdat stilstand alleen bestond bij de gratie van beweging.

42

'Het spijt mij verschrikkelijk, heer Vroom, maar mijn gezondheid staat het mij niet meer toe u op gepaste wijze te verwelkomen.' De weduwe Pigeaud zat in een stoel bij de secretaire voor het raam, met uitzicht op de Herengracht.

'Freule, ik zou u niet durven vermoeien met dergelijke egards. Bovendien: zijn wij niet immers oude vrienden? Dergelijke plichtplegingen zijn voor de bühne. Onze grijze haren getuigen van meer dan genoeg respect. De herinneringen die ze met zich meedragen doen mij telkens denken aan de lente als ik u weer zie.'

'Dat heeft u weer mooi gezegd, notaris. U bent een woordkunstenaar. Als ook maar een fractie waarheid was, zou ik mij gezegend voelen.'

De weduwe had de smalle voorkamer ingericht als bibliotheek terwijl hiervoor eigenlijk niet genoeg ruimte was. De huizen aan de gracht waren smal maar diep, geboren uit de typische calvinistische inborst van de bewoners die belasting verschuldigd waren voor de strekkende meters die aan de straatkant grensden, en daarom niet geschikt om in te richten met de grandeur waarmee sommigen van haar bewoners zich probeerden te omringen. Vroom nam plaats in de stoel tegenover de secretaire die hem gewezen werd door mevrouw Pigeaud.

'Mevrouw, waaraan dank ik uw uitnodiging?'

'Direct ter zake. Het siert u, maar uw energie en gretigheid zijn aan mij helaas niet meer besteed. Laten wij eerst een kop thee drinken.'

Het gevlei en geneuzel met de welgestelde weduwes frustreerde Vroom, maar het was een noodzakelijk kwaad en een voorwaarde voor de goede naam van zijn praktijk. Zijn reputatie ging in de welgestelde kringen van mond tot mond en was uitsluitend gebaseerd op de onkreukbare valse charme waarmee hij zich omhulde. Voor deze dames was Vroom een aantrekkelijke verschijning. 'Een man die nog weet hoe het hoort,' werd er gezegd, en dus besteedde Vroom bijzonder veel aandacht aan het gordijn van mist waarmee hij ieder zakelijk gesprek omhulde. Ondertussen kroop de tijd voorbij en dat tergde hem tot op het bot. Hoe ouder de mensen werden, hoe langzamer ze handelden. Alsof ze de tijd en hun naderende dood probeerden te vertragen door ze te frustreren met onbenulligheden.

Vroom had zijn thee al opgedronken toen de weduwe voor het eerst wat van haar schoteltje slurpte. Hij werd onpasselijk van het geluid, maar vertrouwde op het kalme masker dat hij zich had aangeleerd. Om de tijd te verdrijven speurde hij langs de kaften van de boeken tot hij iets vond wat noemenswaardig was.

'Ik had u nooit gezien als een liefhebber van het gedachtegoed van Robespierre, freule?'

'Ach, de jakobijn. Ik moet u eerlijk zeggen dat deze boeken vooral van mijn man waren. Ik houd ze graag om me heen. Ik voel me slimmer in de aanwezigheid van zo veel grote gedachten. Maar goed. U vroeg me naar het waarom?' De weduwe zette haar kopje op het blad van de secretaire en rinkelde met een belletje. Opnieuw kroop de tijd in de stilte die volgde tot het moment dat de bediende de bibliotheek had verlaten.

'De jaren beginnen mij in te halen, meneer Vroom. We proberen het allemaal lang te ontkennen, maar er komt een tijd dat je een stapje terug moet doen. Dat besef is belangrijk. Ik ken te veel mensen die te lang zijn doorgegaan, maar de wereld verandert en er komt voor iedereen een tijd dat dat tempo niet meer bij te benen is. Voor mij lijkt dat moment bijna aan te breken.'

'Mevrouw Pigeaud, uw bescheidenheid siert u, maar ik weet toch zeker...'

'Hier moet ik u onderbreken, notaris. Mijn besluit staat vast. Zoals ik u eerder zei: onze samenleving is veranderd en dat doet me meer verdriet dan ik zou willen toegeven. Ik moet voorkomen dat ik verzuur en ik moet op tijd afscheid nemen van deze mooie stad, voor ze me volledig verteert en ik als zwartgallige schim eenzaam achterblijf tussen al deze boeken en stenen, die me alleen maar doen denken aan mijn man.'

'Maar u bent zo jong van geest, mevrouw. Laatste vertelde ik nog een vakbroeder over uw moderne initiatief een stichting op te richten voor de gevallen vrouwen van onze hoofdstad. Wilt u dat nu allemaal de rug toekeren? Zij hebben uw hulp hard nodig.'

'*Au contraire*, notaris. Ik sta volledig achter mijn voornemen en wil die zaak graag volledig aan u toevertrouwen. Sterker nog: ik heb u bij mij geroepen omdat ik de stichting mijn nalatenschap wil toevertrouwen.'

Vroom liet een stilte vallen en ademde diep in om het dramatische effect van haar woorden, woorden waar hij al maanden op wachtte, te omlijsten.

'Maar dat is ongelofelijk gul van u, mevrouw. Dat is een weldaad die zijn weerga niet kent in de geschiedenis van onze mooie stad. Dit zet uw naam rechtsreeks naast die van Sarphati en andere weldoeners. Weet u dit wel zeker?'

'Zeer zeker. Over enkele weken verhuis ik definitief naar het verblijf in Baarn waar ik van mijn oude dag ga genieten. Mijn zoon kan in Amerika ruimschoots vooruit met de toelage die we voor hem hebben gereserveerd. Ik wil dat dit huis met directe ingang en mijn nalatenschap na mijn verscheiden volledig ten goede komen aan de stichting voor...'

'De Pigeaud-stichting voor vrouwen in nood.' Terwijl hij haar met die woorden onderbrak, omvatte hij met beide handen haar rechterhand.

'Meent u dat, meneer Vroom? Denkt u dat deze stichting de naam van wijlen mijn man moet dragen?'

'Ik denk het niet, ik weet het zeker. We zullen een monument oprichten en uw weldaad zo voor de eeuwigheid bewaren.'

'Dat zou toch mooi zijn. Hoe noemde u het ook alweer?'

'De Pigeaud-stichting voor vrouwen in nood. Ik zal de documenten opstellen. De stichting en het lot van vele vrouwen zijn in goede handen, freule.'

43

Dankzij een aantal slimme constructies was Vroom de enige bestuurder en gevolmachtigde van een twintigtal stichtingen. Bij elkaar hadden de stichtingen iets meer dan veertig panden in beheer, verspreid door de binnenstad. In alle gevallen keerden de stichtingen een salaris uit aan maar één werknemer: directielid en penningmeester Anton Vroom.

Van de ruim veertig panden waren er drie in gebruik. Twee panden werden gebruikt door Vroom. Hij hield zijn kantoor aan de Herengracht en in het huis daarnaast woonde hij, samen met zijn vrouw. Het andere pand werd verhuurd aan een bordeelhoudster.

44

De tribunes van de middagvoorstelling van *De koopman van Venetië* waren maar voor de helft gevuld. Vroom kocht een kaartje voor het balkon aan de linkerkant, dat op hem na helemaal leeg was. Kennelijk had het gros van de Amsterdammers op deze eerste lentedag een voorstelling in het Volkspark verkozen boven het Grand Théâtre. De echoënde stemmen in de leegheid van de zaal brachten Vroom een aangenaam gevoel van rust.

Hij kende het stuk goed. De teksten van Shylock bewogen op zijn mond. Hij verafschuwde het hooghartige gedrag van de zogenaamde helden in het stuk. De zelfingenomen Antonio, de koopman, die zijn trots nooit opzij zou zetten en de principes van de schurk Shylock tot het einde bleef tergen. De naïeve Bassanio, aanbiddelijke edelman, die iedere werkelijke relevantie ontvluchtte. De werkelijke schuldige van al het onrecht in het stuk was het decadente Venetië, dat hem steeds meer deed denken aan het Amsterdam van nu. Het grootste slachtoffer was Shylock, die ook nu weer door niemand begrepen leek.

Louis Bouwmeester speelde de woekeraar voortreffelijk. Zijn baard vooruitgekamd tot voorbij de punten van zijn schoenen, en de ijzingwekkende machteloze woede die uit zijn uitpuilende ogen schoot. Opnieuw dwong hij het publiek tot razernij tijdens de rechtszaak waar het vonnis zou gaan vallen.

'Smeerlap!' riep een vrouw op de voorste rij. Achter haar gooide een man zijn lege glas naar de acteur. Deze reacties vielen nog mee. Vroom had meegemaakt dat het domme publiek zo meegezogen werd in de wereld op het toneel dat het Shylock te lijf wilde gaan.

De idiotie van andere mensen was Vroom vaak een doorn in het oog geweest, maar tegenwoordig had hij daar minder last van. Hij zag er de humor van in en het was een belangrijke aanleiding voor hem om het stuk opnieuw te bezoeken.

Toen Shylock voor de tweede keer weigerde om zijn aanspraak op het hart van Antonio te laten vallen, riep een vrouw 'Duivel!' en dat was voor Vroom het teken om ook op te staan uit zijn stoel.

'Snijden, Shylock! Schiet op! Jij hebt gelijk. Niet twijfelen! Maak er een einde aan!'

Zijn oproep verlegde de aandacht van het publiek in de zaal nu naar het balkon, maar Vroom had zich omgedraaid voordat iemand hem kon herkennen.

45

In Die Port van Cleve was het drukker dan normaal op een dinsdagavond. De lentebui die een einde had gemaakt aan de zonnige dag hield de bezoekers binnen en zorgde voor een muffe en onrustige sfeer. De Drost zat op een lage stoel aan een tafeltje in het midden van de grote zaal. Tegenover hem zat een man met rood haar en twee forse bakkebaarden die als hengsels aan zijn hoofd bevestigd leken. Toen de Drost Vroom zag, maakte hij een handgebaar. De man met de hengsels aan zijn hoofd stond op en nam plaats op een kruk aan het buffet, op vijf passen van het tafeltje.

'Aannemen!' schreeuwde de Drost toen Vroom op de stoel van de roodharige plaatsnam.

Uit zijn binnenzak haalde Vroom twee sigaren, waarvan hij er één op het tafeltje legde. 'Rook je sigaren, De Winter?'

'Als ze me aangeboden worden onmiddellijk.'

Bij de kelner bestelde Vroom een cognac. 'Tweemaal,' voegde de Drost eraan toe. De kelner schreeuwde de bestelling in de richting van het buffet.

'Wil je vriend niks drinken?' Vroom knikte in de richting van de man met de hengsels aan het hoofd.

'Ronnie? Die drinkt alleen bier en jenever. We moeten het leven niet te ingewikkeld voor hem maken.' Vroom streek een lucifer af en stak hem in de richting van de Drost. Met drie hijsen trok hij grote wolken boven het tafeltje. Hij wachtte tot de laatste wolk wegtrok en zei: 'We hebben je laatst horen spreken.'

'Hoe bedoel je?'

'Bij de Westerkerk. Het ging over menselijkheid, geloof ik. En over hoeren. Een mooie combinatie.'

'Dat is een andere wereld. Een andere werkelijkheid.' De Drost knikte alsof hij het begreep.

'Ik gun iedereen een andere werkelijkheid. Zelfs als die over God gaat. Persoonlijk geloof ik niet in zo'n heilige goedzak. Geef mij zijn gehoornde broertje maar. Die weet tenminste hoe je de zaken een beetje in beweging krijgt.'

'Het zijn maar plaatjes,' antwoordde Vroom. 'De mensen hebben plaatjes nodig, anders begrijpen ze het niet. En God en de duivel zijn gewoon twee kanten van hetzelfde plaatje. Zonder elkaar hebben ze geen bestaansrecht. Zonder Lucifer kan Hij niet bestaan.' Vroom wees naar boven. 'En andersom al helemaal niet. Hoe dan ook zijn het plaatjes die door mensen zijn bedacht, dus dat maakt ze minstens zo vals en feilbaar als de bedenkers zelf.'

De Drost glimlachte. 'Aha, dus dat bedoelde je met menselijkheid. Ik weet niet zeker of ze dat wel allemaal uit die speech hebben gehaald.'

'Ieder verhaal is als een neus,' zei Vroom. 'Je haalt eruit wat erin zit.' De Drost lachte opnieuw en hief het glas dat de kelner hem net gebracht had. 'Volgens mij begrijpen wij elkaar wel.'

De tijd tussen het eerste en het tweede glas cognac werd opgevuld door een lange stilte, waarin de Drost twee keer opstond. Vroom dacht aan het verhaal van *De koopman van Venetië*. Hij vroeg zich eerst af welke rol hij speelde in zijn eigen verhaal en daarna bedacht hij welke rol hij toebedeeld kreeg in de verhalen van anderen. Een held en zijn opponent waren misschien gewoon gelijk aan elkaar. Het verschil werd bepaald door het perspectief.

De Drost onderbrak zijn gedachtegang toen hij met het tweede drankje de stilte doorbrak. 'Goed, genoeg gestaard. Waarom zitten we hier eigenlijk?'

Weer liet Vroom zich niet overvallen door de brutaliteit waarmee de Drost zich het initiatief toe-eigende. Het gaf hem de mogelijkheid de kalmte te omarmen die hem de koninklijke positie verschafte die hij ambieerde binnen deze onwaarschijnlijke ontmoeting.

'Ik ken jouw voorganger. Wist je dat?'

Even leek de Drost ontdaan door deze vraag, maar hij herpakte zich snel. 'Mijn voorganger? Die heb ik niet. Vóór mij was er niets. Na mij komt er niets. Ik ben de enige ik die er is.'

'De Kaiser. Hij runde de Jordaan voor jij hem onttroonde. Ik kende hem niet goed, maar ik heb hem wel eens ontmoet.'

'De Kaiser? De nar van de Lindengracht, bedoel je. Wat stelde die nou voor? Een voddenboer. Een sjacheraar hooguit. Nee, dat is geen voorganger. Daarmee kun je mij niet vergelijken.'

'Nee, dat dacht ik al. Hij was dom. Hij had geen plan. Iemand zonder plan kan niet dromen en als je niet kunt dromen, kun je niet overleven.'

'Precies. Hij deed maar wat. Hij had geen flauw idee.'

Vroom bracht zijn glas op ooghoogte tussen hem en de Drost in. Hij liet de cognac kolken in het bolle glas en creëerde een korte stilte.

'Wat is jouw idee eigenlijk?'

'Mijn idee?'

'Wat is je plan met de Jordaan?'

De Drost haalde zijn schouders op. 'De Jordaan is een speeltuin. Daar moet je geen orde aanbrengen. Daar is geen plan voor. Het is het strijdtoneel. Een veldslag. Een slagveld.' Hij lachte om zijn eigen woordspeling.

'Dat was het. Dat is het misschien nog. Maar als je goed kijkt, zie je dat dat niet lang meer duurt.'

'Hoe bedoel je? Ik zie niks.'

'De stad wordt onteigend. De hoge heren nemen alles op de schop. Ze bouwen hotels, ze leggen spoorwegen aan, bouwen paleizen en parken, grote herenhuizen, theaters en sociëteiten. De stad raakt voller en voller. Als je met ze meekijkt, kost het niet veel moeite om te ontdekken waar ze nog ruimte zien, toch?'

'In de Jordaan?' Voor het eerst leek de Drost om woorden verlegen.

'Natuurlijk in de Jordaan. Waarom ligt het station aan het IJ en niet in de Pijp, of in Oost? Ze gaan de Jordaan ontginnen.'

De Drost draaide zich om en schreeuwde in de richting van het buffet: 'Aannemen!' Met een laatste slok dronk hij het halfvolle glas leeg.

'Laat het ze maar eens proberen.'

'Dat is het juist. Je moet voorkomen dat ze het proberen. Je moet nú laten zien dat ze de andere kant op moeten.'

46

Het was nacht toen de Drost en Vroom Die Port van Cleve verlieten. Vroom voelde de ouderwetse baldadigheid in zich opwellen. Het was niet de spontaniteit die maakte dat hij de uitnodiging van de Drost accepteerde toen die hem vroeg om mee te gaan naar de hondengevechten, het was de onrust van de naderende onzekerheid die hij geënsceneerd had met de man die hij bij zijn kapper had ontmoet.

De man met de rode bakkebaarden, die door de Drost Ronnie werd genoemd, liep een meter of tien voor hen uit. Ze liepen zwijgend in de richting van het Fransepad. Voorbij de Prinsengracht kwamen ze in het donkere woud van kronkelende steegjes. Hier was nauwelijks straatverlichting. Als er al lantaarns stonden, werden ze overgeslagen door de opstekers of vernield door de jonge vandalen van de sloppen. Het was wat afgekoeld na de lentebui, maar buiten was het nog steeds behaaglijk en dat maakte dat de buurtbewoners elkaar op de straathoeken en in de steegjes opzochten met zelfgestookte alcohol en even bittere volksmuziek, die vals werd uitgebraakt door dronkenmannen, soms begeleid door een minderwaardig instrument.

Sommige van de steegjes waren berucht. Hier zou de politie nooit durven komen op dit uur van de nacht. Ze mochten niet eens de naam 'steeg' of 'pad' hebben. Soms moest je je zijdelings, als een krab, tussen twee huizen door drukken voor je op een breder zandpad kwam. Hier hadden ondernemende Jordanezen kraampjes getimmerd waar ze hun brouwsels en dochters verkochten aan de dokwerkers en zeelieden. De stank was intenser dan in de ochtend, versterkt door zweet, urine en braaksel, maar Vroom had er nu minder last van. Misschien omdat hij dronken was, of misschien omdat hij zich nu minder een toerist voelde.

Net toen Vroom het Fransepad herkende, waar hij zijn kapper bezocht, vroeg de Drost hem halt te houden. Ze stonden stil voor een geïmproviseerde wrakhouten poort. De man met de rode hengsels aan zijn kop stond nu vlak tegen hem aan. De lucht die van de man kwam drukte zwaar op zijn longen en even moest hij een braakneiging onderdrukken. De Drost sloeg twee keer tegen het wrakhout, pauzeerde toen even en sloeg nog twee keer. Het schot scharnierde op een kier, en toen de Drost zich bekendmaakte werd het opengegooid.

'Hier is het,' zei hij met een trotse glimlach. 'Dit is de echte Jordaan. Dit is mijn huis. Dit zijn mijn mensen.' Bij die laatste zin sloeg hij de portier bij de deur tweemaal op zijn schouder.

'Kom verder, Vroom. Vanavond ben je mijn gast. Niemand zal een poot naar je uitsteken. Je bent veilig. Maar nu eerst: drinken!'

Via een smal pad kwamen ze op een binnenplaats die omringd werd met de achterzijden van huizen aan de Lindengracht en in de Lindenstraat. Waar de voorgevels nog iets weghadden van huizen, was dat aan de achterkant totaal anders. Gestapelde houten bouwsels creëerden een mozaïek van hokjes, kotjes en schuurtjes die op elkaar stonden en soms in elkaar doorliepen. Het was een oerwoud van mensen, en de schuilplekken die ze als misbouwsels tegen elkaar aan lieten steunen vormden samen een ronde arena, met in het midden het doel van hun reis: de ring waar de hondengevechten plaatsvonden.

De Drost was zichtbaar in zijn element. Hij groette wat mensen, schudde handen en omhelsde mannen en vrouwen. Op het kleine binnenplein waren zeker honderdvijftig bezoekers en de walm en de hitte die er hingen benauwden Vroom. Hij droeg zijn overjas over zijn arm en trok nu ook zijn jasje uit.

'Hier, pak aan.' De Drost gaf hem een glas en schonk het halfvol. 'Dit is whisky. Geen rommel. Wij drinken het echte spul. Uit Schotland. Proost! Op de wederopstanding van de Jordaan!'

'Op de Jordaan,' antwoordde Vroom, maar zijn woorden werden overstemd door het gejuich dat opkwam vanuit het midden.

De Drost pakte hem bij zijn bovenarm en trok hem verder het gedrang in. Voor hen maakte de roodharige man ruimte door de mensenmassa uiteen te duwen.

'Wij zitten eerste rang. Daar staat het podium. Ik zal stoelen laten halen.'

Het podium bleek te bestaan uit een aantal losse planken die op lege vaten rustten. Via een kistje klom Vroom op de verhoging die hem even wat rust verschafte. Aan de voorkant van het schavot werd ruimte gemaakt en er werden twee stoelen neergezet. De Drost wees hem zijn plek. Zijn jas hing hij over de ene leuning die de stoel nog had.

'Hier gebeurt het. Dit is de ring,' begon de Drost. 'De man in het midden is de ringmenner. Hij leidt het gevecht.' Vroom keek naar de ring, die gemaakt was door een aantal fruitkisten in een cirkel op te stapelen. Op zes plekken stonden olielampen die het strijdtoneel verlichtten.

'Voor het gevecht zet je in op een hond. Je wedt op rood of op blauw. Je geeft je geld aan een wedjongen. Hij geeft je een nummer en dat moet je onthouden als je je winst wilt claimen. Als de ringmenner "einde wedronde" schreeuwt, kun je niet meer inzetten. Dan komen de fokkers de ring in. Ze presenteren de honden en ruien ze op. De eerste gevechten zijn al geweest, dus dat betekent dat we bijna aan de finale toe zijn. We bewaren de kampioenen voor het laatst en hoe later het wordt, hoe minder regels. De fokkers vijlen de tanden en de laatste gevechten gaan altijd door tot de dood.'

De nonchalance waarmee de Drost uitleg gaf, intrigeerde Vroom. Hij nam geen moeite om de illegaliteit te verklaren, maar gaf vooral een praktische instructie, alsof hij een procedure toelichtte. Het was niet eens het vooruitzicht van de razende honden die elkaar zouden verscheuren dat Vroom benauwde, het waren vooral de grote groepen mensen die elkaar verdrongen om vooraan te staan.

De eerste fles whisky werd door de roodharige vervangen door een tweede toen hij leeg was en de spanning en het rumoer namen toe. Vanaf het podium zag Vroom hoe er een gevecht ontstond rond een man die de Drost eerder had aangewezen als 'wedjongen'. Twee mannen deelden stevige klappen uit, tot de Drost seinde dat er een einde aan gemaakt moest worden. Beide mannen werden met harde hand over het plein gesleurd en de poort uitgesmeten.

'Het gaat zo beginnen. Weet je al wat je doet?'

'Wat ik doe?'

'Wat ga je inzetten? En op welke kleur. Rat komt als laatste hierheen om je weddenschap op te nemen voor de ringmenner het sein geeft.'

'Inzetten? Op een hond? Waarom zou ik dat doen?' Vroom merkte vrijwel direct dat zijn woorden in verkeerde aarde vielen.

'Waarom zou je dat doen? Wat kom je hier anders doen? Ben je hier voor de gratis drank? Of om aapjes te kijken? Wil je even gluren naar de andere kant? Dit is geen circus, chef! Als je bij mij thuis bent, eet je wat ik eet.'

Vroom voelde in zijn jaszak en ontdekte tot zijn opluchting dat hij zijn portefeuille nog had. 'Twee gulden? Nee, vijf gulden. Ik zet vijf gulden op blauw.'

'Op blauw? We zijn in de Jordaan. Hier wedden we op rood!'

'Goed, op rood. Wat jij wilt. Vijf gulden op rood.' Hij gaf het geld aan de man die Rat werd genoemd en nam een slok van de whisky. Het kwam door de vreemde constructie van het plein. Het was de schreeuwende mensenmassa. Het kwam door de stank, de ondefinieerbare geuren die hem verstikten. Het was de drank. En het kwam door de schijnbare machtsverhouding die verschoven was. Misschien was het wel de optelsom van die oorzaken die Vroom nu draaierig maakte. Hij haalde zijn zakdoek over zijn voorhoofd en stroopte zijn hemdsmouwen op. Hij knipperde een aantal keer en wreef met de muizen van zijn handen in zijn ogen. Toen hij zijn handen weghaalde en nogmaals knipperde, veranderde het rumoer op het plein in een bijna zoemend gefluister. Aan de rechterkant stampten mannen en vrouwen met hun voeten op de grond. De rest van het plein volgde, en er ontstond een massaal aritmisch gedreun dat ineens eindigde toen de man die de ringmeester werd genoemd de arena van fruitkistjes betrad. 'Einde wéd-ronde!' riep hij door zijn handen, die een koker voor zijn mond vormden. Het gestamp hield op en alle aandacht was gericht op de ring. De ringmeester droeg een versleten hoge hoed. Zijn rood-zwart gestreepte broek hing aan bretels om zijn schouders. Hij droeg geen overhemd en had de mouwen van zijn lange ondergoed opgestroopt. In zijn oksel hield hij een korte knoet geklemd waarvan de strengen tot op zijn lange rijlaarzen rijkten.

'Voor het rode kamp... Vecht vanavond... Ongeslagen... Zeven... Voudig... Kampioen. Uw eigen... Caesar!' Bij die laatste woorden stak er een oorverdovend gejuich op uit het plein. Ook op het podium ging men staan, waardoor de planken even leken te wankelen op de vaten.

'En voor het blauwe kamp: de uitdager. De woeste wolf van het westen... Ramses!' Het gejouw en boegeroep van de mensen leek de honden nog razender te maken dan ze al waren. De herder die aangekondigd was als Ramses hapte een aantal keer in de lucht en vloog bijna zijn fokker aan. De ringmeester sloeg met de knoet op de grond. Er stoof wat zand op. En hij riep: '*Allez!*' Waarmee het gevecht aanving. De fokkers sprongen de ring uit en de herder beet zich direct vast in de nek van zijn rivaal.

Vroom werd weer draaierig. Met zijn ontblote onderarm veegde hij het zweet uit zijn ogen en probeerde zijn ogen scherp te stellen op de ring. De andere hond, de rode hond, het beest waar hij zijn geld op ingezet had, jankte en beet wild naar de poten van Ramses. Er spoot bloed uit zijn nek. Vroom voelde het zuur uit zijn maag door zijn keel stromen. Hij kokhalsde. De blauwe hond trok zijn kaken even van elkaar om zijn grip te versterken en een tweede golf bloed spoot naar buiten. De rode hond, Caesar, probeerde met een wild schudden los te komen. Pas bij een derde poging lukte dat. Vroom had alle scherpte in zijn zicht verloren. Hij zag nog net hoe de blauwe hond een stuk vlees uitspuwde. Een stuk van de schouder van de rode hond lag op de grond en Ramses likte aan de lap vlees, die hem nu als prijs veel interessanter overkwam dan de winst van het gevecht. De rode hond cirkelde, met zijn staart naar beneden, hinkend op zijn voorpoten om Ramses heen. Hij zette zich met een laatste krachtinspanning af en sloot zijn kaken in de hals en de slagader van de blauwe hond. Het rood van het bloed was het laatste wat Vroom zag voor hij het bewustzijn verloor.

47

Vroom kwam bij in de stoel die nu achter het podium stond. De roodharige sloeg hem nog tweemaal met vlakke hand in het gezicht.

'Hij is er weer.'

De walmen van de man met de bakkebaarden brachten een tweede golf zuur naar boven. Nu was Vroom niet in staat het weg te slikken, en zijn braaksel belandde tussen zijn schoenen in het zand. Pas toen hij zijn hoofd optilde leek hij helderder.

'Wat is er gebeurd?' Hij keek in het lachende gezicht van de Drost.

'Wat is er gebeurd? Je hebt gewonnen. Dat is er gebeurd! Rood wint altijd. Maak je geen zorgen. Ronnie brengt je zo naar huis. We zien elkaar wel weer. Ik zal je geld even voor je bewaren. Je hebt een teer gestel, notaris. Maar wij gaan zakendoen. Daar heb ik alle vertrouwen in.'

HOOFDSTUK VI

De revolutie

48

De dagen in het maison waren niet uitsluitend vervuld van angst. Ze trokken voorbij als donkere wolken die af en toe wat ruimte lieten voor een straaltje zonlicht. Overdag werd er soms gelachen. Meestal om de kleinste dingen, en zo nu en dan deed Anna mee. Als de meisjes samen waren hielden ze elkaar voor de gek. Ze roddelden over Kool, over de klanten en over Bo, en ze plaagden elkaar met de gekke manieren en gewoontes die ze eropna hielden. Rosa kopieerde de struise dansjes die Fien tot haar specialiteit had gemaakt en Fien stak de draak met de kokette maniertjes die Rosa eropna hield als zij een klant inpalmde.

Aan het einde van de dag maakte de luchtigheid weer langzaam plaats voor de onvermijdelijke angst die bij de avond hoorde. Iedere keer als het belletje rinkelde, voelde Anna haar hart in haar keel bonzen. Gedachten flitsten verlammend door haar hoofd. Ze gruwde telkens opnieuw van de onvermijdelijke vernedering die haar te wachten stond. Ze zou weer vallen, maar hoe hard? En hoe diep?

De dames gingen allemaal op hun eigen manier om met die angst. Rosa en Eva hadden de meeste ervaring en wisten precies hoe ze hun nacht moesten indelen om er zo goed mogelijk vanaf te komen. Ze hadden een neusje voor de beste klanten. Dat waren de mannen die veel fooi gaven, of degenen die hen soms voor meer dan een uur konden meenemen naar een kamer. Ze hadden meer grip op de tijd, een voorwaarde om te overleven als je je moest onderwerpen aan de nukken en grillen van een ander.

De overgave was niet de grootste opgave als je hem kon sturen.

De mannen die van begin tot eind domineerden waren de grootste kwelling. Ze waren niet alleen fysiek de baas, maar bepaalden ook het gesprek en het totale verloop van het korte samenzijn in de kamer. Voor de meesten van deze klanten was de dominantie de voornaamste tegenprestatie van de transactie. Ze zochten geen troost en het ging ze zelfs niet om de seksuele ontlading. Ze kochten macht en eisten overheersing op. Volgens Rosa waren dit de mannen die overdag een machteloos bestaan leidden.

'Eigenlijk moeten we medelijden hebben met die klootzakken. Zij zijn hun hele leven de hoer en moeten de illusie van macht, die ze eens in de twee weken hier komen halen, duur betalen.' Ze zei het vaak uit troost, want zelf had ze, als meisje met ervaring, nog maar zelden met zulke klanten te maken.

Het was alsof ze de angst in Anna roken. Wat ze ook probeerde, al ging ze als eerste of als laatste naar beneden wanneer het belletje rinkelde, ze wisten haar er altijd uit te pikken.

De rode jood had zich niet meer laten zien in het bordeel. De fysieke en religieuze aanranding die hij had moeten ondergaan was hem kennelijk te veel geworden. Anna had de gevolgen van haar korte opstand duur moeten bekopen. Ze had twee dagen en nachten zonder eten en drinken doorgebracht in het hok, en net toen ze dacht dat ze haar daar zouden laten sterven, kwamen Kool en madam Rowel binnen. Kool droeg een tobbe met water en zette deze voor haar op de grond. De dorst had haar bijna waanzinnig gemaakt en ze wilde zich op de tobbe storten om te drinken, maar toen ze zich op haar knieën had gestort stompte Kool haar in haar maag. Ze kromp in elkaar en hapte radeloos naar adem. Haar longen stonden in brand en ze voelde hoe madam Rowel haar bij haar haar pakte en haar hoofd onder water duwde. De ademnood perste zich bijna door haar ogen naar buiten en maakte alles zwart. Toen Anna weer bijkwam, pakte Kool haar hoofd en duwde haar opnieuw onder water. Toen ze voor de zoveelste keer bijna was verdronken, wist ze zeker dat ze dood was. Ze verzette zich niet meer tegen de stevige grip waarmee Kool haar onder water duwde. Ze wist niet meer zeker of ze liever boven of onder water was. Daarbeneden in de tobbe was het stil. Boven de waterspiegel lag de pijn. Toen ze opnieuw bijkwam, merkte ze dat ze weer alleen was in het hok. Dagen leken weer te verstrijken en na lang twijfelen besloot Anna haar dorst te lessen met het water uit de tobbe die ze hadden achtergelaten. Het water dat haar nu in leven hield zou haar uiteindelijk een zachte dood gunnen. Dat dacht ze toen madam Rowel en Kool voor een tweede keer binnenkwamen.

'We komen hier niet om je dood te maken.' Het was alsof madam Rowel in haar hoofd was gekropen en haar gedachten kon raden.

'We komen hier om je bijna dood te maken. We laten je keer op keer sterven en wekken je telkens weer tot leven. Net zo lang tot je doorhebt dat dit het enige is dat je rest. Jouw dood en jouw leven, ze zijn allebei van mij. Wat wil je?'

Het kostte haar moeite om de woorden te vormen. Ze brandden in haar keel. 'Ik wil dood.'

Madam Rowel stootte minachtende klanken uit die op gelach moesten lijken. 'Dat wil je, maar dat gebeurt niet. De keuze is niet aan jou. Jij hebt niets te willen. De dood hoort niet meer bij jouw opvattingen over het leven. Dat is het laatste wat ik van je afpak. Kun je dat loslaten?'

Voor het eerst voelde Anna de pure angst niet meer. Wat maakte het uit. Als ze niet meer kon kiezen voor de dood, als dat echt zo was, dan was ze al dood.

'Heb ik een keuze dan?'

'Nee, precies! Die heb je niet. Fijn, hè? Veel mensen zijn bang voor de dood. Jij niet. Jij verlangt ernaar. Wat heb je dan nog te vrezen? Nee, laat maar. Voor je daar antwoord op wilt geven, zal ik je helpen. Je hebt mij te vrezen. De enige die je moet vrezen ben ik, want ik heb je dit leven geschonken. En misschien dat ik je ooit gun waarnaar je verlangt, maar zover is het nog lang niet. Heb je honger?'

Anna twijfelde of ze antwoord kon geven op die vraag, maar bedacht zich toen ze begreep dat twijfelen geen zin had. 'Ja. Ja, ik heb honger.'

'Goed zo. Honger mag je hebben. Dorst ook. Je mag ook best verdriet hebben. En zelfs plezier. En je mag bang zijn. Je mag veel hebben. Bijna alles. Maar geen zelfbeschikking. Dat is van mij. Als je dat beseft, kun je best een acceptabel leven leiden. Binnen die lijst, mijn lijst, mag je een zo mooi mogelijk schilderij zijn. Heb je tijd nodig om daarover na te denken?'

Anna tilde haar hoofd op en durfde haar bazin voor het eerst echt aan te kijken. 'Nee, ik wil met u mee naar binnen. Mag ik mee naar binnen? Ik heb honger.'

'Goed zo. Dat is mooi. Kom maar mee naar binnen. Loop maar achter ons aan. Je krijgt te eten.'

49

Het was niet makkelijker geworden in de dagen na het hok. De eerste keer dat een man haar beklom en haar lichaam gebruikte, als een huls, dacht Anna aan het water en weer leek het alsof ze stikte. Ze hapte naar adem toen de man van haar af gleed. De keren daarop waren niet anders. Het enige verschil was dat Anna wist dat ze ging stikken, en ook dat ze weer bij zou komen. Dat was haar leven nu. In de nachten zou ze stikken en overdag zou ze moeten wachten tot de nacht weer aanbrak. Ze dacht steeds minder aan de sterren en de nachten in het laagland. De herinnering deed pijn. De man met de kraalogen had gelijk gekregen.

Zou haar vader weten waar ze was? Zou hij haar verkocht hebben als hij had geweten wat ze nu moest doen? Dacht hij nog wel eens aan haar? Of zou hij weer gewoon op het veld staan? Maakte hij zich druk om de oogst en om de nieuwe schuur die hij moest bouwen? Zou hij lachen en plezier hebben als Martha ging trouwen? Konden ze haar vergeten om te kunnen overleven? Zou hij haar ooit kunnen vergeven en kwam hij haar dan alsnog halen?

Maar met iedere dag die verstreek, besefte Anna steeds meer dat de oplossing niet in het verleden lag. Het had geen zin om terug te kijken, ze had geen invloed op de dagen die achter haar lagen. Anna verzon wel honderd manieren om te ontsnappen. De planken van het kot waren vast niet onbreekbaar. Vanuit het huis was er in de nacht, na sluitingstijd, niemand die haar tegen zou houden. Als ze muisstil was, kon ze buiten komen. Ze zou overdag weg kunnen rennen. Andere meisjes mochten soms naar buiten, voor een boodschap. Ze kon een ziekte veinzen en zich zo bedorven voordoen dat ze weggestuurd werd, net zoals Jodenjet. Het was mogelijk om zich te verzetten tegen madam Rowel. Ze had de rode jood weten te verrassen, waarom zou ze de vrouw niet de baas kunnen?

Het waren allemaal scenario's die haar angstig maakten. Niet omdat ze gevaar met zich meebrachten, maar vooral om wat erna zou komen. Waar moest ze heen als ze buiten stond? De stad kwam op haar over als een zielloos monster. De verhalen die de meisjes erover vertelden leken nog gruwelijker dan de voorstelling die op het laagland werd geschetst over stedelingen. Zonder geld, zonder idee, maar vooral zonder Jonas, bestond er geen bestemming en dus ook geen weg of plan.

50

Het verhaal van de rode jood had Anna een geuzenstatus opgeleverd bij de andere meisjes. 'We sturen Anna op hem af,' werd er gezegd als er weer eens een klootzak besproken werd in de poederkamer. Inmiddels kon ze met hen meelachen. Het was een raar soort humor, geboren uit overlevingsdrang. En madam Rowel had gelijk gekregen. Binnen de kaders van de hel waarin ze leefden kon je huilen en lachen. Zo gingen mensen om met situaties die geen rede kenden. Ze verknipten het geheel en maakten kleine stukjes die overzichtelijk waren, die verdraagbaar bleken. Leven was makkelijker als je het van zucht tot zucht deed.

'Er komt een revolutie aan,' zei Fien. 'Dat zei schele Johan gisteren.'

'Schele Johan werkt bij de gemeente, wat weet hij er nou van?'

'Niet waar. Hij werkt bij de politie. Er komt een revolutie aan en ze zijn onderbemand. Dat zei hij. De roden gaan de hele stad overhoopgooien en in brand steken.'

'Wat is een revolutie?' Dat vroeg Evelien.

'Dat is iets Frans. Het is een soort burgeroorlog.'

'Houd toch op, Fien,' zei Rosa. 'Je maakt ze nog bang. Er komt geen oorlog.'

'Dat zeg ik toch niet! Ik zeg dat schele Johan zei dat er een revolutie komt, en hij kan het weten, want hij werkt bij de politie.'

'Bij een revolutie komen de arbeiders in opstand,' zei Eva tegen niemand in het bijzonder. 'Ze bestormen de gevestigde orde. En daarna zijn de arbeiders aan de macht.'

'Praat even normaal, Eva. Met je "gevestigde orde". En wie komt er dan aan de macht? De dokwerkers? Of Kool en Bo soms? Zie je dat al voor je? Dan is iedereen de hele dag dronken. Mooie boel.'

'En wat gebeurt er met ons? Horen wij bij de arbeiders of bij de bevestigde orde?'

'Gevestigde orde. En met ons gebeurt er niets. Wij zijn hoeren, Evelien. Die hebben ze altijd en overal nodig. Of de man nu een pet of een kroon draagt, hij moet altijd ergens zijn kwakkie kwijt.'

'Dat is dus oneerlijk. Wanneer komen wij in opstand tegen die orde?'

'Ja, Eva,' zei Rosa. 'Wanneer begint onze revolutie? De eerste Amsterdamse hoerenopstand. Jij mag hem leiden. Waar zullen we beginnen?'

Fien antwoordde vanuit de tobbe: 'We bestormen het gemeentehuis. Heb je de burgemeester wel eens gezien? Schriel ventje. Als ik daar bovenop ga zitten, breek ik al zijn botten. Ik doe mee!'

'Dat kan niet, Fien, dan moet je zeker vier trappen op. Dat doe jij liever niet. Jij vindt twee al te veel,' zei Rosa. De meisjes lachten.

'Dat is waar. Vier trappen is veel. We beginnen de revolutie vanuit ons bed. Seks voor de goede zaak. Dat kunnen we niet verliezen.'

'En als ze niet luisteren, sturen we Anna. Zij weet er wel raad mee.'

Anna wist dat ze nu moest lachen, dus deed ze dat. En ondertussen bouwde de spanning zich opnieuw op, want Rosa en Eva waren zich al aan het aankleden en dus zou het niet lang meer duren tot het belletje zou rinkelen. Nog maar even tot het stikken weer begon.

51

In de salon zaten vier mannen. Ze waren in gesprek en besteedden geen aandacht aan Rosa en Eva, die om beurten om hen heen kronkelden. Fien trok haar bustehouder wat naar beneden zodat haar kolossale boezem bijna naar buiten gutste. 'De dames gaan even wat te drinken regelen.'

Toen ook Fien onverrichter zake en teleurgesteld terugkwam, kwam madam Rowel bij het groepje staan. 'Even wachten en dan gaat Anna.' En tegen Anna zei ze: 'Niks vragen. Je gaat bij de haard zitten en je zegt niets.' Anna voelde opnieuw het bonzen in haar keel.

De mannen waren oud, de vijftig gepasseerd, ze zagen er gedistingeerd uit en spraken en lachten luid. Anna ging tegen de schouw staan. Ze wist zich geen houding te geven. Ze kon niet verzinnen wat ze moest zeggen en hoopte dat de mannen haar zouden negeren zoals ze dat bij Fien hadden gedaan. Het leek even goed te gaan, tot een van de mannen zich tot haar richtte.

'Ben je ongeduldig, meisje? Wij zijn in gesprek, maar als je staat te popelen, kunnen de heren mij best even missen.' De dikste van de vier had haar aangesproken. Hij was kaal en droeg een baard zonder snor. De verschillende manieren waarop de mannen hun gezichten lieten begroeien deden haar nog het meest denken aan de maskers die de dorpelingen van het laagland voor de vastenperiode maakten.

'Ik ben nieuw hier. Ik weet nog niet zo goed wat ik moet doen.' Het was haar vaste openingszin. Woorden die bijna altijd doeltreffend waren sinds de eerste keer dat ze de rode jood had meegenomen naar een kamer.

'Dat treft. Ik ook.' De mannen bulderden van het lachen.

'Laat je maar niks wijsmaken, liefje. Kobus kwam hier al toen Johanna nog in de luiers lag. Ga maar vast een sleuteltje halen. Je bent precies zijn type.'

Toen Anna bij het buffet stond, kwam madam Rowel naast haar staan. 'Gedraag je. Deze mannen zijn belangrijk.'

Toen ze zich omdraaide om naar de trap te lopen, zag ze dat Rosa weer bij de mannen was gaan staan. Met een haast onmerkbaar hoofdgebaar dirigeerde ze Anna in de richting van de andere meisjes. Ze had haar arm om de baard zonder snor geslagen. 'Waarom ga je niet met mij mee, Kobus? Dat is alweer zo lang geleden. Ik heb wat nieuwe dingen bijgeleerd. Dingen die je niet snel zult vergeten.'

'Wat is dit nou weer?' Hij sprak luid. Alsof zijn vraag niet bedoeld was voor Rosa, of voor de mannen in zijn gezelschap, maar voor de hele salon. 'Ben ik eindelijk op mijn hoogtepunt aanbeland? Of hangt er soms stroop aan mijn pik?'

De mannen lachten om zijn opmerking, maar nu herkende Anna de obligate aandacht van het publiek. Ze lachten zoals zij die middag had gelachen om de opmerking die over haar ging.

Omdat het antwoord uitbleef, richtte de man zich tot madam Rowel. 'Ik begrijp het al, Johanna. Je hebt een nieuw product in je winkeltje. Chapeau! Goed gedaan. Ik neem ze allebei. Heren, excuseert u mij. Mijn inspanningen zijn elders vereist.'

De corpulente man kroop langzaam achter hen aan de trap op, en dat gaf Rosa de mogelijkheid even met Anna te praten. Ze pakte haar bij de schouder en fluisterde de woorden in haar oor. 'Probeer me te volgen. Ik leid. Deze man is gevaarlijk. Niet tegen hem in gaan.'

52

Anna had de sleutel van de grote kamer gekregen. Rosa had de man op het tweepersoonsledikant gelegd en zijn schoenen, jas en broek uitgetrokken. Zelf maakte hij de knopen los van het stijve boord dat stevig in zijn onderkin prikte.

'Heer Vercouteren, maak het u gemakkelijk. Wij zullen eerst even voor u dansen.' Rosa ging achter Anna staan, legde haar handen op haar heupen en bewoog ze ritmisch heen en weer. Voor Anna was het grote stikken alweer begonnen toen ze bij de schouw was gaan staan. Het was fijn dat Rosa erbij was, maar het nieuwe van de situatie was minstens zo benauwend. Nu haar heupen synchroon bewogen met die van Rosa voelde ze hoe Rosa's handen naar boven gleden. Anna droeg geen korset. De grillige dagen in het hok hadden haar vermagerd. Haar ribben waren zichtbaar en de korsetten in de poederkamer waren haar te groot. Toen Rosa met haar vingertoppen en nagels onder de jurk over haar middel aaide, ging er een rilling door haar heen. Haar heupen bewogen onverstoord verder. Rosa bewoog haar armen verder omhoog en nam de jurk met haar polsen mee naar boven. Anna voelde hoe de vingertoppen van Rosa nu kleine cirkels trokken onder haar borsten. De man op het bed zuchtte diep en bewoog zijn hand naar zijn geslacht. Rosa zoende en likte haar hals en beet in haar oor, wat opnieuw een rilling teweegbracht. Net voor ze de jurk over Anna's hoofd trok fluisterde ze bijna onhoorbaar: 'Doe precies hetzelfde bij mij.'

De onderbuik van Rosa voelde zacht en warm aan. Onder haar navel voelde Anna het kleine litteken dat ze eerder al eens had gezien. Ze probeerde de bewegingen van Rosa exact te kopiëren. Net boven haar navel begon het korset. Even twijfelde Anna, maar Rosa pakte haar handen. Ze legde ze op haar borsten en knoopte zelf het korset los.

Anna hoorde hoe de man zichzelf beroerde op het ledikant, en even vielen alle lessen van Rosa op hun plaats. Er was geen fractie over van de angst die ze voor deze man had gekend. Rosa had hem met haar schouwspel bijna letterlijk aan haar voeten gekluisterd. De man was als was in hun handen en Rosa had hem met één vuist in haar greep.

Toen de man tot zijn hoogtepunt kwam, hadden Rosa en Anna allebei hun kousen en ondergoed nog aan. Zijn arrogantie verdween tegelijk met zijn erectie.

'Prachtig, dames. Goed werk.' Voor hij hun allebei een gulden gaf, zei hij: 'En mondje dicht beneden.'

Toen de man met de baard zonder snor de kamer verliet, kuste Rosa haar op haar lippen. 'En zo moet dat dus.' En later op de poederkamer, net voor ze weer naar beneden gingen, zei ze: 'Kruip in hun hoofd en zorg ervoor dat het ze nooit lukt in jouw hoofd te komen.'

53

'Je bent in mijn hoofd gekropen.' Dat had Jakob tegen haar gezegd in de weken nadat hun verloving bekendgemaakt was. Hij moest iets geweten hebben van haar nachten met Jonas. Het gefluister van de laaglanders was net zo rot en zuur als de veenbodem waar ze van leefden.

'Ik weet niet of dat wel klopt. Ik wil daar namelijk helemaal niet zijn.'

'Toch zit je er. Ik denk bijna de hele dag aan je en als ik ga slapen probeer ik van je te dromen. Je zit me dwars.'

Ze stonden bij de vaargeul die tussen het droogland en het turfgebied was gegraven. Nu pas kreeg Anna door dat Martha haar alleen gelaten had. Ze pakte de emmers op en zette een paar grote passen in de richting van het dorp, tot Jakob een van de emmers uit haar handen griste.

'Laat mij dat doen. Ik wil ze voor je tillen.' Anna verstevigde haar greep op het hengsel en trok het de andere kant op. Het water klotste uit de emmer over haar rok.

'Wat doe je? Laat me met rust! Laat me uit je hoofd.'

'Dat gaat niet. Dat zeg ik toch. Je zit me dwars. Laat me je helpen.' Hij trok de emmer uit haar arm, smeet hem weg en pakte haar pols beet. Zijn gewicht maakte een anker van zijn vuist en bracht haar uit balans. Toen ze struikelde, greep hij haar met beide handen onder haar oksels. De rotte turf die hij uitwasemde prikte in haar ogen.

'Je bent van mij. Waarom zou ik je niet pakken? Hier en nu.' Ze voelde hoe hij met zijn duimen onder haar oksels naar haar borsten zocht. Anna ademde diep in om te kunnen gillen, maar met de lucht kwam de rede en met de rede kwamen de woorden. Het dorp zou haar schreeuw niet horen, niet willen horen, dus sprak ze kalm en zacht. 'Zet me maar neer. Ik zal je helpen.'

Ze las de verwarring in zijn ogen toen hij haar losliet. Ze voelde hem sidderen toen ze over zijn onderarm streek. Heel even sloot hij zijn ogen. Het duurde lang genoeg om de emmer bij het hengsel te pakken en hem met al haar kracht tegen de zijkant van zijn hoofd te zwaaien. Het grote lichaam van Jakob stortte naar de grond, en nog voor ze hem hoorde vallen had ze zich omgedraaid en rende ze naar het huis van haar ouders.

De volgende ochtend zag ze de snee boven zijn wenkbrauw. Jakob was van een laadkar gevallen, of dat was in elk geval wat er werd gefluisterd in het dorp.

54

In de salon was het ongewoon rustig voor dit uur van de avond. De vier mannen zaten bij de haard, nog steeds in gesprek, maar nu minder luidruchtig. Madam Rowel en Kool waren er niet en Bo stond niet achter het buffet, maar bij de klapdeur tussen de salon en de entree. De meisjes stonden aan de andere kant van de kamer, tussen de haard en het buffet in.

'Wat is er aan de hand?' vroeg Rosa aan Fien.

'Er staan mannen bij de deur. Ze houden de klanten tegen.'

'Is dit de revolutie?' vroeg Evelien. 'Is het nu begonnen?'

'Nee, idioot,' zei Fien. 'Ze zijn van de kerk.'

'En dan? Doen die niet aan revoluties of zo?'

'Ze roepen "zondaars" en praten met iedereen die naar binnen wil. Kool is naar het politiebureau. Madam Rowel staat in de hal, bij de deur.'

Anna dacht even aan het laagland en aan haar vader. 'Komen ze ons halen?'

'Ben je gek,' zei Rosa. 'Ze komen alleen om herrie te schoppen. Die zijn zo weer weg.'

'Wat moeten wij dan?' vroeg Fien. 'Van hen krijgen we geen druppel meer. Zij zijn al geweest.'

Madam Rowel en Bo kwamen weer naar binnen. Bo liep via het buffet met een fles jenever op de vier mannen af. Madam Rowel zette vier glazen op de lage tafel tussen de mannen. 'Het is een klein opstootje. Geen zorgen. De commissaris wordt gehaald en dan wordt de uitgang snel vrijgemaakt. Tot die tijd drinkt u uiteraard van mij.'

Voor Anna voelde de verstoring van het normale nachtritme als een opluchting. De verstikking waar ze zich op voorbereid had, bleef vooralsnog uit en bovendien had ze van Rosa geleerd hoe ze om kon gaan met de onmacht die haar zo benauwde. Ze moest de toegang tot haar hoofd bewaken. Dat was het belangrijkste. Als ze ervoor kon zorgen dat die deur altijd gesloten bleef, was het draaglijk. Ze mochten haar lichaam gebruiken, maar haar hoofd bleef van haar. Daar verstopte ze haar ideeën en haar herinneringen, en er was nog plaats voor haar eigen stem.

'Dat wordt niks meer,' zei Fien. 'Alle mannen zijn nu naar Steen, of naar de havens om een serveerster op te pikken. Als die heilige boontjes weggaan, komen er hooguit nog een paar dronkenlappen binnen.'

'Echt waar? Denk je dat het klaar is voor vanavond?'

Fien lachte om de hoop die doorklonk in Anna's stem. 'Je weet het nooit zeker, meisje. En vlak Kobus niet uit. Volgens mij heb je wat losgemaakt daarnet.'

En met die laatste woorden kwam de angst weer terug. Ze had hem niet moeten aankijken. Ze had het toch gedaan. En alsof hij de woorden van Fien had gehoord knikte hij in haar richting. 'Ga maar vast naar boven, meisje. Als we hier nog even moeten blijven, kunnen we er maar beter het beste van maken.' Anna keek naar Rosa, die de sleutel van Bo kreeg. 'Nee, laat maar. Nu heb ik aan eentje wel genoeg. Kom maar, kleine. Jij gaat met mij mee.'

Rosa gaf haar de sleutel van de grote kamer. 'Jij bent de baas, Anna. Het is jouw hoofd. Geef hem geen kans.'

55

Anna stak de sleutel in het slot, maar kreeg hem niet omgedraaid. Bij de tweede poging pakte de man haar hand. Hij stonk naar alcohol en sigarenrook. Hij kneep haar hand om de sleutel en draaide hem hard om. Anna probeerde de pijn te verbijten. Ze moest sterk lijken.

'Gaat u maar vast op het bed liggen, meneer. Ik zal me voor u uitkleden.'

'Nee, meisje. Ditmaal gaan we het anders doen. Kleed je maar uit in de hoek en ga op het bed liggen. Niet treuzelen.'

De man blies twee van de vier kaarsen uit en Anna voelde opnieuw hoe het bonzen van haar hart alles wat ze kon bedenken overstemde. Ze ging naakt op het bed liggen en probeerde zichzelf met haar armen en handen te bedekken. De man stond in het donker. Ze hoorde alleen zijn stem, tot hij een lucifer afstreek om zijn sigaar opnieuw aan te steken.

Anna hapte naar lucht. Het verstikkende gevoel kwam terug. Ze probeerde aan het advies van Rosa te denken en wist dat ze iets moest zeggen. 'Komt u nog? Ik heb het koud.'

'Stil maar, meisje. Ik wil gewoon even naar je kijken. Je bent klein. Je bent mooi. Je lijkt op mijn dochter. Ik noem je Eline. Jij moet papa zeggen.'

Na die laatste woorden stapte hij in het licht. Hij was helemaal naakt en zette een knie op het bed. Opnieuw werd het zwart voor haar ogen. Anna hapte naar adem, maar kreeg geen lucht. Ze lag op de bodem van een rivier en voelde hoe al het water haar borstkas platdrukte. Haar longen schreeuwden om lucht, maar ze stikte onder het kolossale gewicht van de man die haar met zijn zweet-, tabak- en alcohollucht en onder bleef duwen. Hij wrikte zijn knieën tussen haar benen en drukte ze naar buiten.

Anna zocht naar het sleuteltje voor het plekje in haar hoofd. Ze wilde weg. Ze moest weg. Ze probeerde te denken aan de sterren, aan het laagland, de boom, het huisje van haar ouders en als laatste aan haar vader.

'Niet doen!' Ze schreeuwde het met de laatste lucht die ze in haar longen had.

'Niet doen, papa,' hijgde de man in haar oor, en op dat moment voelde Anna hoe alles in haar hoofd aan scherven werd geslagen. Ze was al eerder gestorven, maar nu wilde ze niet meer bijkomen. Nooit meer.

Ze klauwde haar nagels in de rug van de man. Niet om hem te

verjagen, maar om haar dood te omarmen. Even trok hij zijn bezwete hoofd van haar af. Ze greep zijn hoofd en plantte haar nagels in zijn gezicht. Ze duwde hem niet weg, maar trok hem naar zich toe. De man schreeuwde en even verloor ze haar grip. Ze zag dat de vellen aan zijn wang hingen en klauwde opnieuw naar zijn hoofd. Met haar middelvinger voelde ze de zachte plek aan de rand van zijn oogkas. Met alle kracht die ze nog in zich had drukte ze haar vinger over de richel in zijn schedel, achter zijn oogbol. De man probeerde zijn hoofd weg te trekken, maar ze wilde hem niet laten gaan. Hij krijste en sloeg om zich heen. De eerste vuistslag miste haar hoofd, maar de tweede raakte haar op haar slaap. Ze verloor haar grip en zag hoe de oogbol van de man met haar middelvinger naar buiten kwam. Toen hij haar voor de tweede keer in het gezicht raakte, werd het zwart voor haar ogen, en even voelde ze zich bevrijd. Zo zou de dood moeten voelen, dacht ze nog voor ze zwevend op de wolken het bewustzijn verloor.

HOOFDSTUK VII

Maison Weisenthal

56

Ze kwamen en gingen, de zogenaamde sloppenheren. Het liep nooit goed met ze af en hun heerschappij was altijd maar tijdelijk. Als ze geluk hadden, belandden ze in de gevangenis, maar vaker nog kwamen de lichamen gewoon bovendrijven op een doordeweekse dag, in een willekeurige gracht van de Jordaan. De man die zichzelf de Drost noemde was betrekkelijk nieuw. Johanna had hem nog niet eerder gezien en kon hem moeilijk inschatten. Hij droeg een bolhoed die bijna op zijn wenkbrauwen rustte, en van onder de rand van het hoofddeksel kropen zijn ongewoon lange bakkebaarden tot in zijn hals naar beneden. Hij had een mager gezicht en zijn wangen hingen slap omlaag vanaf zijn geprononceerde jukbeenderen, waardoor zijn hoofd iets weg had van een schedel. Hij zat op het puntje van de diepe stoel in haar kantoor en leunde voorover op zijn knieën, die hij bewoog zodat hij wat onrustig op en neer wiebelde. Toch sprak hij kalm en beheerst, waardoor Johanna zijn gemoedsrust maar moeilijk kon peilen.

Ze vertelde hem gedetailleerd wat zich de avond ervoor had afgespeeld in Maison Weisenthal. Ze had er geen belang bij deze man wat anders te verkopen dan de werkelijkheid. Toen ze klaar was, stopte de Drost met schommelen en liet zich achterover zakken in de fauteuil.

'En toen heb je mij laten halen?' Hij glimlachte. Het leek alsof hij van het verhaal had genoten. 'Dat is verstandig. En wat is er met die man gebeurd?'

'We hebben hem naar het gasthuis gebracht. Zijn oog is verloren.'

'En wat wil hij nu?'

'Hoe bedoelt u?' Het leek Johanna beter om vooralsnog beleefd te blijven.

'Wil hij geen genoegdoening? Misschien gaat hij wel aangifte doen.'

'Het is de advocaat-generaal.'

'Precies. Zo iemand heeft vast een bepaald rechtsgevoel. Oog om oog, zeggen ze wel eens, toch?' Hij lachte om de voor de hand liggende woordspeling.

'Hij heeft een reputatie hoog te houden. Als hij hier werk van maakt, heeft hij te veel uit te leggen. Dat verwacht ik dus niet. Dat maken we vaker mee hier.'

'Ha! Dus dit gebeurt vaker? Het gaat er hier harder aan toe dan bij ons in de Jordaan. Nou ja. Dat is in elk geval goed nieuws.'

'Het is maar wat je goed nieuws noemt. Ik kan me geen slechter nieuws voorstellen. De reputatie van een zaak als die van mij valt of staat bij de discretie, meneer. Dit moet in elk geval onder ons blijven.'

'Onder ons blijven? Ha! De advocaat-generaal loopt straks met een lappie voor zijn oog, ik weet precies wat daar de reden van is, en ik mag dat niet tegen hem gebruiken? Ha! Als Pasen en Pinksteren op dezelfde dag vallen, mevrouwtje. Maar goed, nogmaals: waarom zit ik hier eigenlijk? Tenminste, ik kan me voorstellen dat we hier niet zitten om de laatste roddels uit de stad door te nemen.'

Johanna begon eraan te twijfelen of ze er goed aan had gedaan deze man te laten halen. Was zijn naïviteit gespeeld of was hij werkelijk zoveel dommer dan zijn voorgangers? In elk geval had ze geen zin om aan zijn koehandel mee te doen. Ze moest zo snel mogelijk van Anna af zonder dat dit haar geld zou kosten. Ze was al gul genoeg geweest door de man de juiste toedracht te vertellen. Onnodige beleefdheden waren aan deze 'Drost' niet besteed.

'Je mag haar van me overnemen. Voor de juiste prijs laat ik haar direct ophalen.'

'Ha! De juiste prijs. Waar betaal ik dan voor? Krachtpatsers heb ik al genoeg.'

'Je mag met haar doen wat je wilt. Het interesseert me niet. Ze is mooi. Veel mooier dan de meisjes die voor je tippelen in de steegjes. Met de juiste begeleiding kan ze veel geld voor je verdienen.'

'De juiste begeleiding? Ha! Hoe zie je dat voor je? Moet ik een mentor aanstellen? Ha! Als jij er niks van kunt maken, hoe moet ik dat dan doen?'

'Dat weet ik niet. Dat hoef ik niet te weten. Het interesseert me niet. Jouw methoden zullen vast effectiever zijn dan die van mij.' Ze bedoelde het niet als compliment, maar zag dat de man met de bakkebaarden zich gevleid voelde.

'Dat is waar. Dat kan wel eens kloppen. Iedere hond wil uiteindelijk het liefst een baas. Het maakt niet uit hoe vals of wild ze zijn. Diep in hun hart willen ze zich uitsluitend overgeven. Je hoeft ze alleen maar duidelijk te maken wie de baas is. Daarvoor moet je dezelfde taal spreken. Ik kan me niet voorstellen dat jullie hier de juiste taal spreken. Wat moet ze kosten?'

'Driehonderd gulden.'

'Honderdvijftig. Laatste bod. Ik haal haar zelf op en neem haar meteen mee. Klaar!' Hij wachtte haar reactie niet af, stond op en liep naar de deur. Johanna minachtte mannen in het algemeen. Ze waren te zwak, of te onnozel. Als ze in hun onnozelheid ook nog vergiftigd waren met de illusie van macht, dan waren ze op hun walgelijkst. Walgelijk, maar tegelijkertijd levensgevaarlijk omdat ze wild en euforisch om zich heen sloegen en het liefst iedereen in hun omgeving meesleurden in hun onvermijdelijke ondergang.

'Honderdvijftig is goed,' verzuchtte ze, want ze wist zeker dat de man haar niet eens had gehoord.

57

Rolf Rowel was niet onnozel, en dat zou betekenen dat hij tot de categorie zwakke mannen behoorde. Na hun ontmoeting op de Tuinsterpoort was hij niet meer van haar zijde geweken.

'Mevrouw, ik zal er niet omheen draaien: ik kom om de hand van uw dochter te vragen,' had hij gezegd toen hij met haar mee was gelopen van de herberg naar haar huis.

'Ongehoord,' was het enige wat haar moeder kon uitbrengen, en tijdens de felle gesprekken die die avond volgden tussen haar en haar vader had haar moeder alleen nog maar kunnen huilen. Het maakte niets uit. Johanna had allang besloten dat ze Rolf zou volgen, waar hij ook maar heen zou gaan.

De volgende ochtend, nog voor de zon opkwam, stond ze opnieuw bij de Tuinsterpoort, om daar vervolgens nooit meer terug te keren.

Rolf was een sjacheraar, of 'handelaar in vaste en losse zaken' zoals hij het zelf graag noemde. In Utrecht kochten ze partijen uitgelopen graan op de markt, die ze in Naarden verkochten voor de dubbele prijs. Van de winst zouden ze weken moeten kunnen leven, maar veel vaker kwam het voor dat het geld drie dagen later alweer op was. Ze sliepen in hotels en onder bruggen en dronken wijn en regenwater, al naargelang de stand van hun beurs. Voor Johanna maakte het allemaal niets uit. Ze was vrij en boven alles had ze het naar haar zin. De pieken van hun zwerversbestaan waren hoog en de dalen vergaten ze snel, waardoor ze minder in getal leken. Rolf was goedlachs en maakte snel contact met wildvreemde mensen. Dat maakte iedere avond en iedere ontmoeting tot een avontuur. Maar hij was ook goedgelovig en daarom even vaak prooi als jager.

In de zomer van 1859, net na de oprichting van de Posterijen, had hij samen met Johanna een behoorlijk succesvolle zwendel opgezet. In een geïmproviseerd uniform bezorgde hij brieven die Johanna de avond ervoor had geschreven. De brieven waren zogenaamd van verre familieleden, met namen en verhalen die Johanna de avond ervoor in de kroegen en herbergen had ontfutseld, en ze werden bezorgd zonder dat de port betaald was. Omdat de portokosten werden bepaald door de afstand moesten de ontvangers eerst een flinke som afrekenen voor ze hun post kregen. Vaak stond er niets bijzonders in de brieven die Johanna schreef. Ze waren niet te specifiek, maar wel hartelijk en informatief. Details over het weer, de situatie in het land of iets over de oogst, maar nooit over familieleden, stergevallen of geboortes. Dat ging weken goed, tot Rolf iets bezorgde bij de politiecommissaris in Utrecht. De man vertrouwde de zaak niet en liet Rolf wachten in de voorkamer terwijl hij de brief las. De zuster die hem zogenaamd geschreven had bleek al ruim drie jaar daarvoor te zijn overleden aan cholera.

Toen Rolf niet terugkwam van zijn 'ronde' dacht Johanna eerst dat hij in een kroeg was beland. Die avond en de dagen en nachten erna ging ze alle cafés van de stad af, tot ze uiteindelijk hoorde van een man die had geprobeerd de politiecommissaris op te lichten. Johanna verzon een verhaal en probeerde hem te bezoeken, maar vluchtte toen ze op het bureau dreigden haar in het spinhuis te stoppen.

Johanna was radeloos. Zonder Rolf was ze maar een schim van zichzelf. Ze zwierf zonder geld over straat, bedelde bij de marktkramers om een korst brood of een aalmoes en sliep in steegjes, onder bruggen of buiten de stadspoorten onder het struikgewas. De wanhoop brak tien dagen na de arrestatie van Rolf aan. Johanna had al zeker drie dagen niets meer gegeten. De marktkramers herkenden haar en hadden al een aantal keer gedreigd haar wegens landloperij aan te geven. Toen Johanna op de graanmarkt twee agenten zag lopen, wist ze zeker dat ze voor haar kwamen. Ze rende weg in de richting van de gracht en verstopte zich uiteindelijk buiten adem in een van de steegjes. Daar zakte ze op haar hurken en begon te huilen. Ze wist zeker dat ze Rolf nooit meer terug zou zien, ze kon niet meer naar Leeuwarden en zou zeker sterven in een van deze steegjes of in het spinhuis. Ze had zich al bijna bij haar lot neergelegd, toen ze een hand op haar hoofd voelde.

De man had een rond gezicht en droeg het gewaad dat bij een monnikenorde hoorde. Hij nam haar mee naar een klein huis bij de domkerk en gaf haar te eten en te drinken, maar wisselde geen woord met haar. Johanna sliep een nacht en de hele dag die daarop volgde en wachtte in het huisje op de man, die pas terugkwam toen het weer donker was. Hij stak een kaars aan en ging op de stoel tegenover het bed zitten.

'Wat is je naam, meisje?' Hij fluisterde het bijna onhoorbaar, dus fluisterde ze terug.

'Johanna, meneer. Wie bent u?'

'Ik heb geen naam. Maak je daar maar niet druk om. Weet je waar je bent?'

'Nee, meneer.'

'Goed zo. Weet je waarom je hier bent?'

Johanna schudde het hoofd.

'Je bent hier omdat Hij dit wil.'

'Wat wil hij?' Johanna dacht even dat de man Rolf bedoelde, maar begreep toen dat de man het over God had.

'Hij wil dat je de nacht met me doorbrengt. Hij wil dat ik je geld geef. Hij wil dat je je uitkleedt.'

'Ik begrijp het niet zo goed, meneer.'

'Trek je kleren uit. Hij wil dat je in het bed gaat liggen. Hij wil dat je je uitkleedt en Hij wil dat je je aan mij geeft.'

'Ik wil weg, meneer. Ik dank u hartelijk, maar ik zou graag weer weg willen.'

'Dat gaat niet. Nog niet. Doe je kleren uit. Ik zal je betalen. Dan mag je gaan.' Hij wees op de deur.

Johanna was bang voor de man. Ze was bang voor een leven

zonder Rolf en ze was bang voor de deur en alles wat daarachter lag. Ze sprak geen woord meer en trok haar kleren uit. De man blies de kaars uit toen ze in het bed was gaan liggen. Ze rilde toen hij op haar kwam liggen en kneep haar ogen dicht. Ze opende zich voor de man en dacht aan Rolf. Zou ze hem ooit weer zien? En moest ze dit dan aan hem vertellen? Dit was haar schuld, maar het was ook zeker zijn schuld. Als ze hem ooit weer zou zien, zou ze hem alles vertellen. Dan zou hij het wel laten om zich ooit weer op te laten pakken. En terwijl ze dat bedacht rolde de man van haar af. Hij betaalde haar en gaf haar een half brood mee. Vier dagen later vond ze Rolf bij het Janskerkhof. Ze vertelde hem alles en voelde alleen nog maar opluchting. Nu waren ze weer samen en dit zou nooit meer hoeven gebeuren.

58

Het enige wat Rolf zichzelf werkelijk kwalijk nam was dat hij zo stom was geweest om in de voorkamer van de politiecommissaris plaats te nemen. Hij was niet kwaad omdat hij gepakt was, hij was kwaad omdat hij zich had laten pakken. Hij had geen spijt van de manieren waarop hij zijn geld verdiende en hij kon de gevaren en consequenties makkelijk accepteren. Hij rekende het noodlot dat Johanna was overkomen dan ook tot de kostprijs van zijn schimmige handel. Het was vervelend, maar het had geen invloed op de liefde die ze voor elkaar voelden en zouden moeten blijven voelen. De nonchalance waarmee hij de gebeurtenis tenietdeed stak Johanna aanvankelijk, maar werkte ook aanstekelijk. Door haar verkrachting te beschouwen als een griepje, een tijdelijk ongemak, werd hij draaglijk. Het belang ervan was ondergeschikt aan het hogere doel, hun samenzijn.

Met een tussenhandelaar voeren ze mee over de Vecht. In Weesp gingen ze van boord en daarvandaan liepen ze naar Amsterdam. In Amsterdam zou alles anders worden. Die stad was te groot voor verklikkers. Daar was alles mogelijk. De haven en het nachtleven zouden onbeperkte mogelijkheden bieden.

Dat Rolf het ongeluk dat Johanna was overkomen toen al als een kans had gezien, had ze pas later begrepen. De eerste dagen in de hoofdstad waren de wittebroodsweken van hun hereniging. De stad was een overvloedige tempel waar alles mogelijk leek. In de dokken en rond de markten lag het voedsel voor het oprapen en in de kroegen leek er altijd wel iemand net fortuin gemaakt te hebben die dat wilde delen met Johanna en haar 'broer', zoals Rolf zich in die situaties voorstelde. Misschien kwam het door de roes van het bestaan, of misschien had Johanna allang door welk pad ze ingeslagen waren, maar ze liet zich makkelijk door Rolf overreden toen hij haar op een nacht vroeg het bed te delen met een van de anonieme weldoeners.

'Het stelt niks voor. Het gaat in een zucht voorbij.'

'En wat betekent dat dan voor ons? Voor jou en mij?'

'Als het al iets met ons doet, dan maakt het ons alleen maar sterker. Wat maakt mij die vent nou uit. Hij krijgt jou voor het kortst mogelijke ogenblik en ik heb jou voor de rest van ons leven!' En meteen daarna: 'En het moet, lieve. Het kan niet anders. We moeten iets gaan opbouwen. We moeten ergens beginnen. Dit is dat begin. Dit is de enige keer. Misschien nog één, hooguit twee keer hierna, en dan hebben we genoeg om zelf iets op te zetten.' En op fluistertoon: 'En weet je, misschien is het ook wel ergens een beetje spannend. Alles is een avontuur, zeggen we toch altijd?'

'Alles, behalve wij.'

'Alles, behalve wij, en dit verandert niks.'

En dat was waar. Er veranderde niks. Johanna prostitueerde zich wekelijks en later dagelijks voor hem en elke keer stelde het minder voor. De vlakheid van het beroep dat haar was opgedrongen stootte onvermijdelijk door tot in de kern van haar bestaan. De 'wij', die kern, leed onder de zakelijke transacties waarmee ze hun leven hadden besmet toen het onvermijdelijke gebeurde: Rolf werd jaloers. Hij uitte zijn afgunst niet op de gebruikelijke wijze en bleef haar trouw, maar hij vluchtte in andere vormen van verstrooiing en vergreep zich aan drank en verloor zich in het kaartspel. Hij deed het voor haar, was zijn excuus, en dat zij het voor hem deed maakte de patstelling alleen nog maar wranger. Het waren vaak de simpele dingen die het leven zo ingewikkeld maakten. Samen vormden ze een ontwarbare knoop die uiteindelijk door het lot zou worden doorgehakt.

59

Het gebeurde op een winterdag net als die waarop ze elkaar tien jaar eerder hadden ontmoet. Het vroor buiten en de noordenwind die de kou over het IJ de stad in joeg had iedereen van de straten de kroegen in gedreven. Johanna werkte tijdelijk als 'serveerster' in De Kat en liep met haar tweede klant van die avond de trappen af toen ze zag dat Rolf niet meer op zijn vertrouwde plek aan de toog zat. Het was de derde keer in een maand dat hij haar verlaten had en ze wist waar hij zat.

Het kaartspel van zijn voorkeur heette vingt-et-un en was een overblijfsel van de Franse bezetting. Het spel kende gebruikelijk meer verliezers dan winnaars, maar de enkele keer dat een speler won, bracht dit een verslavende extase teweeg. Al twee keer had Rolf hun totale spaargeld verspeeld en de laatste keer had hij haar bezworen zijn leven te beteren.

Rolf had zich als speler opgewerkt van de sloppen tot in de hogere kringen waar om grotere gages werd gespeeld, en dat betekende dat hij die avond ongetwijfeld in de heerensociëteit op de Dam zat te spelen. Johanna was woedend en radeloos tegelijkertijd en toen ze de ijzige wind trotseerde voelde het even alsof ze weer veroordeeld was tot een zwerftocht door de steegjes in Utrecht die dit noodlot had ingeleid.

Bij de poort van de sociëteit werd ze direct geweigerd. 'Dames zonder compagnon worden niet toegelaten, mevrouw.' Johanna probeerde binnen te komen door bezoekers aan te spreken, maar door het weer en haar woede had ze alle aantrekkelijkheid verloren. Voor Johanna was dit de genadeklap. De man die haar in zijn macht had, was zelf een speelbal geworden en zij was ieder contact met hem verloren. Ze besloot in de sneeuw te wachten en ging op haar knieën, met haar rug tegen een boom, tegenover de ingang zitten. Ze was vastbesloten daar dood te vriezen; zelfs als hij naar buiten zou komen om haar daarvoor te behoeden zou ze niet wijken. Zo zou hij verder moeten leven, met haar stijfbevroren gestalte op zijn netvlies gebrand.

Maar haar voorspelling kwam niet uit. Rolf kwam niet naar buiten en de vrieskou nam haar niet mee. Pas toen de zon opkwam en de prille sneeuw deed slinken, stapte Rolf naar buiten. Hij zag haar meteen en stak zijn armen jubelend naar de hemel.

'Lieve! Het is gelukt! We zijn vrij!' Hij tilde haar op en gaf haar opnieuw, ruim tien jaar na de Tuinsterpoort, zijn jas. 'Ik heb gewonnen! Begrijp je dat? We hoeven nooit meer bang te zijn! Je hoeft nooit meer met een andere man mee. We hebben genoeg om opnieuw te beginnen! We hoeven nooit meer te spelen. Ik niet en jij ook niet. We kunnen eindelijk wat opbouwen!'

Johanna was vastbesloten niets meer te voelen, maar merkte meteen dat haar hart weer begon te kloppen. Zou het echt waar zijn? En op hetzelfde moment dat ze het bloed weer door haar armen voelde tintelen, wist ze ook dat ze deze man altijd zou vergeven. Ze zou hem onvoorwaardelijk blijven volgen, want ze waren tot elkaar veroordeeld.

60

Johanna en Rolf deden een aanbetaling op een pand vlak bij de Pijpenmarkt. Ze lieten het inrichten als een luxe sociëteit, gericht op een exclusieve clientèle. Rolf doopte het Maison Weisenthal, naar de achternaam van zijn moeder. De naam moest bijdragen aan het respectabele en tegelijkertijd excentrieke imago dat Rolf voor ogen had. Maandenlang werkten ze onafgebroken aan de minieme details die het verschil zouden maken in het nachtleven van Amsterdam.

Ineens bleek Rolf over een onuitputtelijke werklust te beschikken.

De eerste keer dat ze het pand betraden, tilde hij haar over de drempel. Het pand was van een leerlooier geweest en de stank was diep in de rotte balken gedrongen. Rolf groef de looikuipen uit en Johanna schrobde de droogbalken tot de geur van de run en de mimosa vrijwel verdwenen was. Ze werkten tot in de kleine uurtjes door en eindigden de nachten met jenever en probeerden elkaars verhalen, dromen en fantasieën te overtreffen. Op de lakenmarkt kocht Rolf voor een prikkie twee partijen donkerrood velours en pluche, en Johanna vond in een boedelverkoop het volmaakte meubilair. In twee maanden hadden ze de bouwval getransformeerd tot 'een maison naar Parijse maatstaven', naar eigen zeggen. Het waren de gelukkigste maanden van haar leven.

Samen hadden ze opnieuw een gevoel van onsterfelijkheid benaderd. Het maison zag er schitterend uit, maar nu kwam de hobbel die aanvankelijk nog zo klein had geleken op hen af. Ze moesten meisjes vinden die in het maison wilden werken. Dat mochten geen meisjes uit de sloppen zijn, ze moesten het vlaggenschip van het maison worden.

'Dit is het belangrijkste onderdeel. Ze moeten van uitmuntende kwaliteit zijn. Zij kunnen de reputatie van Maison Weisenthal maken of breken.'

Johanna had geknikt, net zoals ze dat de afgelopen maanden telkens had gedaan wanneer hij zo stellig iets beweerde.

'Waar vinden we ze?'

'Niet hier,' had hij met evenveel zekerheid gezegd. 'Amsterdammers willen geen Amsterdamse meisjes. Als ze hier door de deur lopen moeten we er alles aan doen ze het gevoel te geven dat ze niet thuis zijn. En tegelijkertijd moet alles zo huiselijk en vertrouwd mogelijk voelen. Dat is van het grootste belang. We moeten dit uitzoeken. We krijgen maar één kans. Er is maar één opening en dan moet alles kloppen. Ik ga naar Parijs! Daar weten ze hoe dit moet. Ik ga naar Parijs om de kunst af te kijken en als ik terugkom zijn we klaar.'

En dus bleef Johanna opnieuw alleen achter. Maar waar ze eerder getwijfeld had aan Rolf, wist ze nu zeker dat hij altijd weer terug zou komen. Ook toen het geld dat hij had achtergelaten om in haar onderhoud te voorzien op was, na twee maanden, twijfelde ze niet. Iedere dag wachtte ze op de dam om te kijken of hij uit een van de koetsen stapte, en op de eerste maandag van augustus was het eindelijk zover. Rolf stapte uit en zag haar meteen staan.

Hij was niet alleen, maar had drie dames meegenomen en vertelde honderden verhalen over de nachtclubs en de boulevards van 'de stad die iedere stad mijlenver achter zich laat'.

61

Op dat moment waren er twee situaties die het voortbestaan van het maison rechtstreeks bedreigden. De eerste was te wijten aan de populariteit van haar bordeel. Met het verdwijnen van Jodenjet en Anna was het bordeel onderbezet. Op een normale avond was het misschien haalbaar, maar op de drukkere donderdag- en vrijdagavonden zouden er te weinig dames voorhanden zijn. Dat vormde een bedreiging voor de sfeer, die er onvermijdelijk toe zou leiden dat haar klanten elders hun gerief zouden gaan zoeken. Aanvankelijk had Johanna gehoopt dat de Drost haar hier wellicht bij kon helpen, maar na hun ontmoeting van die ochtend wist ze zeker dat ze met hem niets meer te maken wilde hebben. Misschien kon ze zich wenden tot de notaris. Hij had zich in het verleden behulpzaam opgesteld en zijn contacten zouden haar opnieuw uit de brand kunnen helpen.

De tweede situatie, een dreigend gebrek aan klandizie, was wellicht een veel grotere bedreiging, waarvoor ze niet direct een oplossing zag. Ze had al gehoord over de zogenaamde middernachtzendelingen die vooral in Haarlem huishielden, maar ze had altijd gedacht dat een dergelijke bedreiging in de hoofdstad nooit zou kunnen bestaan. Zelfs toen commissaris Voute haar op de hoogte stelde van deze moralistische beweging in de hoofdstad had ze hem nauwelijks geloofd. Voor Voute was dit gewoon een manier om meer steekpenningen te vragen, dacht ze. Amsterdam was immers te groot, te zondig en te lustig. Maar nu ze gisteravond zelf had ervaren hoe de conservatieve kerkgangers de wacht hielden voor haar deur, zag ze dat dit een probleem was waar nu geen eenvoudige uitweg voor gevonden kon worden. Ook hier zou de Drost haar mee kunnen helpen, maar Rolf zou dat nooit hebben toegestaan.

De salon was op dit tijdstip, vlak voor het middaguur, in totale rust gehuld. In de avond was dit het kloppend hart van het bordeel, maar overdag kwam Johanna hier graag om haar hoofd leeg te maken. Ze kende elke balk, en elke veeg en gerepareerde scheur vertelde een eigen verhaal. Ze wist op welke plekken de vloer kraakte en zelfs waarom. Misschien zou ze hem moeten laten vervangen, maar het leek alsof Rolf via het krakende hout met haar communiceerde. Hij zuchtte met haar mee en waarschuwde haar voor de klanten waar ze extra voorzichtig mee om moest gaan. Het maison was haar lichaam geworden en ze wist dat haar leven en geluk onlosmakelijk verbonden waren met het krakende, rotte hout en de bordeauxrode verpakking die het geheel bij elkaar hield.

Na de maanden in Parijs verdween Rolf wel vaker. Soms lang, soms korter. In het begin kondigde hij zijn vertrek altijd aan en gaf hij een goede reden, maar tegen het einde verdween hij soms uit het niets, om dan ineens weer op te duiken.

Het was de grootste uitdaging van het runnen van een succesvol bordeel: de dames, of 'handelswaar' zoals Rolf ze noemde. Ze waren te koop, net zoals Rolf ze de eerste keer had gekocht, maar dat was kostbaar. Het bracht voordelen met zich mee, want de ervaren dames, de cocottes, de beroeps, waren eenvoudig in te werken. Ze kenden het klappen van de zweep en ze hadden hun eigen manieren om klanten te verleiden en aan zich te binden. Maar ze waren ook leep. Ze hadden altijd een eigen plan en ze lieten zich moeilijk in banen leiden. Soms bleven ze jaren, maar soms ook gingen ze er met de eerste de beste rijke weduwnaar vandoor.

Er waren de gevallen vrouwen die zich zelf kwamen melden, de temeiers, de snollen die de nodige ervaring hadden opgedaan in de steegjes, in de bierhuizen of in de donkere nachten achter de kerk. Zij waren kundig, maar vaak plat en vrijwel nooit aantrekkelijk. Ze praatten te veel, ze stonken en werden snel ziek. De meesten verdwenen na enkele maanden, als bleek dat er geld of sieraden waren gejat.

De beste dames waren 'van eigen kweek', zoals Rolf het noemde. Hij bracht ze aan vanuit het hele land, de verdwaalde meisjes, meisjes met dromen, teleurgesteld, verstoten. Ze waren mooi, soms té mooi, waardoor ze voor onrust zorgden in de streken en op de landerijen waar Rolf ze wegplukte. Hij beloofde ze de stad, de wereld en boven alles zelfstandigheid en ze hingen aan zijn lippen. Sommigen waren wereldwijs, of minstens eigenwijs, en ze begrepen al snel hoe de wereld in het maison werkte. Anderen hadden veel meer tijd nodig voor een gedegen vorming. Johanna ontfermde zich over deze meisjes. Of ze bleven lang, of ze mislukten totaal. Het was een gok en bovendien was het voor de meisjes 'van eigen kweek' altijd moeilijk om met Rolf in één ruimte te zijn. Soms hadden ze gevoelens voor hem en soms zagen ze hem als een beest, een kinderlokker, de hoerenvanger van Hamelen.

De makkelijkste weg liep vaak via de sloppenheer van dat moment. Wie het ook was, er waren altijd connecties. Voor een klein bedrag leverde hij meisjes van over het hele continent. Duitse dames met stevige borsten en heupen als sloopkogels. Franse boerinnetjes met een wespentaille en zuinige brede lippen die ze sterk accentueerden met rode verf. Het waren gebroken meisjes die soms snel afgleden, maar die vaker nog dankbaar waren dat ze op een plek waren aangekomen die beter was dan de vorige.

63

De strooptochten van Rolf werden op het einde steeds minder succesvol, en ze waren steeds vaker aangewezen op een gang naar de Jordaan en de sloppenheer. Soms bleef Rolf wel een week weg en had Johanna geen idee waar hij uitspookte, of overnachtte. Hij kwam meestal gehavend terug, met een blauw oog of een oppervlakkige steekwond die hij had overgehouden aan 'een meningsverschil' met 'wat matrozen' of 'kadetten'. Misschien was hij weer aan het gokken, of misschien had hij het nodig om weg te zijn uit de sleur die zelfs ontstond in de rumoerige omgeving van een bordeel.

Het maakte Johanna niet veel meer uit. Ze kende hem inmiddels. Hij had het nodig. Zonder de reuring, de stormachtige tegenwind, zou hij nooit gelukkig zijn en dat was het enige wat ze voor hem en zichzelf wenste, zijn geluk. Bovendien wist ze dat hij altijd terug zou komen, want ze waren samen onderdeel van een geheel. Onvoorspelbaar en gemankeerd, maar toch een geheel.

Tot ineens, uit het niets, het moment aanbrak waarop ze zeker wist dat hij nooit meer terug zou komen. Hij was nog niet zo lang weg. Drie dagen, misschien. Maar toch voelde alles anders. Het was alsof er een koude tocht permanent door het maison priemde. Ook al vroeg ze Bo de haard de hele nacht te laten branden, het bleef onbehaaglijk en Johanna wist dat het kwam doordat hij er niet meer was om haar te verwarmen.

Ze doorbrak geen enkele routine, Maison Weisenthal draaide beter dan ooit, maar Johanna keek niet meer op als er aan de deur werd geklopt. Niet zoals ze dat eerder had gedaan. Er gingen nog een paar dagen voorbij voor commissaris Voute haar het nieuws kwam brengen dat eigenlijk geen nieuws meer was. Ze hadden het lichaam van Rolf gevonden. Hij was vermoord. De dader was onbekend. De politie zou een onderzoek instellen.

Johanna besloot niet te rouwen om zijn dood. Ze zou doorgaan alsof hij er nog was. Alsof hij elk moment door de deur zou kunnen stappen om achter haar te komen staan, zijn handen op haar ogen te leggen en haar naam te fluisteren. 'Lieve, ik heb je gemist. Wat ben ik blij om weer thuis te zijn.'

64

'Het was ook een bende daar.' Kool sloeg het water van de borstel, tegen de zijkant van de emmer, voor hij hem op het buffet zette en begon te schrobben.

'Hoe weet jij dat nou? Ben je daar wel eens geweest dan?' Bo liep met een bezem naar de haard. Ze hadden nog niet gezien dat Johanna in de andere hoek bij het gordijn zat.

'Van Chris en Herman. Zij komen daar vaak zat. D'r wordt regelmatig gevochten. En Ronnie heeft er gewerkt. Die verdiende bijna niks. Daarom had-ie toen dat krat gejat. Ik begrijp dat wel. Dat zou ik ook doen.'

'Ronnie is een slapjanus, daarom heeft-ie de zak gekregen.'

'Nee, hoor. D'r was geen geld meer. Simpel zat.'

'Het is hoe dan ook goed nieuws voor de dame...'

'Wat is goed nieuws?' vroeg Johanna vanuit het donker.

'O, sorry, mevrouw...' Kool hield de natte borstel met twee handen voor zijn kruis alsof hij net betrapt was.

'Het was maar wat kletspraat, mevrouw. Niks bijzonders.' Bo liet zijn hoofd zakken en begon driftig te schrobben.

'Het maakt niks uit, jongens. Waar hadden jullie het over?'

'Over Steen, mevrouw.'

'Maison Steen,' verbeterde Bo. 'Ze zijn over de kop. *Schluss*, afgelopen, deuren dicht. De tent is al twee dagen gesloten.'

'Gesloten? Hoe kan dat?'

'De centen zijn op. Chris van de slager vertelde dat Robbie de drankrekening niet meer kon betalen.'

'Robbie?'

'Meneer Van Kooten, bedoel ik. Geen drank, geen klanten. Zo simpel is het. En Van Kooten is de stad uit.'

'De stad uit? En zijn werknemers dan?'

'Het komt door de kerkgangers, als je het mij vraagt,' zei Bo.

'Ze vraagt het jou toch niet.'

'Hoe dan, Bo?'

Bo keek triomfantelijk in de richting van Kool. 'Ze staan daar al weken voor de deur. Ze laten geen mens binnen en de politie doet er niks aan. Van Kooten mag in zijn sop gaarkoken. Geen klanten, geen geld, geen geld, geen drank, geen drank, geen klanten. Zó simpel is het.'

'En de meisjes? Waar zijn die gebleven?'

Kool greep zijn kans en reageerde: 'Dat kan ik aan Ronnie vragen, mevrouw.'

'Welke Ronnie? Van Kooten?'

'Nee, dat is Robbie. Rooie Ronnie uit de Jordaan. Die heeft er gewerkt. Hij weet het vast.'

'Rooie Ronnie uit de Jordaan? En die ken jij, Kool?'

'Het is een maat van de neef van mijn zwager Jaap. Japie van de kolenberg.'

'Heet hij zo? Van den Koolenberg?'

'Nee, hij werkt daar. Bij de kolenberg van Nico in West.'

Johanna zuchtte. Bo en Kool waren twee randdebielen. Het was zeldzaam, maar ze vielen in beide categorieën mannen: zwak én onnozel. Maar ze waren trouw. Voorlopig althans. En zolang ze hun idiotie niet onderschatte waren ze bijzonder bruikbaar.

'Ga jij die Ronnie eens halen, Kool. Geef hem een stuiver voor de moeite en neem hem vanmiddag mee. Als hij weet waar de meisjes van Van Kooten naartoe zijn, dan hebben we daar misschien wat aan.'

Kool gooide de borstel in de emmer en zette hem op het buffet voor de neus van Bo. 'Maak jij de bar effe af, maatje?'

HOODFSTUK VIII

De strooptochten

65

Er hing een grijze mist om de Westerkerk. Het was die nacht uitzonderlijk koud geweest voor de tijd van het jaar, maar de combinatie van de nachtvorst en de laaghangende mist beloofde bijna altijd tot een helderblauwe middag te leiden. Vroom besloot de kerk niet via het burgemeesterspoortje te betreden, maar ging door de hoofdingang. Binnen was het uitzonderlijk druk. Tussen de diensten door was de Westerkerk een belangrijke ontmoetingsplaats voor de kerkgangers en overdag was het vooral een plek waar de vrouwen met elkaar afspraken.

Vroom had vrijwel direct spijt van zijn keuze toen hij werd geconfronteerd met het geluid van twee jankende zuigelingen. Zijn misantropie bracht een hoge mate van intolerantie met zich mee, vooral tegenover mensen die niks voor hem konden betekenen. Baby's en moeders behoorden bijna altijd tot die groep.

De overdaad van het overbodige geluid drukte hem tegen de linkerzijde van het kerkpad, waar twee mannen hun roes lagen uit te slapen. Godsverering was voor Vroom per definitie een begrip gereserveerd voor de zwakkeren van de samenleving, die niet zonder de troost en beschutting van de wonderlijke fictie konden. Dat het geloof zulke grote vormen had kunnen aannemen, en zo veel macht had, was voor hem alleen het bewijs van de massale idiotie die woekerde onder het gewone volk. Tegelijkertijd was de macht van het woord ontzagwekkend. De eenvoud waarmee kuddedieren zich lieten leiden was het werkelijke wonder van de kerk. Het was een machtsmiddel dat niet mocht worden onderschat, en dat was ook precies de reden dat Vroom hier veel vaker langskwam dan hij zou willen.

'De weledelgeleerde notaris! Hier had ik u niet verwacht.' Vroom was opgelucht dat de dominee hem had ontdekt. De blonde, vette kuif en het vlassige baardje dat alleen zijn kin bedekte, maakten de dominee een weinig imposante verschijning. Toch moest hij serieus genomen worden. Op zijn eigen manier was hij een intellectueel die een belangrijke extra eigenschap had. Hij was in staat de schapen te tolereren. Vanzelfsprekend, want hun adoratie verschafte hem zijn zeggenschap, maar toch zou een dergelijke schijnheiligheid voor Vroom niet weggelegd zijn. Natuurlijk was hij zelf ook in staat tot een bepaalde mate van valse bescheidenheid en oprechtheid, maar een dominee moest in zekere zin toch vrijwel altijd schizofreen zijn, wilde hij een dergelijke dubbelrol zijn leven lang kunnen volhouden.

'Dominee, wat fijn dat ik wat van uw drukbezette dag mag benutten.'

'Ik heb altijd tijd voor mijn gemeenschap en zeker voor een van haar prominentste leden. Wilt u mij volgen naar de consistoriekamer? Of had u eerst willen bidden?' De vlakke glimlach boven het vlassige baardje kon absoluut als cynisch worden opgevat, maar de houding verschafte de dominee tegelijkertijd een aureool van rust. Beide emoties maakten hem gevaarlijk en een geduchte opponent.

'De consistoriekamer lijkt me uitermate geschikt.'

De ruimte was kil en onverlicht. De dominee deed zelf het raam dicht terwijl een diaken de kaarsen aanstak.

'Mag ik u koffie aanbieden, heer Vroom? Of zijn we al toe aan iets krachtigers?'

'Koffie is uitstekend.' Vroom probeerde de serene glimlach van de dominee te kopiëren.

'Waar dank ik dit genoegen aan, meneer Vroom?' De dominee was niet achter zijn bureau gaan zitten, maar leunde tegen de voorkant en was nauwelijks twee passen van hem verwijderd. Het verschil in hoogte met zijn gesprekspartner irriteerde Vroom en het kostte hem veel moeite dit te verbergen. Hij besloot de dominee niet aan te kijken, maar strak in de richting van de stoel aan de andere kant van het bureau te staren.

'De middernachtzending, dominee. Ik kom informeren naar de stand van zaken.'

'De middernachtzending?' Langzaam draaide de dominee zich om en bewoog in de richting van zijn stoel, die hij vooralsnog alleen naar achteren schoof. 'Wilt u de officiële versie of de officieuze?'

Vroom besloot pas te antwoorden als de dominee op zijn plek zat.

'Officieel is de kerk niet op de hoogte van de nachtelijke missies die georganiseerd worden. Wij herkennen de onrust en de zorgen die maken dat sommige van onze gemeenteleden zich hard maken voor de samenleving, maar we hebben geen weet van de methoden die zij hanteren en distantiëren ons van de berichtgeving die ons daaromtrent bereikt.' Nu pas nam de dominee plaats in zijn stoel, en voor de tweede keer toonde hij een brede glimlach. 'Maar onder ons gezegd en gezwegen, meneer Vroom: er worden flinke stappen gezet. Vanochtend nog bereikte mij het nieuws over het faillissement van Maison Steen, een van de verderfelijkste broedplaatsen van de misstanden die onze stad bedreigen.'

'Steen, aan het Singel? Is Steen gesloten? Van Kooten failliet? Sinds wanneer?' Het kostte Vroom veel moeite zijn enthousiasme te verbergen. Hij nam een slok van zijn koffie om zich te herpakken. 'Dat is goed nieuws. Dat is zeer goed nieuws.'

'Wij posten verder bij de bierhuizen aan de Prins Hendrikkade en rond Kattenburg, en sinds gisteren ook op de Pijpenmarkt bij Maison Weisenthal.' Met een tweede slok dronk Vroom zijn kop leeg.

'Bij Weisenthal? Waarom daar?'

'Waarom niet? Het maison wordt gerund door een vrouw. Een ware duivelin. Hoe eerder zij onze stad verlaat, hoe beter.'

'Weisenthal is het probleem niet.'

'Het is een deel van het probleem. Iedere verkrachting is er een. Er is geen onderscheid in mensenhandel. Ook niet als het door een vrouw gebeurt. Juist niet als het door een vrouw gebeurt.'

'Maison Weisenthal laten we voor nu ongemoeid.' Vroom probeerde zijn woorden de juiste mate van zelfverzekerdheid mee te geven. Genoeg om de dominee te overrompelen, maar niet zoveel dat het argwaan zou wekken. De dominee twijfelde even, maar toen verscheen opnieuw de genoegzame glimlach.

'Dat begrijp ik niet, maar dat hoeft ook niet. Zoals ik al zei: officieel is het onze zaak niet. En bovendien: Zijn wegen zijn ondoorgrondelijk. En wij zijn naar Zijn evenbeeld geschapen. Ha! Dat is het mooiste mysterie van allemaal.'

'Goed,' antwoordde Vroom. 'Dan zijn we weer op de hoogte.'

'Altijd een genoegen om u van dienst te zijn, notaris. En als u mij de onbeschaamdheid vergeeft: wij hebben uw bijdrage van deze maand nog niet mogen ontvangen. Klopt dat?'

'Uiteraard. Alles heeft een prijs. Ook Zijn genoegen. Zegt u het maar.'

66

Toen Vroom naar buiten liep was de mist opgetrokken. Het nevelige ochtendgloren had plaatsgemaakt voor het felle optreden van de zon. De noordenwind die de frisse lucht van het IJ voortjoeg versplinterde de broeierige gassen die de grachten rond de Jordaan creëerden. Het was een aangename lenteochtend en Vroom besloot via de Bloemgracht naar het Volkspark te wandelen. De gracht lag vol met trekschuiten van beurtvaarders die elkaar verdrongen in de smalle doorgang. Vroom pauzeerde even, stak een sigaar op en besloot het schouwspel te bestuderen. De meeste schepen waren beladen met hout. Stammen en planken drukten de boegen tot vlak boven de waterspiegel. De meeste schuiten maakten water, als je de drek waarmee de gracht gevuld was nog zo mocht noemen. De beurtvaarders probeerden zich, met hun lading, een weg te schreeuwen naar de loods of de bouwplaats waar ze ongetwijfeld hoopten te komen.

'Plaatsmaken!' Een van de bootsmannen duwde een andere schuit weg met een lange staak. Hij wilde druk zetten op de achtersteven, maar duwde met zijn gewicht boven op de boot, waardoor die een fractie kantelde. Vrijwel direct reageerde de lading van de beurtvaarder, en de stammen rolden naar het laagste punt. Door de verplaatsing van het gewicht schoot de schuit de andere kant op. De boomstammen rolden van boord en belandden deels in het water en deels op de boeg van een trekschuit, die direct kantelde. Twee bootsjongens vielen vrijwel tegelijkertijd in het water en er kwam er maar één boven.

'Hij is onder het veer geschoven! Kom helpen!' De jongen schreeuwde het naar de kant, waar nu, samen met Vroom, meerdere spektakelzoekers stonden te kijken. Niemand reageerde.

'Doet er dan niemand iets?' vroeg een vrouw hopeloos. Vroom reageerde door zich om te draaien en zijn wandeling voort te zetten. Het was de schuld en dus de zorg van de stad. Zij slibde langzaam dicht. Met mensen, met gebouwen voor die mensen, met bedrijven voor die mensen, met winkels en theaters voor die mensen. Het slib trok alleen maar meer slib aan. Het was een vicieuze cirkel. De stad was reddeloos verloren. De stad was ziek en het enige wat zou kunnen helpen was een ouderwetse aderlating. Het voortbestaan van Amsterdam was overgeleverd aan de bloedzuigers die het konden uitdunnen en verlossen van de gele en zwarte gal. De Drost was zo'n bloedzuiger, en dat maakte Vroom de arts die het medicijn toediende. Maar één bloedzuiger was nooit genoeg.

'Doet er dan niemand iets?' klonk het opnieuw over de kade.

Vroom mompelde in zichzelf: 'Ik ben bezig, mevrouw. Ik zal de stad genezen. Het vergt tijd, maar ik ben bezig.'

67

Het Volkspark was in werkelijkheid een woestenij aan de rand van de stad, begrensd door de oude overgebleven loodsen van de kartonnagefabriek. Met dit weer was het vooral een toevluchtsoord voor de kinderen van de Jordaan die nog net te jong waren om in de fabrieken naast hun ouders te werken. De krottige gebouwen werden gebruikt als doolhoven en forten, waar de schelle kinderstemmen elkaar in echo's versterkten tot een monotoon geluid dat Vroom maar net kon verdragen.

Hij had bij het stenen tuinhuisje afgesproken met commissaris Voute. Het was de enige plek waar de socialisten elkaar konden ontmoeten, en deze werd dus constant in de gaten gehouden door de politie. De commissaris wenkte hem, maar Vroom deed net alsof hij het niet gezien had, vervolgde zijn wandeling in de richting van Voute en draaide vlak voor het tuinhuis naar rechts, waardoor de commissaris gedwongen werd hem achterna te lopen. Toen Vroom de voetstappen van Voute over het grind dichterbij hoorde komen, bleef hij staan.

'Het is beter als onze ontmoeting een toevallige lijkt,' zei Vroom zonder de commissaris op gepaste wijze te begroeten.

'U wilt niet weten hoe vaak ik dat hoor, notaris. Het doet me soms twijfelen aan de eerzaamheid van het beroep dat ik heb gekozen. Als ik in de ochtend dit pak aantrek, lijkt het soms of ik het uniform van een melaatse draag. Dat is wel eens anders geweest.'

'Dat geloof ik graag, commissaris, en het was geenszins de bedoeling om u oneerbiedig te bejegenen. U heeft groot gelijk. Een man in uw functie verdient het hoogste respect en het is alleen in barre tijden dat dat vergeten wordt.'

'Misschien heeft u daar wel gelijk in. We hebben betere tijden gekend.'

'De stad broeit, commissaris. Overal woekert het onkruid.'

'Ja, dat heeft u goed gezegd. Het zijn goede dagen voor het onkruid. Tegenwoordig is het bijna iedere avond raak. Mijn mannen durven na zonsondergang niet eens meer in de Jordaan te patrouilleren. We hebben geen idee wat daar gebeurt. Hier in het park hebben we nog overzicht. De socialisten laten zich hier nog beteugelen, maar in de steegjes tussen de krotten zijn het kakkerlakken. Niet te verdelgen. Onzichtbaar, maar overal aanwezig.'

'In de Jordaan wonen geen roden. Daar huist alleen het wapen van de roden.'

'Hoe bedoelt u dat?'

'De socialisten bestaan bij de gratie van het grote getal. Hun enige bestaansrecht is de achterban. Maar de mensen op straat geven niks om de woorden van de Bond.'

'Wat weet u daar nou van?'

'Ze willen hetzelfde als altijd. Een volle buik, een roes in de kop en een warme boezem om die op uit te slapen.'

Voute glimlachte. 'Dat zal wel waar zijn, ja, maar ondertussen is het iedere avond hommeles.'

'De Jordaan is een verwend en jaloers kind. Ze kan niet voor zichzelf zorgen. Er is tucht nodig. Dat is alles.'

'Dat is alles? Dat klinkt wel erg makkelijk. Er is overal tucht nodig en ik kan niet overal zijn. Dat zou ik wel willen, maar ik moet in de eerste plaats zijn waar het stadsbestuur mij neer wil zetten. Ik ben een pion, meneer Vroom. Anders dan vroeger. En dat is het grote probleem. De pion staat daar waar de macht wordt bedreigd, maar daar is hij zelden van nut.'

'De hoge heren zien niet waar de echte bedreiging vandaan komt. Ze kijken liever weg van de problemen die ze zelf hebben veroorzaakt.'

'De Jordaan?'

'Precies. Ze denken dat het hun tijd wel zal duren. Het zal vanzelf wel overgaan, denken ze. Maar ze vergissen zich. Ze staren zich blind op wat de toekomst kan brengen en zien niet meer dat de slang in hun eigen achtertuin leeft.'

'Misschien heeft u daar wel gelijk in. Ze zouden beter moeten kijken. Of in elk geval beter moeten luisteren.'

'Als u echt wat wilt betekenen voor de stad, moet u er eerst voor zorgen dat het stadsbestuur met de neus op de feiten wordt gedrukt.'

'Hoe bedoelt u dat?'

'Soms zien we het vlammetje pas als het een vuur is geworden. Als ze niet willen luisteren, moeten we roepen.'

'Roepen? Bedoelt u op het stadhuis?'

'Nee, niet op het stadhuis. In de Jordaan. We moeten ervoor zorgen dat de heren niet langer weg kunnen kijken. Als ze het probleem niet willen zien, maken we het zo groot dat ze er niet om- of overheen kúnnen kijken.'

'We blazen het op?'

'Precies!'

'Hoe dan?'

Hield Voute zich nu bewust van de domme? Vroom schatte hem in als een intelligent man. En hij had zich toch duidelijk gemaakt? Of waren de juiste woorden nog steeds niet gevallen?

'Ik zal uw aanwezigheid in de Jordaan uiteraard belonen. Het wel en wee van de stad grijpt me aan, commissaris. Ik zie dat dit ook voor u geldt.'

'Dat heeft u goed gezien, notaris. We zullen kijken of we de zaak enigszins kunnen laten escaleren. Veel zal daar niet voor nodig zijn. Het volk zal de rest doen, dat heeft u al gezegd. Wij hoeven alleen nog maar wat olie op dat vuurtje te gooien. Ik ga u hier verlaten. Mijn weg loopt naar links, loopt u nog maar even rechtdoor.' Voute draaide zich weg van Vroom. Hij had het donders goed begrepen en hij had zich net zo eerzaam getoond als iedere andere Amsterdammer. Als hij maar betaald werd.

'Nog één ding, commissaris. Kunt u ervoor zorgen dat het maison van de weduwe met rust gelaten wordt?'

'Vanzelf, notaris. Ik zie de veiligheid van iedere weduwe van de stad als mijn hoogste plicht.'

68

Voor Vroom was er maar één remedie voor de zieke stad: hij moest haar ontvolken. Dat mensen een aanzuigende werking op elkaar hadden was een eigenaardig gegeven. Vroom schaamde zich niet voor zijn egoïsme, hij was er zelfs trots op, en hij was er vrij zeker van dat ieder mens in de kern een egoïst was. De constante neiging zichzelf te omringen met anderen was alleen maar een manier om het ego te laten tieren. Mensen waren eigenlijk niet in staat voor zichzelf te zorgen. Ze waren over het algemeen dom en geneigd om keuzes te maken die dat verhulden, terwijl het veel beter zou zijn de idiotie te omarmen.

Hij ontdekte het genot van ontvolken op kleine schaal toen hij in zijn donkere periode stamgasten 'wegkocht'. Hij gaf ze drinkgeld om het ergens anders op te maken. Dat begon in een cynische bui, maar toen het tot Vroom doordrong dat hij zijn omgeving kon besturen gaf hem dat een enorm gevoel van vrijheid. Als mensen geld opvoerden als belangrijkste reden om naar de stad te trekken, dan zou datzelfde geld ook wel eens de oplossing kunnen zijn, en waar zijn financiële overvloed eerder voor een totale desinteresse had gezorgd, kreeg hij nu een hernieuwde waardering voor guldens en centen.

Het viel hem op dat geld een onovertrefbare uitwerking op mensen had. Het was een universele doctrine waaraan niemand twijfelde en was daarom als machtsmiddel vele malen sterker dan welke religie dan ook. Natuurlijk bestonden er mensen die bereid waren te sterven voor hun God, maar voor de waarde die werd vertegenwoordigd door wat munten waren ze vaak tot veel meer bereid.

Zelfs de gelovige zette zijn onsterfelijke ziel op het spel als hem daarvoor een bedrag werd aangeboden waarmee hij zich heel even rijk kon voelen. Dat hij die rijkdom vaak dezelfde avond verkwistte aan het kortstondige geluk dat uit een fles kwam en een hoer maakte hem nauwelijks spijtig. Het zorgde hooguit voor nog meer honger. Het tijdelijke won altijd van het eeuwige, omdat het tastbaarder was. Het was het grootste bewijs voor het domme egoïsme waarmee de mens vervloekt was.

De relativiteit van de betekenis van geld was misschien nog wel opmerkelijker. Geld had een universele waarde, maar die was voor iedereen anders. Hij had een stamgast gevraagd of die voor tien gulden een week lang op dezelfde stoel zou blijven zitten. 'Natuurlijk,' had de man gezegd. Het had voor hem de waarde van een half maandsalaris. 'Zou u dit ook doen voor acht gulden?' had Vroom gevraagd, waarop de man opnieuw bevestigend antwoordde. Het minimale bedrag dat hij met de man overeen kon komen bleek vier gulden te zijn. Toen Vroom de man een week later betaalde kon hij hiermee een derde van zijn drankrekening voldoen.

Het kopen van mensen had geen langdurig effect. Mensen bleken gewoontedieren te zijn die telkens weer terug kwamen gekropen. De effectiefste manier van ontvolken bleek het opkopen van de ruimtes waar ze verbleven. Als eigenaar van huizen kon Vroom zelf bepalen wie hij er liet schuilen en of hij er überhaupt bewoning toestond. Hij kon mensen binnenlaten en wegsturen. Dat gevoel van macht gaf hem een hoge mate van voldoening. Het deed hem denken aan zijn favoriete Bijbelpassage uit Genesis, de radeloosheid van Adam en Eva toen God hen verbande uit het paradijs.

Vroom droomde over de macht en de regie van de binnenstad. Iedere driehonderd passen een pand bezitten, dan zou hij het rumoer en de stank kunnen dirigeren al naargelang zijn humeur het toestond.

69

Zijn driehonderdpassendroom, of de strooptochten van Vroom, brachten hem regelmatig op de vreemdste plekken. De selectie was eenvoudig. Hij begon vanaf zijn kantoor aan de Herengracht en liep vandaar in een zo recht mogelijke lijn in de richting van het IJ. Om en nabij de driehonderd stappen draaide hij een cirkel en noteerde de panden die hij zag. Hij stond zichzelf een afwijking van maximaal vijftig passen toe. Binnen zijn blikveld genoten de panden met de breedste voorgevel de voorkeur. De hogere belastingen die zijn keuze met zich meebracht wist hij eenvoudig te omzeilen met de constructie van diverse stichtingen die hij had opgezet, en de omvang van de gevel bracht het voordeel met zich mee dat de driehonderd passen tot het volgende huis nu vanuit een verder gelegen uiterste punt ingezet mochten worden.

Deze methode bracht Vroom op een doordeweekse herfstdag op de Pijpenmarkt, waar zijn oog tijdens zijn cirkelmeting op het pand van Maison Weisenthal viel.

De eerste keer dat Vroom naar binnen ging werd hij bijna ziek van de misselijkmakende geuren en kleuren die het pand domineerden. Vroom was in een hoek van de salon gaan zitten met een glas cognac. Hij sloeg geen acht op de dames die hem benaderden en keek gebiologeerd naar het schouwspel dat zich om hem heen afspeelde. Het huis belichaamde alles wat hij zo verafschuwde in de mens. Tweemaal had Vroom zich laten verleiden door een van de vrouwen, en het verbaasde hem hoe eenvoudig de hoeren het gebruik van hun lichaam afstonden in ruil voor wat schamele muntjes. Er was maar één ding dat wanstaltiger was dan de verkopende partij, en dat was de koper. De mannen bestonden in alle soorten en maten en kwamen uit alle lagen van de samenleving. Studenten, kunstenaars, notabelen, bestuurders en ondernemers waren hierbinnen allemaal gelijk en deelden de gulzigheid waarmee ze zich declasseerden. Het was een beurs van zedenloosheid waar de handelaars en kopers hun schaamte verdronken met aangelengde alcohol. De transacties waren fascinerend en leken zelfs gepaard te gaan met bepaalde mores. De droom van Vroom had geen bestaansrecht als het hem niet zou lukken eigenaar te worden van dit paradijs van de onderwereld.

70

Het maison bleek eigendom van het echtpaar Rowel en het kostte Vroom weinig moeite om te ontdekken dat de man gokverslaafd was en een voorliefde had voor het kaartspel. Hij speelde in diverse bierhuizen en sociëteiten en bleek uiteenlopende schulden te hebben. Vroom benaderde de toenmalige onderkoning van de sloppen, De Kaiser, en deed hem een voorstel. 'U koopt alle schulden van Rolf Rowel op en ik betaal u anderhalf keer de totale waarde van dat bedrag.' Een dergelijk rendement was onweerstaanbaar voor deze kleine crimineel en hij bleek slechts twee weken nodig te hebben om de schuldbekentenissen op te kopen. Hij trof De Kaiser in de kapperszaak van Weissman.

'Meneer, ik ben u zeer erkentelijk voor uw inspanningen en wil u graag een ander voorstel doen.'

'Een daalder op de gulden hadden we afgesproken. Ik houd niet van verandering.' De zelfverklaarde onderkoning miste twee voortanden en spuwde zijn woorden met veel consumptie door de ruimte.

'Ik zal mijn voorstel verhogen mits u mij een gunst verleent.'

'Ik handel niet in gunsten. Ik handel in guldens.'

'Dat is duidelijk. Ik bied u twee guldens per gulden als u de beste man onder druk zet.'

'Praat Nederlands. Klare taal. Iets anders verstaan we niet in de Jordaan.'

'Ik wil dat u Rolf Rowel met harde hand tot betaling dwingt.'

'U wilt dat ik hem afros?'

'Als dat de juiste woorden zijn, dan is dat wat ik bedoel.'

'Duidelijk. Maar die vent heeft geen rooie rotcent.'

'Hij heeft geen geld, maar hij bezit een pand op de Pijpenmarkt dat mijn interesse heeft.'

'Nederlands!'

'Ik wil dat u hem afrost. Ik wil dat u hem dwingt de eigendomspapieren te tekenen en ik wil dat hij nooit meer een voet in de stad zet. Voor die eigendomspapieren en het verdwijnen van Rowel betaal ik u twee guldens op de gulden.'

'Een knaak.'

Vroom zuchtte diep. Niet omdat het bedrag hem benauwde, maar omdat het deel uitmaakte van de onderhandeling. 'Akkoord. Een knaak op de gulden. Mits u dit vandaag nog in orde maakt.' De man spuwde in zijn hand en stak hem uit naar Vroom, die wist dat hij zijn walging opzij moest zetten om de transactie te bevestigen.

71

Diezelfde nacht werd Vroom gewekt door een luid gebons op de voordeur van zijn huis aan de Herengracht. Zijn vrouw sliep in de kamer aan de achterkant en had ongetwijfeld niks gehoord. Vroom twijfelde, maar besloot uiteindelijk gewapend met een pook naar de hal te lopen. Toen hij de deur opendeed, sleepten drie mannen het halfdode lichaam van Rolf Rowel de gang in. De Kaiser stapte als laatste over de drempel. 'Betalen, baas. Klus geklaard.' Hij hield de bevlekte maar ondertekende eigendomspapieren voor zijn neus.

'Waarom heb je hem meegenomen?' Vroom probeerde te fluisteren, maar begreep meteen dat dit zijn positie niet versterkte tegenover de mannen in zijn hal.

'Wat moet je dan? Moet ik hem de gracht in lazeren? Hij is

jouw pakkie-an. Ik heb geleverd, baas. Nu jij nog!' Vroom dacht aan zijn vrouw die twee verdiepingen hoger lag te slapen. Ze sliep als een os, onverstoorbaar en blind voor de wereld, en waarschijnlijk zou ze niks meekrijgen dankzij de hoge dosis laudanum die ze zich iedere avond voor het slapengaan toediende.

'Kom mee naar de voorkamer. Daar zal ik u betalen.'

'Maak er maar drie guldens de gulden van, baas. Er zijn wat kosten bijgekomen. Krelis hier heeft zijn knie verdraaid.'

Vroom betaalde het verschuldigde bedrag in contanten en was opgelucht dat de mannen zijn huis zonder veel ophef verlieten. Waarschijnlijk hadden de gulzigheid en het vooruitzicht van een nacht onbekommerd drinken zich van de mannen meester gemaakt en zagen ze het niet als een mogelijkheid Vroom te beroven van de rest van de inhoud van zijn kluis. Toen Vroom terugging naar de voorkamer hoorde hij het gereutel van de toegetakelde man die hij alweer bijna vergeten was.

'Water. *De l'eau*. Helpt u mij. *Bitte*.'

Hij leefde nog. Als lijk zou Rowel een groot probleem op kunnen leveren, maar dat was oplosbaar. In leven betekende de man een groot risico voor Vroom. Op zijn tenen sloop hij achteruit in de richting van de hal. Hij pakte de stalen pook die tegen de muur stond. Moest hij een genadeslag toedienen? Zou hij hem uit zijn lijden moeten verlossen? En waar moest hij hem dan raken? Was hij wel in staat tot zo veel meedogenloosheid? Hij kneep in het metalen handvat en hief de staaf boven zijn hoofd. Was dit de prijs voor zijn ambitie? Moest hij over lijken gaan? Vroom walgde bij de voorstelling van iets wat nu bijna onvermijdelijk leek. Het kraken van de schedel, het bloed en het gejammer van Rowel waren misschien te veel voor zijn gemoedsrust. Iemand onder druk zetten was tot daaraan toe, maar hem ombrengen? Vroom sloop terug naar de voorkamer en stak zijn hoofd door de deurpost. De man lag er nog. Hij had zich omgedraaid en lag nu op zijn buik. Vanuit deze positie was het wellicht gemakkelijker om voor beul te spelen. Hij hoefde het slachtoffer dan niet onder ogen te komen. Opnieuw hief hij de pook boven zijn hoofd. Wat was het alternatief? Had Rowel hem gezien? Had hij hem wellicht herkend? Hoe dan ook zou dit een gevolg krijgen. Vroom zette een stap dichter bij de man, die nu zijn hoofd in zijn richting draaide.

'Alstublieft, Vroom. Genade. Dit hoeft niet. Dit hoeft zo niet te eindigen.'

Het horen van zijn eigen naam maakte de onmenselijke daad misschien nog wel noodzakelijker, maar tegelijkertijd versufte het de ratio. Het was niet langer een anonieme daad. Het slachtoffer zou het niet na kunnen vertellen, maar door met naam genoemd te zijn zou hij nu een dader worden. Een moordenaar. Zelfs als hij ermee weg zou komen, wat zeer reëel was, dan nog zou de daad Vroom beschadigen. Hij legde de pook op het bureau dat voor de kluis stond en liep terug naar de hal. Hij ging Rowel niet vermoorden. Zoveel was nu wel duidelijk, maar wat moest hij dan? Nog steeds op zijn tenen sloop hij naar de keuken. Hij kwam terug met een fles melk. Dat was nog altijd beter dan water.

Hij zette de fles naast het hoofd van de man, dat nu niet meer bewoog. Was hij misschien inmiddels dood? Hoe kon hij dat constateren? Zou hij de man in zijn zij kunnen porren? Vroom greep opnieuw naar de pook.

'Rowel?' Hij vroeg het op gedempte toon. 'Rowel?' Pas na de derde keer reageerde hij.

'Vroom, je moet me helpen. Ik kan niet doodgaan. Niet zo.'

Met zijn voet schoof Vroom de fles melk dichterbij.

'Drink wat. Kun je overeind komen? Ga maar zitten. Leun tegen de muur. Achter je.' Rowel dronk van de melk en Vroom zette zijn bureaustoel tegenover de man.

'En nu, Rowel? Hoe wil je dat dit afloopt?'

Rowel zette de fles op de grond en richtte zijn hoofd op. Hij keek naar de pook die Vroom op zijn schoot had gelegd.

'Je bent een smeerlap.'

'Dat kan wel zo zijn, maar op dit moment ben ik een smeerlap die een betere kaart in handen heeft dan jij.'

'Wat ga je doen?'

'Dat ligt aan jou. Er zijn eigenlijk maar twee mogelijkheden. Ik kan met deze pook met veel gemak je hersenpan inslaan. Dat leidt ongetwijfeld tot een vrij subiet en voor jou relatief pijnloos einde van dit onderhoud. Maar het is tegelijkertijd ook nogal bruut en op z'n zachtst gezegd slordig.'

'Je bent een smeerlap. En een monster. Je gaat je gang maar.'

'Dat kan ik doen. Maar er is ook een alternatief. Een mogelijkheid die jou wellicht gunstiger stemt. Eentje die mij waarschijnlijk ook wat kopzorgen bespaart, als je me de woordkeuze vergeeft.'

Rowel liet zijn hoofd zakken.

'Het leven dat je nu leidt, bestaat niet meer. Wat dat betreft is het net alsof deze pook jouw hersenpan al vermorzeld heeft. Je bent dood, maar ik gun je een tweede leven.'

'Een tweede leven...' Rowel schudde zijn hoofd.

'Ik ken een dokter. Hij is discreet en ik kan hem direct laten halen. Ik zal hem betalen. Voor het juiste bedrag is er veel mogelijk. Als je geld hebt, kun je mensen maken en breken. Hij knapt je weer op. We gaan naar mijn kantoor en daar kun je genezen. Er komt daar niemand en met een paar maanden kun je alweer op de been zijn.'

'En dan?'

'Dan begint je tweede leven. Wie krijgt die kans nou? Het is eigenlijk te mooi om waar te zijn. Geen schulden meer. Geen zorgen.'

'Maar?'

'Wat nou, maar? Er is geen maar. De maar ligt op mijn schoot en is in staat om botten te verbrijzelen.'

'Wat wil je van me, Vroom?'

'Jouw tweede leven is van mij. Daar komt het kort gezegd op neer.'

'Bekijk het maar.'

'Ik laat je leven en je staat in mijn dienst. Ik betaal je daarvoor, maar je blijft onzichtbaar. Je leeft in de coulissen. En daar knap je mijn klussen op. Er staat mij nog veel te wachten bij het nastreven van mijn ambities. Daar heb ik me misschien in vergist. Maar jij gaat mij daarbij helpen. Binnen Amsterdam ben je onzichtbaar. Hier ben je dood. Ik wil je nauwelijks zien. De Kaiser waant je dood, de politie waant je dood en je vrouw waant je dood. Dat is een voorwaarde. Je leeft in de schaduw, maar je leeft. En buiten de stad mag je gewoon bestaan. Je houdt je koest, maar je bestaat.' Rowel nam opnieuw een slok en zette zich steunend wat rechter tegen de muur.

'En als ik dat vertik, Vroom? Als ik gewoon vertrek en nooit meer terugkom?'

'Dat kan toch helemaal niet, man. Ik heb dit.' Vroom hield de eigendomspapieren van het maison omhoog. 'Als jij niet luistert, vermorzel ik je huis, je vrouw en alles waar je ooit van hebt gehouden. En dat niet alleen. Ik ga met een zak geld naar de Jordaan en zoek vier mannen die het land doorzoeken. Ik betaal ze als ik jou weer precies in dezelfde positie voor me heb zitten en dan doen we de dans nog even dunnetjes over. Alleen verzeker ik je dat ik je dan geen keuze meer zal bieden. Zeg het maar, Rowel. Nog een kaart, of wil je passen?'

72

Vroom maakte er steeds vaker een gewoonte van om na het verplichte avondmaal met zijn vrouw de lege avonduren in zijn kantoor door te brengen. Hij stond gebogen over de geïmproviseerde kaart van de binnenstad waarop hij zijn vastgoedbezittingen, zijn ijkpunten, had gemarkeerd met wijnkurken. Er begon zich een patroon te ontwikkelen. Vroom had zich eerst druk gemaakt om de rechte lijn in de richting van het IJ, maar was inmiddels bezig met de vertakkingen. Hij zette een stempel op de stad die de vorm had van de nerven van een blad. In alle stilte infecteerde hij Amsterdam met het medicijn van de ontvolking. Maison Steen op 't Singel kon een belangrijke zijnerf worden waarmee hij de sprong naar de Jordaan kon maken. Hij bezat al een pand op de hoek van de Prinsengracht en de Anjeliersstraat, maar dat lag nu geïsoleerd en was om die reden een zorgenkindje. De 'buitenposten' waren kwetsbaar voor krakers en ander gespuis, dus was het nu zaak om deze plek snel te omringen met versterkingen. De onteigening van de Jordaan werd een steeds crucialere voorwaarde voor het slagen van zijn plan. Hij moest grip krijgen op deze vlek, nog voor het stadsbestuur er renovatieplannen kon doorvoeren. Vroom trok met een stuk houtskool vier lijnen om de sloppen, met de uiterste punt in het noorden waar de Brouwersgracht de Lijnbaansgracht kruiste. Er ontstond een ruitvorm met als zuidelijkste punt de Westerkerk. Deze ruit vertegenwoordigde zijn magnum opus en hij nam zich voor de volgende dag een wandeling te maken langs de uiterste grenzen. Pas toen Vroom de kaart dichtvouwde, merkte hij dat hij niet alleen was in de ruimte. Vanuit de schaduw lichtte er een lucifer op. Vroom herkende de man aan zijn kraalogen, die even opvlamden.

'Ik had je niet meer verwacht.'

'Dat geeft niet. Niet alles laat zich sturen.' De man stapte nu in de richting van de olielamp.

'Niet alles, maar al het andere wel.' Vroom herpakte zich. Hij moest niet de indruk geven overvallen te zijn.

'Ik heb je bericht ontvangen. Je wilde me spreken?'

'Ja, ik heb je nodig.'

'Moet ik weer gaan ronselen? Hoe gaat het met Weisenthal?'

'Ga zitten, Rowel. Ik wil je wat laten zien.' Vroom vouwde zijn kaart weer open. 'Dit is het slotstuk.'

'De Jordaan? Wat moet je daar nou mee?'

'Dat is niet aan jou besteed. Dat hoef je niet te weten, omdat je het niet zult begrijpen. Het enige wat je moet weten is dat alle stukken op de juiste plek staan en dat ik je snel nodig heb in de stad.'

'In de stad?'

'Ja. Het zou kunnen dat je de komende weken in Amsterdam blijft. Het is daarom bijzonder belangrijk dat je meer dan ooit in de luwte werkt. Overdag blijf je hier op mijn kantoor. Alleen na zonsondergang mag je enkele boodschappen voor me overbrengen.'

'Boodschappen overbrengen? Ik was al je bloedhond, wil je nu ook dat ik je postduif word?'

'Je vergeet je plaats. Als ik wil dat je een kikker wordt, dan rest jou alleen nog gekwaak. Je wordt mijn boodschapper. Als je jezelf een postduif wilt noemen, dan ga je je gang maar. Jij moet contact leggen met de Drost. Het liefst vannacht nog. Ik heb een brief voor hem.'

'Ik ken geen Drost.'

'Je kent zijn voorganger. De Drost is de nieuwe sloppenheer.' Vroom las twijfel in de kraalogen.

Rowel liet zijn pijp uitgaan. 'Je bekijkt het maar! Ik kap ermee. Wie houdt me tegen? Jij soms?' Hij sloeg zijn pijp leeg op het bureaublad.

Vroom zag hoe de as tot vlak bij zijn kaart dwarrelde en hij vouwde hem weer dicht. Rowel was langer dan hij en op wat littekens na was er geen spoor meer van de aframmeling die hen ooit voor het eerst had samengebracht. Vroom schraapte zijn keel om iedere hapering in zijn woorden te voorkomen.

'Ik, ja. Jij gaat de Drost ontmoeten. Goedschiks of kwaadschiks, zo simpel is het. Of acht je jezelf net zo onkwetsbaar als je onzichtbaar bent? Jij bent van mij en dat verandert niet. Misschien heb ik de teugels even laten vieren, maar ze liggen nog stevig in mijn hand en ik hoef maar een kleine ruk te geven om je weer aan mijn knieën te leggen.' Vroom zag nog steeds alleen maar twijfel in de ogen van Rowel. Het was de onzekerheid die voorkwam dat de man hem aanvloog. Die twijfel, de grootste kwelgeest van de zwakkere man, was misschien flinterdun, maar tegelijkertijd onbreekbaar.

'Ik maak een nieuwe afspraak met je, Rowel. Je werkt voor mij tot ik mijn plan verwezenlijkt heb. Je bent mijn boodschapper en je blijft een schaduw. Daarna zal ik opnieuw vonnissen. Ik zal onze situatie herzien in jouw voordeel. Dat doe ik voor je. Datzelfde geldt voor Johanna.' Bij het horen van haar naam werd de twijfel in Rowel groter. Met die onzekerheid liet hij zich leiden.

'Waar is die brief? En waar vind ik die vent?'

HOOFDSTUK IX

De kraal

73

Toen Anna werd opgehaald door een roodharige man en iemand die zich voorstelde als de Drost voelde ze zich even bevrijd. Ze had de tirannie van madam Rowel weten te weerstaan en dankzij dat verzet kon ze het verderfelijke hol nu verlaten. De mannen spraken niet met haar. De roodharige hield zijn eeltige knuist stevig om haar pols gevouwen en sleurde haar, op een paar passen afstand van de Drost, achter zich aan.

Voor het eerst kon Anna de stad nu in het daglicht bekijken. De lucht was helblauw, net als tijdens de zomerdagen op het laagland, en overal waar ze keek waren mensen. Er liepen twee vrouwen met kannen achter elkaar, ze staarden strak naar de grond. Een groep mannen stond rond een kar waar een paard voor was gespannen. Ze vulden de laadbak met jutezakken die ze met z'n tweeën moesten tillen. Twee van de mannen namen hun pet af voor de Drost. Er reed een koets voorbij waarvoor iedereen plaatsmaakte. Hier en daar lagen paardenvijgen op de grond, sommige vers en glimmend en andere vertrapt en korrelig. Er liepen heren met hoge hoeden die, net als de vrouwen, wegkeken toen ze hen passeerden en er was een man in een politie-uniform die hen trakteerde op een brede glimlach.

Ze liepen over een hoge gewelfde brug die hen naar de overkant van het smalle water bracht. Toen Anna halverwege haar tempo vertraagde om nog meer van de stad in zich op te nemen, kneep de roodharige hard in haar pols op de plek waar het gewricht zat. In een reflex trok ze haar arm terug, waarna de man haar een ruk gaf, zodat ze haar evenwicht verloor.

Een volgende brug bestond slechts uit wat houten planken. Ze liepen zijdelings toen ze drie kinderen passeerden. De kinderen droegen vodden en hadden zwarte vegen over hun gezicht. De roodharige man sleepte haar nu achter zich aan. Een splinter drong naast haar grote teen het weke vlees van haar voet binnen. Toen Anna vroeg of ze even mocht stoppen, lachte de man alleen maar.

De grachten werden smaller en waren gevuld met boten die, met of zonder lading, in de loomte van de dag lagen te wachten op een doorgang.

Het kwam niet in Anna op om vragen te stellen. Ze had haar nieuwsgierigheid afgeleerd en wist inmiddels dat vragen alleen maar konden leiden tot antwoorden. Ze had liever vragen dan antwoorden, en bovendien kon ze zich niet voorstellen dat de roodharige man met haar zou willen praten.

De imponerende, statige stenen huizen werden steeds schaarser en ook het steen van de straten leek in hoeveelheid af te nemen. Grote kuilen in de weg waren gedicht met zand of stro en op sommige plekken lagen er houten planken over de gaten. De huizen waren deels van steen en deels van hout en Anna kon moeilijk zien waar het ene huis ophield en waar het volgende begon. De bovenste woonlaag, soms wel vijf of zes verdiepingen hoog, leek volledig in elkaar over te lopen. Alsof de krottige woningen, die haar nog het meest deden denken aan het laagland, hier gewoon boven op de bestaande wereld waren gebouwd.

Hier werd het drukker op straat. Meer mensen, minder paarden en meer andere dieren. Anna zag hoe uitgemergelde honden en katten in de hoekjes en steegjes vochten om wat afval, en ze zag hoe een man een varken voortdreef door het dier met een twijg te slaan. Met de mensen en het vee nam ook de stank toe. De walmen van sommige krotten prikten in haar ogen. Net toen Anna dacht dat ze in de verte voor het eerst bomen zag, sleurde haar menner haar een smalle steeg in.

'We zijn er, meisje.'

Het idee van een eindbestemming bracht direct de benauwdheid terug.

De Drost bonsde met zijn vuist tegen een houten schot, dat vrijwel direct opzij werd geschoven. Achter het schot ging een open plek schuil die was omringd met huizen en hokken die trapsgewijs tegen de huizen opgetimmerd leken. De inwoners hadden de oude woningen gebruikt als bomen om hun nestjes tegen op te werpen. Uit de ramen hing was te drogen en op het zandplein renden kinderen achter een hond aan. De onderste ring van het carrousel bestond uit kraampjes, waarvan er twee bemand waren. Er stonden kerels omheen die uit kleine bekers dronken. Ze werden bediend door mannen die aan de andere kant stonden. Het leek op de toog die Bo in het maison bestierde, maar dan zonder een greintje beschaving. Toen het schot dichtsloeg keken de mannen hun kant op. Hun blikken brachten meteen het gevoel van verdrinking terug. De kreten die de mannen slaakten leken aan haar geadresseerd, maar Anna kon niet verstaan wat ze riepen.

'Bek houden!' riep de Drost en tegen de roodharige zei hij: 'Paarlen voor de zwijnen. Let je wel op dat al die gulzige klootzakken betalen?'

Voorbij de barretjes, aan de andere kant van het zandplein, zwaaide een deur open. De deuropening vulde zich geheel met het ronde lichaam van een vrouw. Opnieuw begonnen de mannen te joelen. De roodharige trok haar in de richting van de vrouw.

'Dit is ronde Donna,' zei de Drost. De vrouw drukte met haar brede armen in haar zij de buik en het schort naar voren.

'Dit is je nieuwe moeder. Als zij kraait, ga jij rennen. Als je één keer niet luistert, trekt ze je oog eruit. Als je een tweede keer niet luistert, trekken we je kop van je romp en voeren we hem aan de honden. Begrepen?'

Anna reageerde niet. Ze staarde naar de grond en dacht aan

Rosa. Wat zou zij doen? Ze keek naar de buik van de vrouw en zag hoe hij drilde toen ze een arm wegtrok. Toen Anna naar boven keek en antwoord wilde geven, was het te laat. De vrouw sloeg met haar vlakke hand tegen de zijkant van haar hoofd. Anna viel in het zand. De harde piep in haar oor maakte plaats voor het gelach dat uit de richting van de barretjes kwam.

'Ze heeft wat problemen met aanpassen,' hoorde ze de Drost zeggen. 'We gaan haar dus eerst even een middagje inrijden.'

'Wie is we?' vroeg ronde Donna.

'Ik begin.'

'Uiteraard.'

'En daarna zien we wel hoeveel we er nodig hebben.' De Drost knikte in de richting van de mannen, die nu allemaal hun kant op keken.

'Die varkens? Die zijn al lazarus.'

'Maakt niet uit. Als ze maar betalen.'

De vrouw bukte en stak haar vingertoppen onder Anna's kin. 'Houd je haar wel heel? Ze ziet er nog goed uit. Die kan best een paar maandjes mee. En we kunnen wel wat vers vlees gebruiken.'

'Me dunkt. Ze heeft een lieve duit gekost. Maar ze is ook vals. Bij Weisenthal heeft ze er een paar te grazen genomen.'

'Wie? Meisjes?'

'Klanten.'

'Wat? Dit scharminkel?'

'Precies. Je zou het niet zeggen, maar als het moet dan rauzen we erop. Ze is taai. De weduwe heeft haar niet klein gekregen.'

'Johanna is een slappe ouwehoer. Dat verbaast me niks. Zij had allang weg moeten zijn. Ga je gang. Neem het vleeshok maar. Ik kom vanavond wel even kijken wat er nog van haar over is.'

74

Die middag verdronk Anna. Ze werd geslagen. Gewurgd. Gebogen en gebroken. En ze stikte zo vaak dat ze niet meer kon stikken. Ze probeerde zich te verzetten. Ze vocht tegen de stank, tegen de overmacht en de walging, tot ze zich niet langer kon verweren. Ze schreeuwde, ze krabde, ze huilde, ze krijste tot ze murw was. Eerst vanbuiten en toen vanbinnen. De dreunen die ze incasseerde werden een monotoon gehei dat iedere rede verdrong. Er was geen sprake van menselijkheid. Er werd niet gesproken. Het waren beesten en zij was nog minder dan een voorwerp. Ze was het afval. En de beesten hijgden en snoven en laafden zich aan haar lichaam tot ze er klaar mee waren en het uitgewoond en opgemaakt in een hoekje gooiden, net zo lang tot zelfs zij erop waren uitgekeken.

Haar vader kwam haar niet halen. Rosa kon haar niet helpen. Madam Rowel was er niet om te zeggen dat het genoeg was. De Drost kwam niet meer en zelfs ronde Donna kwam niet kijken 'wat er nog van haar over was'.

De volgende dag, als dat daadwerkelijk de volgende dag was, zwaaide de deur van het vleeshok opnieuw open. Drie mannen kwamen binnen, of misschien waren het er vijf, en ze gingen verder met het lesten van hun laveloze lusten. Na die drie kwamen er vier, of zes, en Anna hield op met tellen, met onderscheid maken, en probeerde haar bewustwording te verdoven. Ze draaide haar ogen weg en probeerde zo scheel te kijken dat de pijn in haar hoofd alle andere pijn domineerde, maar zelfs die regie werd haar niet gegund en de mannen bleven komen, tot ze haar bloedend in een hoek smeten en voor opgemaakt en afgekloven achterlieten.

Anna probeerde te blijven liggen in de houding waarin ze genoeg van haar hadden gekregen, maar ze kwamen altijd terug. De woede en de razernij waren onuitputtelijk en Anna wist zeker dat ze zo zou sterven. Ze zou bezwijken onder het gewicht van deze beesten. Het gewicht van de afschuw zou haar verpletteren en het zou een vreselijke dood zijn die nog maar het begin was van haar straf, waarvan ze niet wist wie hem had opgelegd en waaraan ze hem had verdiend. Dit was geen loutering, dit was geen hel, het was de opmaat, en de murwheid was het enige waaraan ze zich kon vastklampen. En samen met die weeheid steeg ze op. Niet met haar lichaam, maar met haar ogen. En vanaf het plafond zag ze hoe de beesten haar opvraten. Hoe ze dronken, lachten, loeiden en gromden rond haar lichaam, dat daar nog stond. Gebogen op knieën en ellebogen, nog steeds met gebalde vuisten, alsof er nog iets was om voor of tegen te vechten. Ze zag het gebeuren tot ze het niet meer kon aanzien.

En opnieuw werd alles zwart.

75

Toen ze haar ogen weer opende, zag ze dat ze niet meer alleen was in het vleeshok. Naast haar zat een meisje met hetzelfde kastanjebruine haar, even tenger en even beurs. Ze zat in dezelfde houding, de knieën opgetrokken tegen het lichaam. Hetzelfde opgedroogde bloed, in korsten in haar hals en over haar rug. Ze ademde in hetzelfde tempo. Ze had geen geur. Het was alsof Anna in een spiegel keek, al was er één duidelijk verschil. Het meisje had haar ogen opengesperd en ze waren donker. Veel donkerder dan haar eigen lichtblauwe ogen.

'Wie ben jij?' vroeg Anna. Het meisje glimlachte. De donkere ogen vonkten.

'Wat denk je?' antwoordde ze.

'Ik weet het niet. Hebben ze jou ook...'

Het meisje lachte weer. 'Natuurlijk hebben ze mij ook.'

'Hoe heet je?'

'We zijn op dezelfde plek. We hebben dezelfde wonden. We

hebben hetzelfde gezicht. Wat denk je?'

'Ik weet het niet.'

'Ik ben hier voor jou. Ik kom je helpen.'

'Ik ben niet meer te helpen. Hoe kun je me helpen? Wie ben je?'

Het meisje lachte opnieuw haar tanden bloot. Ze draaide haar handpalmen naar boven en haalde haar schouders op.

'Ik ben jou, meisje.' Ze stond op en draaide langzaam om haar as. Anna zag het litteken op haar rug, net boven de kuiltjes. Het zat op de plek waar zij ooit was gebeten door een wilde hond in het laagland. Het was haar litteken.

'Dat is niet waar. Dat kan niet. Ik sta hier en jij staat daar. Hoe kun je mij zijn?' Haar ademhaling liep niet langer gelijk met die van het meisje.

'Vooruit dan, ik zal het anders zeggen: ik ben wie jij niet bent.' Ze deed een stap in haar richting. Anna stapte achteruit.

'Je hoeft niet bang te zijn.'

'Hoe weet je dat ik bang ben?'

'Moet je dat nog vragen? Ik zou hier niet zijn als je geen angst had. Maar ik kom je juist vertellen dat je de angst los mag laten. Je bent niet meer alleen. Vanaf nu zijn we samen. Dat is misschien lastig te begrijpen, dus voor nu mag je me Lotte noemen als dat het makkelijker maakt. Of Rosa, of Martha, of hoe dan ook. Al verzin je zelf wat. Je moet in elk geval weten dat ik het beste met je voorheb. Ik kom voor je zorgen. Jij hoeft niet voor mij te zorgen. Misschien komt dat nog, maar vanaf dit moment doe ik het zware werk.'

'Je kunt niet meer voor me zorgen. Ik ben dood. En als ik het nog niet ben, zou ik het moeten zijn. Is dat het misschien? Ben je een engel? Is dit het einde?'

'Het einde? Ik mag hopen van niet. Dit is eerder het begin. Ik ben er pas net.' Het meisje ging naast haar op de grond zitten en legde haar arm om Anna heen. Het voelde op een vreemde manier vertrouwd. Het stelde haar gerust. Ze zuchtte, samen met het meisje.

'Ik begrijp het nog steeds niet.'

'Natuurlijk begrijp je het niet. Als je het zou begrijpen zou ik hier niet zijn. Je mag me alles vragen. Ik ben hier voor jou. En we hebben alle tijd.'

'Wie ben je?'

'Niet in herhaling vallen, hè.' Het meisje glimlachte weer en draaide haar hoofd in Anna's richting. Ze haalde een hand door haar haar zoals zij dat zelf zou doen. 'Ik ben Lotte.'

'Kom je me hier weghalen?'

'Dat denk ik niet. Dat is meer iets voor Anna. We gaan voorlopig nergens heen. Nu nog niet, maar ooit misschien. Ik ben hier zodat jij hier niet hoeft te zijn. Snap je dat? Samen zijn we sterker. Ik doe wat jij niet kunt, en jij doet wat ik niet kan. Zo werkt het. Begrijp je het al?'

'Nee.'

'Ik denk het wel. Volgens mij begrijp je het.'

76

Toen de houten balk voor de deur van het vleeshok weggeschoven werd, stond Lotte direct op. 'Blijf jij maar zitten. Nu is het mijn beurt.'

Twee mannen zwalkten het hok binnen. De laatste trok de deur dicht. Het daglicht scheen door de kieren van de planken naar binnen en trok witgele strepen over de strobalen die in de hoek lagen. Anna had ze nog niet eerder gezien. Lotte hield haar handen onder haar borsten en liet haar hoofd schuin hangen. 'Welkom, heren. Wat kan ik voor u betekenen vandaag?' De mannen keken elkaar met stomheid geslagen aan. De langere van de twee maakte zijn broek los, maar de kleinere onderbrak hem. 'Wacht even, Willem. Volgens mij klopt dit niet helemaal. Zij was toch stuk? Dat zei Ronnie. "Afmaken die handel," zo zei hij het.'

'Nou en?'

'Ziet zij eruit als iemand die stuk is?' Lotte zette een stap naar voren en stak haar hand in de broek van de langere man. Ze zocht zijn erectie en bewoog haar hand ritmisch op en neer.

'Wat maakt dat nou uit, man. Waarom ben ik hier, denk je?' Lotte kneep in de pik en voelde hem verstijven.

'Volgens mij moeten we ronde Donna roepen. Dit klopt niet.'

'Godverdomme, man. Haal haar dan. En laat me met rust. Je ziet toch dat ik bezig ben.' Lotte wrong haar andere hand nu in de broek en omklemde de ballen van de man, die nu aritmisch begon te hijgen. De kleine van de twee duwde de deur open en tegelijkertijd kwam de langere man tot zijn orgasme. Hij had zijn broek nog aan en bleef achter met een grote vlek aan de voorkant. Lotte trok haar hand terug en veegde hem af aan de broekspijp van de man.

'Dat was hard nodig, of niet, grote jongen?' Haar andere hand aaide over zijn wang. Met een grote glimlach liep hij achter de kleinere man aan. Toen ze weg waren, draaide Lotte zich om.

'Zie je, zo doe je dat. Of misschien moet ik zeggen: zo doe ík dat. Ik weet zeker dat de volgende die door die deur loopt hier niet binnenkomt om je te verscheuren.'

77

Toen de deur openzwaaide stonden de Drost en ronde Donna buiten. Achter hen stonden de mannen zonder gezicht. De beesten die bijna niet konden geloven dat het meisje dat ze daar voor dood hadden achtergelaten nu op eigen benen naar buiten wandelde. Ronde Donna sloeg een paardendeken om haar heen en de Drost stuurde de mannen terug naar hun toog. Het schouwspel was voorbij.

'Je mag een nachtje uitrusten, meisje. Dat komt wel goed met jou.' De vadsige vrouw haalde haar hand over de bebloede arm van Anna en veegde hem af aan haar schort. 'We zullen even wat emmers water over je heen gooien. Er is nog brood en ik heb soep gemaakt.'

'Maak het niet te gezellig, Donna. Morgen moet ze weer aan de bak. Ze gaat die centen terugverdienen. En rap ook.'

De Drost liep met hen mee tot aan de deur van het krottige huis van ronde Donna. Het was nauwelijks groter dan het vleeshok. De achterkant van het hok was de bakstenen muur van het huis waar het tegenaan gebouwd was. Uit de muur stak een kraan.

'Dat kun je drinken, meisje. Ga je gang. Ik zal je straks voorstellen aan de rest. Hoe heet je?'

'Ik ben Lotte,' antwoordde ze. 'Mag ik dat brood ook pakken?'

Ronde Donna lachte. 'Je gaat je gang maar. Je zult wel honger hebben. Ik zal het maar eerlijk zeggen, meisje: we dachten niet dat je nog uit dat hok zou komen. Je zou niet de eerste zijn die daar haar laatste adem uitblies. Vóór jou zijn er een hoop anderen geweest en die waren stuk voor stuk potiger dan jij. Dat durf ik wel te zeggen. Maar haal je maar niks in dat mooie bolletje van je. Dat het nog niet gebeurd is, betekent niet dat het niet meer kan gebeuren. Eén verkeerd woord en je gaat meteen terug. En dan wordt het een enkele reis. Neem dat maar van mij aan.'

78

Die nacht zag Anna waar ze was beland. Vanuit de krottenwoning van ronde Donna zag ze hoe het plein volstroomde met mensen. Ze dronken, zongen, vraten, zoenden en dansten over de zanderige binnenplaats, die schimmig werd verlicht met olielampen die rond de krottige barakken stonden en hingen. De barretjes waren nu allemaal geopend en overvloedig bevolkt, en in het midden van het plein vond een of ander schouwspel plaats waar de massa zich van tijd tot tijd naartoe bewoog. De mannen en vrouwen gingen langzaam op in een roes en voor Anna leek de voorstelling niet van deze wereld.

'Ze komen voor de ontlading.' Het was de stem van Lotte. 'Het zijn lotgenoten, allemaal verdorven en verloren, dus zoeken ze elkaar op.'

'Waarom dan? Wat doen ze?'

'Ze komen om te vergeten. Ze komen om niet meer te hoeven voelen. Ze voeden zich met de vergetelheid. Ze laven zich aan de pijn van anderen. Als je de ellende als een optelsom beschouwt, is ieders kleine bijdrage daaraan verwaarloosbaar. Je moet het delen, net zoals wij dat doen.'

'Is dat wat wij doen?'

'Dat is precies wat wij doen. Wij zijn niet anders dan deze mensen. Zij hebben de hoop ook opgegeven. Wat overblijft is het residu van hoop. Dat restje kun je vinden in de ontlading.'

'Waarom zou je dat najagen als het niet echt is?'

'Het is wél echt. Het voelt echt. Het is vluchtig maar tastbaar. In zekere zin is het echter dan welke hoop of droom dan ook.'

'Dat begrijp ik niet.'

'Ga maar na: een droom is mooi, is prachtig, tot je hem gaat realiseren. Dan blijkt hij vaak vals. Denk aan Jonas.'

'Dat wil ik niet.'

'Dat doe je al. Met Jonas droomden we de mooiste dingen, maar hoe echt was die hoop?'

'Dat weet je niet.'

'Jawel. Het was lucht. De werkelijkheid is altijd minder mooi. De werkelijkheid is hondslelijk. Kijk maar naar buiten. Dit is de stad. Hier heb je altijd over gefantaseerd toen je nog op het laagland woonde. Dit is het nou.'

Anna zag twee mannen vechten. Ze zag hoe een vrouw huilend wegliep. Twee kinderen renden achter haar aan. En ze zag vooral de broeiende massa die naar het midden van het plein drong, als wespen om een nest.

'Voor nu is het beter om geen dromen te koesteren. Verklap je dromen maar aan de sterren, maar begrijp dat ze niet meer zijn dan lucht. Als er ooit een dag komt dat ze je hoop geven, dan zie je mij niet meer terug. Tot die tijd sta ik naast je, en voor je, en achter je. Met mijn knieën in de modder als het moet.'

79

Anna was niet bang voor Lotte. Ze voelde op een vreemde manier vertrouwd. Anna was jaloers op haar moed en boven alles was ze dankbaar. Niet eens voor de fysieke verlichting, met haar was er minder pijn, maar vooral voor de geestelijke rust. Ze had eindelijk weer iemand om mee te praten. Iemand om vragen aan te stellen. Ze had gehunkerd naar antwoorden, en al bevielen ze haar meestal niet, het waren toch antwoorden.

Lotte was niet de hele tijd bij haar. Het grootste deel van de dag was Anna alleen en dan was ze stil. Maar zodra de angst kwam, was Lotte daar. Onverzettelijk en dapperder dan zij ooit zou kunnen zijn. Lotte was de overlever en Anna was het verdriet, maar hoe meer ze met Lotte sprak, hoe vaker zij er voor haar was, hoe sterker Anna zich voelde. Met Lotte kwam het zelfvertrouwen terug. En met dat vertrouwen verdween langzaam de angst.

De eerste nachten sliep Lotte naast haar in het bed van stro, tussen de andere meisjes, in de achterste barak. De meisjes waren niet te vergelijken met de dames van Maison Weisenthal. Ze spraken niet of nauwelijks met elkaar. De meesten verstonden geen woord Nederlands. Maar toen de nachten op elkaar begonnen te lijken en Anna zich veiliger voelde, bleef Lotte steeds vaker weg en was er meer ruimte voor haar eigen gedachten, en die gedachten brachten haar op een heldere nacht, vlak voor zonsopkomst, naar de deur van de barak.

De deur zat niet op slot en maakte nauwelijks geluid toen ze hem voorzichtig openduwde. De binnenplaats was vrijwel uitgestorven. Hier en daar lagen wat mannen hun roes uit te slapen. Er liep een kat over de verhoging bij de ring en ze hoorde een baby huilen. De maan was vol en de nacht was helder. Anna zocht niet naar de Poolster, maar naar het schot dat de binnenplaats van de straat scheidde. De poort was onbemand. Met haar handpalmen peilde ze het gewicht van de houten deur. Hij kraakte toen ze hem van zich af duwde. Hij was niet afgesloten.

Anna voelde de spanning opwellen in haar borstkas. Het was geen angst, het was dezelfde spanning die ze had gevoeld toen ze de eerste keer met Jonas wegsloop. Ze twijfelde en keek nog een keer achterom voor ze de deur ver genoeg naar buiten duwde om door de kier te kunnen stappen. Toen ze buiten stond, sloeg de deur achter haar dicht. De klap had een hond gewekt, die begon te blaffen. Het geblaf lokte een keten van reacties uit bij andere honden en Anna begon te rennen.

Op blote voeten en in haar onderjurk rende ze in de richting van de eerste zonnestralen. Bij het eerste water sloeg ze rechts af tot ze een brug tegenkwam. Ze rende een steeg in en kwam uit op een brede straat. Haar voeten deden pijn. Waar was ze mee bezig?

Aan de overkant van de weg liepen drie mannen in kostuum. Ze waren zichtbaar beschonken en riepen wat naar haar. 'Meisje, je bent verdwaald! Je moet die kant op om in mijn dromen te slapen!' Moest ze de mannen om hulp vragen?

Ze rende door tot ze weer bij het water kwam. Nu ging ze naar links. Langs het water lag een man met een vrouw en drie kinderen op de grond te slapen. In de verte zag ze een trekschuit varen. Op straat vochten twee zwerfhonden om een bot. Een van de honden verloor zijn interesse toen hij haar zag rennen en stoof blaffend achter haar aan. Anna ging opnieuw een steeg in. Ze draaide links de hoek om en bleef stilstaan om op adem te komen.

Toen ze opkeek om zich te oriënteren zag ze het houten schot voor het plein dat ze had geprobeerd te ontvluchten. Ze was in een cirkel gelopen.

Het eerste daglicht scheen door de straat en ze zag steeds meer mensen op straat. Ze liet zich door haar knieën zakken, en met haar rug tegen de muur begon ze onhoorbaar te huilen.

'Wat ben je nou aan het doen?' Het was Lotte.

'Hoe kun je nou vluchten als je niet eens weet waar je naartoe gaat? Wat denk je dat er gebeurt als je halfnaakt, zonder geld en zonder plan door deze woestenij blijft rennen? Denk je dat iemand je zal helpen? Als je dat denkt, dan ben je gek.'

'Ik weet het niet. Ik dacht niks.'

'Precies, je hebt niet nagedacht. Waar kun je naartoe? Je kunt nergens heen. De eerste de beste vreemdeling die je aanspreekt brengt je terug naar de Drost. En wat denk je dat er dan gebeurt?'

'Dat maakt me niks uit. Alles is beter dan hier zijn.'

'Je bent een idioot. Een achterlijke dromer. Als je echt weg wilt, moet je een plan hebben. Dan moet je nadenken. Het is nog veel te vroeg en bovendien: vluchten heeft geen zin. Ze zullen je altijd vinden. Een ander leven moet je afdwingen. Heb je nou niks geleerd van het verleden?'

Anna veegde met haar handpalmen over haar ogen. Lotte ging weer staan. 'Kom!'

'Wat gaan we doen?'

'Wat denk je?'

'Ik weet het niet.'

'We gaan terug. We lopen naar die poort, duwen hem zo zachtjes mogelijk open en glippen weer naar binnen. We sluipen over die binnenplaats terug naar de barak en ondertussen hopen we maar dat niemand ons hoort. En als dat lukt, áls dat lukt, dan kruipen we samen in je bed en blijven we daar liggen tot de dag aanbreekt, en dan vergeten we zo snel mogelijk dat we dit ooit hebben geprobeerd. Begrepen?'

'Ja.'

'Ik kan me niet voorstellen dat jij het ooit in je hoofd hebt gehaald om te ontsnappen zónder mij. Denk je nou echt dat je zoiets alleen kunt?'

'Nee.'

'Ons moment komt nog wel. En als het komt, dan kondig ik het aan en ben jij de passagier. Nu ik erover nadenk lijkt me dat voorlopig sowieso het beste. Laat het denken maar even aan mij over.'

81

Vanaf dat moment was Lotte er bijna altijd. Ze domineerde de beslissingen en bepaalde zelfs de woorden die werden uitgesproken en verzwegen. Lotte was populair onder de mannelijke bezoekers van het zandplein. Eerst omdat ze nieuw was en later vanwege haar reputatie. Ze beheerste de kunst van het verleiden zoals Rosa het ooit aan Anna had proberen te leren, en dat onderscheidde haar van de andere meisjes van ronde Donna. Al snel lukte het Lotte een vaste terugkerende kring van bewonderaars aan zich te binden en op die manier werd het leven in de krochten bijna gemakkelijker dan het in het luxebordeel van madam Rowel ooit geweest was. Lotte dronk de zelfgestookte alcohol met bijna evenveel gretigheid als de mannen die die voor haar kochten en ze was inmiddels zelf in staat haar klanten te selecteren, aangezien ze voor haar in de rij stonden. Iedere avond was anders en daarin waren ze allemaal gelijk. Er waren altijd excessen, gevechten, steekpartijen en bijna altijd klonk er wel een schot. In de sloppen golden de wetten van de Drost, en hij hanteerde flexibele regels, die zo buigzaam waren als zijn humeur van de dag. Zelf hield hij zich verre van de meisjes die hij geknecht had. Hij vreesde de syfilis en zwoer bij de duurdere hoeren uit de stenen stad. Hij domineerde het plein in de nacht, en overdag ontving hij er mannen om met hen andere zaken te bespreken.

Het was op een ochtend, op een schaars moment dat Anna even van Lotte verlost was, dat ze de man met de kraalogen herkende. Het klappen van de poort kondigde iedere bezoeker aan en de vaste bewoners van het plein waren gewend om onopvallend te kijken wie er binnenkwam. Het kostte Anna weinig moeite de in het zwart geklede gestalte thuis te brengen, en de herinnering benam haar vrijwel direct de adem.

'Wat is er?' vroeg Lotte.

'Hij is het.'

'Wie is dat?'

'Kijk nou eens goed, dan herken je hem wel.'

'Ik zie het,' zei Lotte. 'Ik herken het litteken. Wat zou hij komen doen?'

'Ik weet het niet. Ik wil hier weg. Ik wil naar de keuken.'

'Ga jij maar. Ik wil weten wat er aan de hand is.'

De man liep over het plein in de richting van de roodharige loopjongen van de Drost. Ze spraken even met elkaar en toen ging de roodharige weg.

'En? Wat denk je?' vroeg Anna.

'Ik dacht dat jij weg was.'

'Ik ga zo.'

'Ik ga hem aanspreken.'

'Nee. Waarom zou je dat nou doen? Kom mee.'

'Nee, ik spreek hem aan. Ik wil weten of hij ons herkent.'

Ze liep met een omweg naar het barretje het dichtst bij de man met het litteken en zag dat de Drost eraan kwam. Hij droeg alleen een broek en zijn onderhemd. Kennelijk had de roodharige hem moeten wekken.

'Ik hoop voor jou dat het belangrijk is,' zei de Drost terwijl hij aan kwam lopen. 'Ik kom mijn nest niet uit voor kruimelwerk.'

'Ik heb een boodschap.'

'Je lijkt anders niet op een postbode. Je lijkt meer op een lijkbezorger. Doe die jas uit, man. Het is lente.'

'Ik heb een boodschap van de notaris. Vroom.'

'Van Vroom? Dat zou tijd worden, godverdomme. Wat moet die lafbek?'

De man met de kraalogen overhandigde hem een envelop. De Drost pakte hem aan, rook er even aan en begon toen te lachen.

'Wat moet ik daar nou mee, man! Vertel op! Wat wil die dikzak van me?'

'Dat weet ik niet. Dat staat erin, vermoed ik.'

'Denk jij dat ik kan lezen! Denk je soms dat er hier iemand kan lezen?'

De Drost begon weer te lachen en richtte zich tot de roodharige man die zich naast hem had opgesteld. 'Professor Ronnie, zullen wij ons de inhoud van dit schrijven eigen maken?'

De roodharige staarde verward naar de envelop.

'Luister even, met je kraaienkop. Als die Vroom me wat wil vertellen, dan komt-ie het me maar zeggen. Hij weet de weg. Of kun jij soms lezen?'

'Ik kan het lezen.'

'Meneer kan het lezen, Ronnie. Het is een godvergeten zegen. Misschien ben ik toch niet helemaal voor niks mijn nest uitgekomen. Nou! Schiet op dan!'

De man in het zwart scheurde de envelop open en viste het briefpapier eruit.

'Geachte heer De Winter.'

'Ja, dat ben ik. En houd je commentaar maar voor je, Ronnie.'

'Middels dit schrijven wil ik u op de hoogte stellen van enkele voor onze zaak relevante edoch verontrustende zaken die mij ter ore zijn gekomen. Naar het schijnt heeft de politiecommissaris hernieuwde belangstelling opgevat voor de rechtsorde in uw deel van de stad, hetgeen zal betekenen dat er een toename van patrouilles en politieoptreden zal plaatsvinden. De controlerende macht heeft hierbij een bijzondere interesse in uw ondernemingen getoond.'

De roodharige keek de Drost verdwaasd aan.

'Er komen meer juten naar de Jordaan, Ronnie.' En tegen de man in het zwart zei hij: 'Ga door, vent.'

'Een dergelijke provocatie is een vorm van machtsvertoon die mijns inziens als buitenproportioneel kan worden beschouwd en zou derhalve beantwoord dienen te worden.'

'Ze komen herrie schoppen.'

'Dit zou de aanleiding moeten zijn voor de opstand die de status quo moet veranderen. Ik waag u te adviseren de provocatie te beantwoorden. Desgewenst kan ik financiële middelen beschikbaar stellen om u daadkrachtig te ondersteunen bij uw verweer.' De Drost stak een sigaret op en staarde peinzend naar de lucht.

'Mijn man, Rowel, kan fungeren als bemiddelaar en contactpersoon, aangezien het mij, vanwege mijn ondernemingen, niet toegestaan wordt u nader bij te staan. Verzoekende deze berichtgeving als strikt vertrouwelijk te beschouwen en het schrijven te vernietigen na kennisgeving. Met gepaste achting...'

'Ja ja, houd maar op. Ik snap het al.' De Drost gooide zijn peuk op de grond, draaide zich om en liep een paar passen in de richting van de bar waar Lotte stond.

'Dus het gaat beginnen. Dat had ik niet verwacht. Niet nu al,' zei hij tegen zichzelf. Hij liep terug naar de man met de kraalogen, griste de brief uit zijn handen en verscheurde hem. 'Zeg maar tegen je baas dat ik duizend gulden nodig heb. Om te beginnen. En neem wat te drinken van me. Lotte helpt je wel even. O ja, en zeg hem naar de kapper te gaan. Voor het begint moet ik hem nog een keer spreken.'

De confrontatie met de man die haar had ontvoerd was voor Anna onhoudbaar. Zelfs met Lotte op de voorgrond stokte iedere ademhaling in haar keel. Wat zou er gebeuren als hij haar herkende? Ze was bang voor de man, maar de onrust die hij haar bezorgde beangstigde haar nog meer. Het had zelfs effect op de zelfverzekerdheid van Lotte. Ze schonk een beker vol met de goedkope jenever die in karaffen onder de toog stond.

'Als je wilt, kunnen we dit ook ergens anders opdrinken,' zei ze tegen de man.

'Je hoeft niet met me naar bed.'

'Waarom dacht je dat ik dat bedoelde?'

'Omdat ik weet wie je bent.'

Nu kwam zelfs Lotte niet meer uit haar woorden.

'Ik heb je meegenomen. Ik zie dat je me herkent.'

Ze draaide zich om en keek naar de Drost, die een groep van vier mannen om zich heen had verzameld.

'Ik dacht dat je bij Weisenthal zou zitten. Wat is er gebeurd?'

Het duurde even voor ze de woorden vond. 'Ik kon het niet. Je hebt me naar de hel gebracht.'

'De hel? En hoe noem je dit dan?'

'Dit is de plek waar mensen naartoe worden gestuurd als ze zich hebben misdragen in de hel.'

'Is dat gebeurd dan? Dat moet wel. Ik dacht dat ze je wel kon helpen, maar dat was misschien een illusie.'

'Er is niemand meer die me kan helpen.'

'Dat is waar. Dat ken ik. Iedereen is op zichzelf aangewezen. Als je dat beseft, dan ben je beter af. Hoe is het met haar?'

'Met wie?'

'Met Johanna.'

'Wie is dat?'

'Madam Rowel. Hoe is het met haar?'

‘Ze is een monster. Wat kan jou dat nou schelen? Ik hoop dat ze brandt. Dat ze krijgt wat ze verdient. Ik hoop dat deze hele stad krijgt wat ze verdient. En ik hoop dat ze beginnen met jou.’

‘Dat zal wel. En waarschijnlijk komt dat nog uit ook. Er deugt hier niemand, ikzelf ook niet.’

De Drost kwam op hen afgelopen. De zwarte man liep hem tegemoet. Na twee passen draaide hij zich om. ‘Ik hoop dat je hier weg komt. Wacht er niet te lang mee. Niemand zal je helpen.’

De woorden brandden gaten in Anna’s hoofd.

HOOFDSTUK X

De middernachtzendelingen

83

Het was waar, Maison Steen aan 't Singel was gesloten. Van Kooten, de eigenaar, had planken voor de ruiten getimmerd en was met de noorderzon vertrokken. Zijn personeel kwam er pas achter toen het de volgende dag op de stoep stond.

Rooie Ronnie had woord gehouden en bracht, een paar dagen nadat hij met Johanna had gesproken, drie meisjes mee. Het waren niet de mooiste, eerder wat te ruig naar haar smaak, maar ze waren ervaren en werkten hard. Dat was ook nodig, want de klandizie was sinds de sluiting van Steen bijna verdubbeld. Voute was zijn belofte nagekomen en de structurele patrouilles hadden de Bijbelfanaten verdreven. Zo nu en dan was er nog wel een opstootje voor de deur, maar die waren altijd van korte duur. Voor nu leek de wind te zijn gaan liggen en dat veroorzaakte een uitzonderlijk goed humeur bij Johanna.

'We organiseren een feest, iets met een thema,' zei ze vanuit het niets nadat Bo en Kool die middag aan de grote schoonmaak waren begonnen. Kool wachtte de reactie van Bo af voor hij in het enthousiasme durfde te delen. Sinds de dood van Rolf was er geen thema-avond meer georganiseerd, en dat terwijl die standaard tot de hoogtepunten van het maison hadden behoord. Het was niet alleen goed voor de omzet – de avond werd met veel bravoure aangekondigd en de klanten, zeker de vaste, maakten er serieus werk van – maar ook voor de sfeer. De dames keken er vaak erg naar uit en hadden het dagen van tevoren nergens anders over. Ze haalden alles uit de kast om hun jurken en kostuums zo goed mogelijk aan te passen aan het thema. Ook Bo en Kool deden hun best. Ze droegen de kostuums die Johanna voor ze kocht met trots en decoreerden de salon met veel aandacht voor detail.

'Wat wordt het thema?' vroeg Kool, iets harder en enthousiaster dan gepast was.

'Carnaval?' probeerde Bo, die zijn zuidelijke afkomst maar moeilijk van zich af wist te schudden in de hoofdstad.

'Een maskerade!' gokte Kool.

'Dat hebben we al gedaan.'

'Een togafeest.'

'Het koningsbal.' Kool suste zijn kompaan, die even vergat dat het een publiek geheim was dat de koning in vroegere jaren in het grootste geheim het bordeel van Johanna frequent had bezocht.

'Dat is een goed idee. Een koningsbal,' zei Johanna tegen niemand in het bijzonder.

Kool keek onbenullig naar Bo. 'Zo laten we aan de stad zien dat we uit het juiste hout gesneden zijn. Geen rood maar oranje. Dat zullen onze klanten in deze tijden kunnen waarderen.'

'We moeten oranjebitter hebben! En veel whisky,' riep Kool. 'Hoe komen we daaraan?'

'Dat ga ik uitzoeken,' zei Johanna. 'Kondigen jullie het maar aan bij de meisjes. Zij zullen genoeg ideeën hebben voor de aankleding.'

84

Die middag had ze een afspraak met notaris Vroom. Ze had voorgesteld elkaar te ontmoeten bij Die Port van Cleve voor een middagmaal, maar hij had haar laten weten toch liever bij het maison langs te komen. Ze was het gewend. Binnen de beschermende muren van haar maison mocht ze stralen, maar daarbuiten vertegenwoordigde ze de publieke schande. Vroeger keken de mannen en vrouwen om als ze langs de Amsterdamse grachten liep, de mannen verlustigd en de vrouwen jaloers. Nu staarden ze naar de grond of wendden hun blik af. Ze was van een vlinder veranderd in een mot die alleen gedoogd werd als ze in de schaduwen bleef fladderen.

De notaris was stipt als altijd en kwam via de achteringang binnen.

'Mevrouw Rowel, wat een aangename dag voor zo'n aangenaam onderhoud.' Vroom hield het jasje van zijn pak aanvankelijk over zijn arm gevouwen maar gaf hem uiteindelijk toch aan Bo terwijl hij zijn manchetten losmaakte.

'Toe maar, meneer Vroom. Houdt u nog wat kleren aan? Ik ben ook maar gewoon een vrouw van vlees en bloed.' Ze lachte om de onschuldig bedoelde humor van haar opmerking te onderstrepen.

'Ach, maakt u zich geen zorgen, mevrouw Rowel. Dit is een zakelijk bezoek. Maar dat betekent niet dat ik een verfrissend drankje zou afslaan. Heeft u toevallig een fles chablis koud staan?'

'Een uitstekende keuze. Ik zal Bo even wegsturen. Waar wilt u zitten?'

'Misschien kunnen we in uw achtertuin plaatsnemen? Vooropgesteld dat u daar een schaduwrijke plek heeft, natuurlijk.' De tuin was een week eerder zo goed als dat kon opgeruimd. Het kwam niet of zelden voor dat er klanten naar buiten wilden. De bescherming van haar muren was een voorwaarde voor het bezoek van haar klandizie.

85

Op de stoelen die Kool voor hen uit de salon had gehaald dronken ze chablis. Het was voor de derde dag op rij drukkend warm in de stad, maar in de schaduw en in de openlucht was het nog enigszins acceptabel.

'Als u benieuwd bent naar de stand van zaken en de omzet, dan heb ik uitsluitend goed nieuws voor u, meneer Vroom. We maken goede tijden door.'

'Ik hoorde al zoiets. Het verdwijnen van Steen zal niet slecht uitkomen.'

'U bent goed op de hoogte, meneer. Dát, en het feit dat de kerkgangers ons huis vooralsnog links laten liggen, zorgt voor drukke tijden.'

'Het is u gegund, mevrouw. Laten we de zaken dan maar even met rust laten.'

'Meneer Vroom, komt u soms voor een meisje? We zijn eigenlijk nog niet open, maar ik kan natuurlijk iemand voor u roepen.'

'Nee, mevrouw Rowel. Dank u wel. Vandaag niet. Het is sowieso alweer een tijd geleden dat ik van die diensten gebruik mocht maken. Of wacht, misschien heeft u deels gelijk. Ik kom wel voor een meisje.'

'Nu heeft u mijn onverdeelde aandacht.'

'Nog niet zo lang geleden heeft u een nieuw meisje onder uw hoede genomen. Haar komst naar de stad was niet geheel toevallig. Ik heb die georganiseerd. Ik kom informeren naar haar functioneren.'

De directheid van de notaris verraste haar. 'U doelt toch niet op de jonge Anna, meneer Vroom?'

'Het was een meisje van het veen.'

'Dat is erg ongelukkig, meneer Vroom.'

'Hoe bedoelt u?'

'Als ik had geweten dat Anna van u afkomstig was, dan had ik het nooit zover laten komen.' Johanna voelde dat ze rode vlekken in haar hals kreeg. Misschien kwam het door de wijn, of misschien door de confrontatie. Ze voelde zich opgelaten en had er nu spijt van dat ze zich zo licht had opgemaakt. 'Het meisje was onhandelbaar, ziet u. Ze was agressief. Tegenover de andere meisjes en naar mij toe, en dat is allemaal nog niet zo erg, maar ze viel zelfs de klanten aan.'

'Wat zegt u?'

'Het is niet zo'n fraai verhaal en ik zal het een heer als u besparen, maar u moet van mij aannemen dat er geen andere oplossing was dan haar te laten gaan.'

Ze zag dat Vroom was verschoven naar het puntje van zijn stoel. Was hij kwaad of was hij simpelweg geïntrigeerd geraakt door het verhaal?

'Ik wil het precies weten.'

Johanna vertelde over de rode jood en de advocaat-generaal en wijdde uit als de notaris daarom vroeg. Een enkele keer lachte hij, maar voor het grootste deel luisterde hij naar het verhaal met zijn hand voor zijn mond, zonder een slok te nemen van de wijn.

'Verbazingwekkend,' zei Vroom toen ze klaar was met haar verhaal. 'En waar is ze nu?'

Johanna zocht naar de juiste woorden. 'Ze is niet meer bij ons. Ik heb haar moeten verkopen. Ze was onhandelbaar, ziet u.'

Vroom keek teleurgesteld. 'Aan wie?'

'Aan de sloppenheer. Hij heeft haar meegenomen.'

Vroom schonk zijn glas bij. De wijn draaide hij rond in zijn glas. 'Ik wil dat u haar terughaalt. Koste wat kost. Ik wil haar ontmoeten.'

'Meneer Vroom, ik ben bang dat dat niet zal gaan.'

'Hoe bedoel je?' Voor de eerste keer sinds hun ontmoeting veranderde zijn toon en tutoyeerde hij haar. 'Je regelt het maar. Als het om geld gaat...'

'Nee, dat is het niet. Het is de Drost. Ik weet niet eens of ze nog wel leeft. Het gaat er daar ruig aan toe. De sloppen betekenen vaak het einde voor dit soort meisjes.'

'Dat hoop ik toch niet. Je zou er goed aan doen dit meisje terug te halen. Ik zal de onkosten vergoeden. Ze fascineert me. Ik wil haar ontmoeten. Ik wil dat u dadelijk actie onderneemt.' Vroom bekrachtigde zijn woorden door het lege wijnglas met een klap op de lage tafel te zetten. Hij stond op. 'Doet u geen moeite. Blijft u alstublieft zitten. Ik zal mijn jas ophalen bij Bo. Ik reken erop dat u de kwestie in orde maakt. Ik kom over een paar dagen weer bij u langs. Ik wens u nog een zeer aangename dag, mevrouw.'

86

'Ik heb een cowboyhoed gevonden!' Kool kwam met een witte zonnehoed de salon binnengelopen.

'Dat is een vrouwenhoed, idioot.' Bo gooide een borstel naar zijn hoofd. Kool wist het ding nog maar net te ontwijken en het water spatte tegen de muur.

'Genoeg!' Johanna liep vanuit de tuin de salon binnen. 'Als dit zo doorgaat, maak ik nu een einde aan dat hele feest! Nog voor het is begonnen.'

'Mevrouw? Het was maar gekkigheid,' probeerde Kool.

'Ik wil dat je naar de sloppen gaat.'

'Nu? Het is om te stikken daar.'

'Je gaat naar de sloppen. Bo gaat met je mee. Je zoekt de Drost op en je informeert naar whisky. Als hij die kan leveren, doe je een grote bestelling. Daarnaast, en dit is heel belangrijk, informeer je naar Anna.'

'Anna?'

'Als hij haar nog heeft, wil ik dat je uitzoekt of ze terug kan komen. Misschien is hij vrijgevig als we een grote bestelling bij hem plaatsen.'

'We kunnen toch niet zomaar op hem aflopen?'

'Je regelt het maar, of wilde je soms bij Steen gaan werken? En ik duld geen uitstel, jullie vertrekken direct.'

87

Bo en Kool kwamen vlak voor openingstijd terug. Ze hadden de Drost niet gesproken, maar hadden bij rooie Ronnie geïnformeerd naar de whisky en naar Anna. Voor de whisky konden ze een week later terugkomen en volgens Ronnie werkte er geen meisje dat Anna heette.

Dat laatste baarde Johanna zorgen. Ze moest bij de notaris in de gunst blijven. Vooralsnog had hij haar uiterst hoffelijk behandeld, maar ze had het gevoel dat zijn humeur eenvoudig kon omslaan. Ze had genoeg kennis van de wispelturigheid van mannen om dat in te schatten. Mannen zoals hij waren net kinderen. Als ze iets wilden, moesten ze dat krijgen. Als ze uitgekeken waren op een speeltje, dan gooiden ze het weg. Ze was ervan overtuigd dat het maison voor Vroom niet meer was dan een speeltje, maar op de een of andere manier had hij de eigendomsrechten veiliggesteld en als huisbaas had hij zich meer dan soepel opgesteld. Ze betaalde geen huur en hij vroeg maar een klein percentage van de winst.

Ze zou zelf in contact moeten treden met de Drost. Daar zag ze tegen op, maar het alternatief was op de lange termijn veel minder aantrekkelijk. Wat als Vroom zijn eigendomspapieren zou verkopen? Of als hij zou besluiten een andere huurder te nemen? In deze stad zou niemand haar zomaar iets gunnen en bestonden haar rechten alleen maar bij de gratie van anderen, en wat ze hun zou geven in ruil voor wat gunsten. Anna was misschien maar een pion, maar op dit moment was ze noodzakelijk voor het voortbestaan van het maison, en zonder het maison had Johanna geen bestaansrecht.

88

Johanna kwam pas na etenstijd terug van haar kantoor. Het leek wel of ze iedere dag meer tijd nodig had voor het camoufleren van de ouderdomssporen in haar gezicht.

In de hal hoorde ze al dat er iets niet klopte. Het was te rustig. Normaal was het rumoer al in het trappengat van haar eigen vertrekken te horen, maar nu was het volledig stil. Toen ze de salon binnenschreed, zag ze dat er geen klanten binnen waren. De meisjes, die rond het buffet hingen om Bo en Kool wat te plagen, gingen direct in het gelid staan en verspreidden zich door de ruimte. Voor ze haar mond opentrok controleerde ze nog eenmaal de ruimte om zich ervan te verzekeren dat er niet toch toevallig een verborgen klant was.

'Hoe kan dit? Waar is iedereen?' Ze stapte ferm in de richting van het buffet.

'Ze staan op de stoep, mevrouw,' zei Bo.

'Wie staan op de stoep? Haal ze dan binnen! Waar slaat dit op?'

'De protestanten, de kerkgangers.'

'Dan ga je naar de politie! Kool!'

'Die is daar al geweest, mevrouw. Er was niemand op het bureau. Alleen een klerk, en die zei dat er vrijwel geen patrouilles in de binnenstad zijn vanavond. Ze zijn naar de Jordaan.'

'Kool!'

Kool kwam van achter de salon binnengelopen, zogenaamd om flessen aan te vullen. 'Ja, mevrouw?'

'Waarom hebben jullie die idioten nog niet weggestuurd?'

'Dat hebben we geprobeerd, mevrouw. Ze zijn met z'n zessen. Zodra je wat zegt, beginnen ze een zedenpreek. Ik heb er eentje weggeduwd, maar ze kwamen direct op me af. Ik heb geen zin om mijn benen te laten breken.'

'Kun je geen hulp halen?' vroeg ze. 'Ik betaal ervoor.'

'Iedereen is in de Jordaan, mevrouw. Er is daar weer iets aan de hand.'

'Dus ik moet het zelf weer oplossen! Dit is toch godgeklaagd!' Ze stampte met grote passen naar de hal. Bo en Kool liepen achter haar aan. Bij de voordeur pauzeerde ze even om op adem te komen voor ze hem openzwaaide.

'Heren, wat mag ik voor u betekenen?' Ze hield haar armen langs haar lichaam en lachte beleefd. Er stonden zes mannen voor haar deur. Ze droegen allemaal zwarte kleding en hadden zich opgesteld in een halve cirkel. Ze zag hoe de voorbijgangers met een grote boog om de mannen heen liepen.

De langste van het zestal trad naar voren; hij was kennelijk de zelfverklaarde woordvoerder van het stel.

'Mevrouw, wij komen om te verkondigen dat het nog niet te laat is. De Heer is genadig en als u zich aan Zijn voeten werpt, zal Zijn oordeel u bevrijden.'

'Dat begrijp ik.' Johanna beet op haar wang om kalm te blijven. 'En ik ben zeer zeker benieuwd naar uw boodschap, maar vanavond kunt u deze helaas niet overbrengen. Ziet u, ik heb een zaak te runnen. Kunt u misschien morgenochtend terugkomen? Ik zorg voor verse koffie en dan kunnen we het uitgebreid hebben over een oordeel en mijn bevrijding.'

De man leek niet vatbaar voor haar cynisme. 'Mevrouw, uw zaak is nu precies het probleem. Hierbinnen wordt het kwaad gevoed. De verzoekingen en verleidingen die u uw bezoekers presenteert komen van de Satan. Hij gebruikt u, misbruikt u wellicht, als zijn spreekbuis. U bent ook een slachtoffer, maar het is nog niet te laat. Hij kan u redden, want Hij is genadig. Werpt u zich aan Zijn voeten!'

Johanna keek naar Kool en Bo die achter haar stonden. Met deze dwazen viel niet te redeneren. Het waren geen mannen, althans niet volgens haar definitie, het waren schapen. 'Heren, ik verzoek u nog eenmaal vriendelijk uw belemmeringen te staken voor ik mijn maatregelen zal nemen.'

'Mevrouw, daalt u niet verder af in de diepte. De duivel zal u opslokken. Accepteer onze hulp. Laat u door Hem bevrijden.'

Johanna smeet de voordeur met al haar kracht dicht, duwde Bo en Kool aan de kant en liep stampvoetend naar het buffet.

'Kool, haal emmers! Bo, vul ze met water! Allemaal naar boven. Als de toorn van boven komt, willen ze misschien wel luisteren.'

89

De ramen in de poederkamer waren al jaren niet meer open geweest, en het kostte wat moeite ze omhoog te schuiven. Er stonden acht emmers in de kamer, gevuld met water. Bo en Kool konden hun voorpret nauwelijks verbergen.

'Daar komt de zondvloed,' zei Bo. Kool stond te trappelen van ongeduld. 'We gaan ze nog een keertje dopen.' Hij wachtte op het knikje van Johanna en stortte de inhoud van zijn emmer over de kerkgangers. Bo volgde direct daarna en Kool had alweer een tweede emmer te pakken. Johanna zwaaide haar emmer met haar rechterhand naar achteren en mikte op de achterste mannen. Ze hield het hengsel vast met haar linkerhand, maar verloor vrijwel meteen haar grip. De emmer zwaaide met inhoud en al naar beneden en vloog in een rechte lijn op de lange woordvoerder af. Zonder een druppel water te morsen raakte de rand van de zware houten emmer een van de mannen op zijn kruin, en de man stortte direct tegen de grond. Ze zag hoe het bloed een donkere, bijna zwarte plas vormde op de stoep voor haar voordeur. Drie van de mannen renden weg, de andere twee probeerden hun leider aan zijn armen weg te trekken.

Johanna stond stokstijf voor het raam. Toen Kool en Bo buiten de plas bloed wegspoelden, stond ze er nog steeds.

HOOFDSTUK XI

De voorwaarde

90

De afscheidsreceptie van de weduwe Pigeaud vond plaats in de spiegelzaal van het nieuwe hotel aan de Amstel. Vroom verafschuwde dit soort evenementen, niet in de laatste plaats omdat hij zich door zijn vrouw moest laten vergezellen. De sociale etiquette, de omslachtige gesprekken en de mierzoete protserigheid die het geheel moest omlijsten bezorgden hem een maagzweer, net als het overduidelijke chagrijn van de andere bezoekers, die hun avond overal wilden doorbrengen behalve in dit gezelschap. Zijn vrouw, al sinds het middaguur onder invloed van de opiumtinctuur die ze op clandestien recept verkreeg, was niet meer in staat zichzelf fatsoenlijk te presenteren, dus besloot Vroom haar met een glas champagne op een stoel achter een tafel in de hoek van de zaal te verbergen. Hij nam zich voor zijn ronde te doen en zich daarna zo zichtbaar mogelijk op te houden in de buurt van de weduwe. Dit waren de laatste loodjes: zodra zij de stad verlaten had, kon hij zich onbekommerd ontfermen over haar fortuin, dat zijn eigen vermogen bijna zou verdubbelen.

De receptie werd bezocht door een bijzondere samenstelling van hooggeplaatste prominenten en aansprekende namen uit de culturele sector. Schrijvers, kunstenaars en acteurs waren als decoratie uitgenodigd om de adellijke en bestuurlijke aanwezigheid op een lichtvoetige manier op te fleuren. De potpourri van de high society moest de status van de weduwe benadrukken, maar in werkelijkheid was niemand hier om afscheid van haar te nemen. Mensen die weggingen waren niet interessant. De aanwezigen waren hier voor elkaar. Ze waren hier om uit te zoeken wat ze nog konden halen van degenen die bleven. Die hypocrisie zou voor Vroom reden genoeg zijn om weg te blijven, ware het niet dat hij om precies diezelfde reden naar het hotel was gekomen.

Dus maakte hij zijn rondje langs de wethouder met de vouw in zijn kraag, sprak hij even met de architect en zijn minnares, of 'nichtje' zoals hij haar voorstelde, begroette hij de hoteleigenaar die volgens de geruchten bijna bankroet was en proostte hij met de bankdirecteur en zijn 'collega' die, naar de laatste verhalen, meermaals samen in bed betrapt waren.

In het epicentrum van de opsmuk lachte de weduwe krampachtig haar rottende gebit bloot. Ze bezweek bijna onder het gewicht van de sieraden die ze droeg, maar toch voltooide ze de urenlange audiëntie kranig op twee benen terwijl Vrooms vrouw waarschijnlijk al in slaap gesukkeld was op de stoel bij de gordijnen.

'Freule, u bent het stralende middelpunt van de stad,' zei hij toen hij eindelijk aan de beurt was om haar te begroeten. 'Welk een leegte zult u achterlaten met uw vertrek. Ik vraag u, is er dan niets wat u kan overhalen te blijven?'

'Heer Vroom, wat alleraardigst van u om dat te zeggen, maar helaas, ik heb mijn beslissing genomen. Bovendien, onder ons gezegd en gezwegen: als ik om mij heen kijk, is er meer dan genoeg leegheid om mijn leegte te vullen.' Het leek alsof ze hem een knipoog wilde geven, maar het bleef bij een knikje.

'Daar heeft u misschien wel gelijk in. Als we nog meer lucht zouden toelaten in deze ruimte, zou het hotel opstijgen als een luchtballon.'

De oude vrouw verslikte zich bijna in haar champagne, maar herpakte zich direct en behield haar statige verschijning. 'Waarom loopt u niet even met me mee, notaris? Het defilé heeft lang genoeg geduurd. Laten we ergens gaan zitten.'

Vroom nam haar bij de arm en begeleidde haar naar de fauteuils die tegen de muur stonden. 'Als u mij de nieuwsgierigheid vergeeft, mevrouw, wanneer bent u van plan onze stad te verlaten?'

'Natuurlijk mag u dat vragen. Daarom zijn we hier immers. Dit is mijn vaarwel. Mijn spullen zijn al gepakt. Vannacht slaap ik in het hotel en morgen trek ik oostwaarts.'

'Zo snel al?' Het kostte Vroom moeite zijn vreugde te verbergen.

'Niet dralen na een beslissing. Dat zei mijn man altijd. Het heeft geen zin om terug te kijken of te twijfelen. Altijd voorwaarts. Dat heb ik mijn hele leven gedaan en dat zal ik in mijn laatste dagen ook niet anders doen.'

'U heeft gelijk. Alle formaliteiten zijn in orde. Uw nalatenschap is veiliggesteld en in goede handen, en natuurlijk kom ik u zo nu en dan nog verslag doen.'

'Notaris, vanavond zijn we toch zeker niet aan het werk? Maar ik vergeef het u en ik waardeer uw professionaliteit. Ik heb alle vertrouwen in u en natuurlijk bent u altijd van harte welkom. Al kan ik me voorstellen dat u het veel te druk heeft om een oude dame als ik te bezoeken.'

'Nonsens, freule. Wij zijn immers oude vrienden. Voor u maak ik tijd.'

'Goed dan. Als u het niet laten kunt. En nu weer aan het werk. Genoeg gerust, de gasten wachten. Als u mij vergeeft...?' Vroom hielp de oude vrouw uit haar stoel en pakte een nieuw glas champagne van het dienblad dat hem passeerde. Dit was de beloning voor het schalkse gedraal, de eindeloze koffiegesprekken en de oeverloze beleefdheid. Hij zette het glas aan zijn mond en dronk het in één teug leeg. In de hoek zag hij zijn vrouw zitten. Ze hing in de stoel, met haar hoofd tegen de muur geleund. Het was een walgelijke vertoning, maar zolang ze daar zat, had hij geen last van haar. Hij kon haar meenemen naar buiten, maar dat zou zijn humeur ongetwijfeld verpesten, dus draaide hij zich om en pakte een nieuw glas champagne.

91

Toen Vroom zijn tweede ronde door de zaal maakte, zag hij dat zijn vrouw verdwenen was. Ze was vast naar huis gegaan. Dat gebeurde vaker. Als ze wakker schrok uit een roes werd ze melancholisch en was haar somberheid alleen te sussen met een nieuwe slok laudanum. Als ze op deze manier zou doorgaan, zou ze hem niet veel langer tot last zijn. Haar medicijn holde haar uit en aan een lege huls had hij meer dan genoeg.

Het was na middernacht en de spiegelzaal druppelde langzaam leeg. Vroom wilde nog niet naar huis, en hij besloot via de Pijp terug te lopen en alle verstrooiing die hem onderweg trof aan te grijpen.

In de lobby werd hij op zijn rug getikt door commissaris Voute. Die droeg zijn gala-uniform, maar Vroom wist vrijwel zeker dat hij hem niet op de receptie had gezien. 'Commissaris, ik wens u een fijne avond. Helaas hebben wij elkaar niet getroffen. Ik ga nu op huis aan.'

'Dat geeft niet, meneer Vroom. Ik zal een stuk met u meelopen. Een politie-escorte op dit uur zult u vast niet afslaan.' Hij legde zijn klamme hand op Vrooms schouder.

'Ik stel uw gebaar op prijs, commissaris, maar als het u niet uitmaakt, zou ik graag nog een avondwandeling maken.'

'Het maakt mij wel uit. Er zijn wat dingen waar ik met u over wil praten.' Dat was typisch iets voor Voute, om een vrijwel volledig geslaagde avond te verzieken met marginaal geneuzel.

'In dat geval: na u, commissaris.'

Ze passeerden de brug en namen verderop een veerpont over de Amstel. De veerman leek geen interesse te tonen in het opgedirkte tweetal en rolde met één hand een sigaret tegen zijn broekspijp.

'U heeft niets te veel gezegd over de situatie in de Jordaan. We zijn gisteren gaan patrouilleren en hebben tijdens controles twaalf aanhoudingen verricht. Twee daarvan lokten direct opstootjes uit. Mijn mannen moesten vluchten voor de menigte. Het is een broeiplaats van verderf.'

'Dat verbaast me niets. Die Domela Nieuwenhuis wint aan populariteit en het volk slikt zijn fabels als zoete koek.'

'Ik heb de wethouder verwittigd en die reageerde ontstemd. Hij is geen voorstander van de directe aanpak en gelooft dat de rust vanzelf terugkeert.'

'Dat zal wel, maar u en ik weten dat er voor deze criminelen maar één aanpak mogelijk is. Ze spreken maar één taal en dat is die van de harde hand.'

'Misschien heeft u gelijk, maar de realiteit is dat ik niet beschik over de middelen om op te treden zoals ik zou willen. Zeker niet zonder de steun van de wethouder.'

'Sinds wanneer luistert u naar de wethouder?'

Bij mannen als Voute was vleierij net zo doeltreffend als bij het patriciaat. Het was alleen belangrijk dat je het er niet te dik bovenop legde. Zijn ego werd gestreeld als hem macht werd toegedicht die hij in werkelijkheid niet bezat.

'Daar heeft u gelijk in. De enige beperking die ik heb is een financiële.' Nu was het hoge woord eruit. Voute had meer geld nodig. Het zou zoveel makkelijker zijn als iedereen gewoon vroeg wat hij nodig had. De tijd die het gedraal vergde was minstens zo kostbaar als de concrete smeekbede. Toch koos Vroom ervoor Voute nog even in onzekerheid te laten. Hij genoot van het ongemak dat hij veroorzaakte bij de politiecommissaris.

'Ik heb een tekort aan mannen en aan materieel. Ik kan geen extra uren betalen en ik kan de mannen die zo dapper zijn naar de Jordaan te gaan niet extra belonen. Op deze manier kan ik niet ten strijde trekken. Ik geef het niet graag toe, maar in dit geval zou het kunnen betekenen dat we het slagveld moeten verlaten nog voor de oorlog werkelijk begonnen is.'

'De wethouder draait wel bij als hij ziet dat het ernst is.'

‘U begrijpt me misschien verkeerd, notaris. Het zal nooit zover komen. Het wordt nooit ernst als wij niet kunnen beschikken over de middelen om die opstanden met evenveel geweld te beantwoorden.’

‘Misschien begrijp ik u toch, commissaris. Wat als ik een bijdrage zou leveren aan deze campagne? Namens de stichtingen die ik vertegenwoordig, die evenzeer een belang hebben bij een harmonieuze stad, ben ik bereid uw strijd om de Jordaan financieel te ondersteunen. Die gelden komen dan wellicht niet van het gemeentehuis, maar u kunt dit zien als een donatie voor de rechtsorde. Beter materiaal, betere mensen, een stevigere politiemacht, dat is een doel waar wij graag aan bijdragen. Kunt u mij een inschatting geven van de kosten die u wenst te maken?’

De veerpont had de overkant bereikt. Voute betaalde de veerman en ondersteunde Vroom toen hij op de kant stapte.

‘U bent een goed burger, meneer. Zoals u zouden we er meer moeten hebben. Laat mij een kleine begroting maken van de te verwachten onkosten. Ik zal morgen een agent langssturen met mijn bericht.’

‘Dan zal ik de gelden per ommegaande ter beschikking stellen, commissaris. Staakt uw goede werk niet.’

‘Wij zullen doorgaan. Ik zal u verder alleen laten genieten van deze mooie nacht. De plicht roept.’

92

De wandeling naar de Herengracht bracht hem niet de ontlading die hij zocht, maar zorgde er wel voor dat hij de roes van de champagne weer verloor. Toen hij langs zijn kantoor liep, besloot hij naar binnen te gaan. Hij gunde zich nog een glas cognac en een blik op zijn kaart.

Binnen trof hij Rowel, die in het donker achter het bureau zat. De kaart lag uitgevouwen voor hem.

'Dus dit is je plan?' Vroom pakte een glas en schonk het halfvol.

'Jij weet niks van mijn plan. Het gaat je niks aan en je zult het nooit begrijpen. Wat doe jij hier? Je moet bij de Drost zitten.'

'Hij heeft me teruggestuurd. Hij wil meer dan je dacht. Geld voor wapens en voor mensen.'

'Typisch.' Vroom gebaarde Rowel op te staan en nam vervolgens plaats in de bureaustoel. Hij kon Rowel niet vertrouwen, maar had geen zin en niet de energie om een façade op te houden. 'Heeft hij ook gezegd hoeveel?'

'Tweeduizend.'

De hoogte van het bedrag verbaasde Vroom niet. Hij had de investering ingecalculeerd. Over het geheel gezien waren het kruimels. De oorlog financieren, zelfs als dat van twee kanten moest, was niet het moeilijkste onderdeel. Dat kwam daarna pas, als hij de resten weer moest opvegen. Daar zou hij Voute en de Drost allebei nog voor nodig kunnen hebben, daarom konden ze hem nu vragen wat ze maar wilden. Vroom liep naar de kluis in zijn kantoor en stopte de contanten in een envelop.

'Alsjeblieft. Met mijn complimenten. Was er nog meer?'

'Hij zei dat je naar de kapper moest. Geen idee wat hij daarmee bedoelde.'

'Ik wel. Dat betekent dat hij meer wil. De jakhals. Misschien heb ik hem onderschat. Zeg maar dat ik er morgenochtend ben. Kun je nu vertrekken?'

'Nog één ding. Ik zag het meisje van Weisenthal daar.'

'Welk meisje?'

'Het meisje van het veen. Ik heb haar gehaald. Ze is weg bij Weisenthal.'

'Dat hoorde ik. Dus ze leeft nog.'

'Ze leeft nog, maar ze is veranderd.'

'Dat verbaast me niet.'

'Ik herkende haar nauwelijks. Ze is harder geworden. De woede is in haar geslopen.'

'Ze is niet gebroken, hè? Dat hoorde ik al.'

'Ik weet het niet. Er zat een leegte in haar die ik nooit eerder gezien heb.'

'Ik wil dat je haar terug laat brengen.'

'Terug naar Groningen?'

'Nee, natuurlijk niet. Terug naar Weisenthal. Laat die roodharige haar brengen. Ze interesseert me.'

'Dat doet hij niet. De Drost heeft haar ingelijfd. Ze is nu zijn bezit. Hij zal nooit toestaan dat ze vertrekt.'

'Vraag hem wat het kost. Alles heeft een prijs. Zeker voor die jakhals.' Hij dronk zijn glas leeg en vouwde de kaart dicht. 'Nu wil ik dat je gaat. Het zal niet lang meer duren.'

93

Die nacht kon Vroom moeilijk in slaap komen. Misschien kwam het door de aanstaande strijd die door hem georkestreerd was, of misschien was het de combinatie van de wijn en de cognac. Hij dacht aan het meisje dat eerst bij Weisenthal had gezeten en nu bij de Drost zat, en voor het eerst sinds jaren dacht hij aan zijn vader. Het was de enige man in zijn leven voor wie hij werkelijke angst had gekend. Hij had zich nooit durven verzetten tegen de oude man. Als vader zijn hand hief, verwelkomde Vroom het pak slaag dat hem te wachten stond. Als hij zijn jeugd over zou mogen doen, zou hij dat nooit over zich heen laten komen, maar het was te laat. De littekens stonden al op zijn ziel en zijn vader was er niet meer om zich op te wreken.

In zekere zin was zijn fascinatie voor het meisje gebaseerd op een vreemd soort respect. Ze had zich instinctief verzet. Dat vergde moed. Buigen en breken was op de korte termijn wellicht de eenvoudigste oplossing, maar de opstand was een betere emotionele investering. Hij vroeg zich af of het meisje in staat zou zijn zich tegen hem te verzetten.

De komst van het meisje en zijn poging de Jordaan te ontvolken hadden in werkelijkheid niks met elkaar te maken, maar toch leek zij langzaam het symbool te worden. Ze was er geweest toen alles begon en ze zou het einde moeten vertegenwoordigen. Hij moest haar onderwerpen, al was het alleen maar om de strijd ook zelf te beleven.

94

Voor het eerst in dagen had het geregend die nacht. De droogte van de afgelopen weken had de aarde tot een korst geschroeid en het regenwater lag in grote plassen te wachten tot het kon bezinken. Vroom liep zigzaggend tussen de plassen naar zijn kapper aan het Fransepad. In de ochtend was de Jordaan nog steeds begaanbaar. Het volk sliep zijn roes uit of was allang aan het werk in de dokken of de fabrieken. De regenbui had de muffe zandlaag van de Jordaan gespoeld. De stank leek minder en het stof was verdwenen.

Een zwerfhond leste zijn dorst bij een grote plas voor de deur van de kapperszaak. Er waren twee balken in een kruis voor het grote raam getimmerd. Vroom voelde aan de deur, die afgesloten bleek. Hij klopte op het raam, maar zag door de kieren geen beweging.

'Weissman heeft zijn biezen gepakt.' Vroom herkende de stem van de Drost die achter hem stond. 'Je kunt veel zeggen van die ouwe. Hij knipt als een blinde en je bent je leven niet zeker tijdens een scheerbeurt, maar met zijn intuïtie is niks mis.'

'Waar is hij naartoe?'

'Weet ik het. Gewoon pleite. Misschien komt-ie nog terug, misschien niet, maar hij is vertrokken voor het gedonder uitbreekt en dat is slim.'

'Denk je dat hij gevlucht is? Heeft hij geen bericht achtergelaten?'

'Dat dénk ik niet, dat weet ik zeker. En het is niet eens mijn schuld. Kom, we lopen een stukje naar het westen. Aan de andere kant kan ik me beter even niet laten zien, als je begrijpt wat ik bedoel.' De Drost legde een arm om zijn schouder en trok hem mee in de richting van de Lijnbaansgracht. Vanuit zijn ooghoeken zag Vroom dat de man met de rode bakkebaarden hen op een afstandje volgde.

'Je wilde me spreken?' begon Vroom.

'Ik wilde je spreken, ja. Ik ontmoette dat mannetje van je en toen bedacht ik: dit gaat wel heel gemakkelijk voor die ouwe pennenlikker, of moet ik zeggen lijkenpikker.'

'Hoe bedoel je?'

'Jij houdt niet van vuile handen maken, hè?'

Vroom besloot zijn retoriek niet te beantwoorden.

'Dat geeft niet. Ieder zijn meug. Dat is ook niet de reden dat ik je wilde spreken. Ik heb het idee dat je niet helemaal open kaart speelt.'

Vroom liet het woord nog steeds aan de man die een arm over zijn schouder had liggen. 'Jij hebt een plannetje hè?'

'Hoe kom je daarbij?'

'Hoe ik daarbij kom? Nou, ik zat eens te denken. Wat heeft deze mooie meneer, de man met het dure maatpak, met de connecties en het grote huis aan de dure gracht, wat heeft die man nou aan gerommel in de sloppen?'

'En? Wat heb je bedacht?'

De Drost bleef stilstaan en draaide zich naar Vroom toe, tot op een paar centimeter, bijna neus aan neus. Hij stonk naar het zuur van de sloppen, verschaalde alcohol, braaksel, het rotte van voedsel en de pislucht van de mensen die zich ermee voedden. Hij veinsde een brede glimlach, stak zijn tong uit en likte de neus van Vroom.

'Ik weet het niet. En dat zint me niet. Jij hebt een plannetje en ik weet niet wat dat is.' Nu deed hij een stap achteruit, waardoor Vroom weer adem kon halen.

'Wat is dat nou voor een afspraak, compagnon? Hoe kunnen we nou samenwerken als ik niet weet waar we samen aan werken? Dus heb ik vannacht de arm van je mannetje even de verkeerde kant op gedraaid. Heel veel meer was er eigenlijk niet voor nodig. Hij begon meteen te jodelen als een Pruis. Hij had het over pandjes, en over een kaart. Nou weet je het natuurlijk nooit helemaal zeker met dit soort figuren, maar volgens mij sprak hij de waarheid. Ik geloof hem wel. Dus zijn we nu aanbeland bij het onfrisse deel van onze afspraak: óf jij vertelt me de rest van het verhaal, en dan ook echt alles, in woorden die we allemaal begrijpen en dus niet in jouw notarissentaal. Of Ronnie pakt je bij je enkels en hangt je ondersteboven in de gracht tot je niet meer beweegt. Daar is geen woord Chinees bij, dacht ik zo. Wat mag het wezen?'

Vroom had geen belang bij een fysieke confrontatie. Voor hem telde alleen het plan, en dat plan had een lange adem. Ergens had hij deze hobbel verwacht. De Drost was een probleem dat eenvoudig op te lossen was, als het zichzelf al niet zou oplossen. Het was het verstandigst een overeenkomst aan te gaan, zijn partnerschap uit te breiden. Uiteindelijk was deze zelfverklaarde sloppenheer toch maar een klein radertje in het geheel. Het stond Vroom wel tegen dat de ogenschijnlijke machtsbalans nu verschoven leek. Daarom wachtte hij met zijn antwoord tot zijn hartslag het mogelijk maakte zijn stem en houding de juiste overtuigingskracht te geven.

'Je bent slimmer dan ik dacht, De Winter. Misschien heb ik je onderschat. En je argumenten zijn sterk.' De Drost keek bijna glunderend naar de roodharige baviaan. Vroom ging verder: 'En eigenlijk heb je ook gelijk. Het zware werk rust op jouw schouders, dus het zou alleen maar eerlijk zijn om je deelgenoot te maken.'

'Alleen maar eerlijk.' De Drost knikte.

'Ik sta nog steeds achter alles wat ik je gezegd heb. Ik vind dat de Jordaan van het volk moet blijven en dat de hoge heren van het stadsbestuur er met hun tengels van af moeten blijven, maar dat belang wil ik op twee manieren nastreven.'

'Ga je gang, ik luister.'

'Ik maak jou sterk en weerbaar genoeg om de bemoeienis van de burgemeester buiten de Jordaan te houden...'

'Dat wisten we al.'

'... en daarnaast ben ik voornemens mijn vastgoedbelangen in de Jordaan te versterken.'

De Drost wachtte even en zette toen weer een stap dichterbij. Met zijn vuisten greep hij Vroom bij zijn revers. 'Kijk, en daar heb ik dus moeite mee hè, mannetje. Telkens als het belangrijk wordt, kom jij met je dure woorden aankakken. Zeg het nog maar een keertje en nu in gewoon Nederlands, alsjeblieft.'

Vroom zuchtte. Niet omdat hij zijn voornemen moest verklaren aan een kleine crimineel. Dat had hij al ingecalculeerd. Maar omdat hij gedwongen werd met dit soort primaten om te gaan om zijn doel te bereiken. Als de miezer die zijn pad doorkruiste zou begrijpen dat het plan van Vroom uiteindelijk ook beter was voor hem, voor iedereen in de stad, hoog- of laaggeboren, dan zou hij niet in de weg lopen. Dan zou hij hem dankbaar zijn en zich op zijn blote knieën in de modder voor hem storten om hem te bedanken. Dat was de tol van de intellectueel: constant omgeven zijn met onbegrip.

'Ik heb achttien panden in de Jordaan op het oog. Die wil ik kopen. Om dat te kunnen doen, heb ik baat bij onrust in de sloppen. Dat maakt de aankoop eenvoudiger en verdrijft eventuele concurrentie. Dat is alles.'

'Dat is niet alles. Wat wil je doen met die huizen?'

'Niks bijzonders. Ik knap ze op en wil ze verhuren. Gewoon aan dezelfde mensen die er al wonen. Daar heb ik geen belang bij. Het zijn maar zaken. Het is een goede investering en de huurinkomsten leveren wat geld op.'

'Ik wil mijn deel. Ik heb recht op mijn eerlijke deel.'

'Maar ik koop die panden. Het is mijn investering. Ik koop de panden met mijn geld.'

'Dondert niet. Ik doe het zware werk. Ik wil de helft van de huur, anders gaat het hele feest niet door.'

'Dat kan ik niet doen. Dan verdwijnt het rendement. Ik kan je nooit meer dan een vijfde geven. Dat is het absolute maximum.'

'Een derde. Of Ronnie pakt zijn stalen buis en versplintert je benen tot er onder je romp alleen nog maar twee zakjes met gruis bengelen. Zo zien de zaken er vanuit jouw brilletje uit, partner.' De Drost spuugde in zijn hand en stak zijn klauw uit. Vroom kende het ritueel inmiddels.

'Een derde, onder één keiharde voorwaarde.'

'En dat is?'

'Je brengt het meisje van Weisenthal terug.' Na die woorden liet hij zijn klauw even zakken.

'Wat kan jou dat schelen?'

'Ze bevalt me, ik wil haar bij Weisenthal kunnen bezoeken. Meer is het niet.'

Hij zag dat de Drost twijfelde. Hier mocht de afspraak niet op stuklopen, maar hij had de eis gesteld en hem nu intrekken zou zijn machtspositie verzwakken. Had hij overvraagd?

'Een hoer is een hoer. Wat dondert het ook. Ze is van jou, ouwe snoeperd!' Hij stak zijn klamme hand opnieuw naar voren en Vroom pakte hem aan.

HOOFDSTUK XII

De Drost

95

Door het smalle deel van de Lindenstraat liep een groep van vier mannen. Het was een heldere nacht en hoewel de straatverlichting ontbrak in dit deel van de stad, was het zicht goed. Achter het groepje, op ongeveer vijf passen afstand, liep een kleinere man. Hij droeg een bolhoed, en het ritme van zijn verhoogde hakken op de klinkers verraadde dat het hem moeite kostte het tempo bij te benen. En dat terwijl het groepje van vier een zware last meedroeg. Tussen hen in, aan handen en benen gedragen, hing een geknevelde politieagent, zijn uniform doorweekt van het water en zijn eigen bloed.

'Stop. We moeten even stoppen.' De man die de woorden dringend maar op fluistertoon door de nacht siste, liep in de voorhoede en droeg de linkerarm van de agent.

'Houd je kop, man,' beet het rechterbeen hem toe. 'We zijn er bijna.'

'Ik moet pissen.'

'Godverdomme, je wacht maar even. Het bureau is hier op de hoek.'

'Ik pis in mijn broek. We moeten echt stoppen.'

'En die vent dan?' Het linkerbeen bemoeide zich ermee.

'Die gaat nergens heen. Laat hem maar zakken. Ik kan wel even een pauze gebruiken.'

'Ik moet ook pissen.'

'Goed dan, ik blijf wel bij die juut. Ga maar. Ik leg het uit aan de baas.'

Maar de Drost had geen uitleg nodig. Hij had het groepje inmiddels ingehaald. Hij fluisterde niet. Waarom zou hij. ‘Stop maar.’

‘Sorry, baas, we moeten even pissen.’

‘Ja, dat zie ik, Huib. Maar waarom doe je dat daar?’

De man die de linkerarm droeg keek hem vertwijfeld aan.

‘Waarom zou je tegen de muur pissen als er hier een prima juut ligt om overheen te zeiken?’

96

Het politiebureau aan de Noordermarkt lag er verlaten bij. De agenten hadden altijd wel een excuus om ergens anders te zijn dan hier. De afgelopen dagen en nachten was de Jordaan een wespennest geweest, nog erger dan anders, en dat betekende dat, op een tweetal wachtmeesters na, het bureau uitgestorven was.

‘Gooi het touw over die balk.’ Zelfs op deze plek zag de Drost er niet de noodzaak van in zijn volume te matigen. Hij stond met zijn rechtervoet op de borst van de politieagent. Na een derde worp hing het touw om de balk.

‘Aan zijn voeten of aan zijn nek?’

De geknevelde diender kronkelde als een regenworm aan hun voeten.

‘Hang hem aan zijn voeten. Laat hem langzaam leegdruppelen, die haalt de ochtend nooit.’

Met z’n tweeën trokken ze de doodsbange man omhoog.

‘Stop!’ Het bevel van de Drost zorgde er bijna voor dat de mannen het touw loslieten.

‘De vlag, waar is de vlag?’

‘Ik heb hem niet.’

‘Huib zou hem meenemen.’

‘Wat?’

‘Die rode vlag.’

‘Ik heb geen rode vlag.’

'Godverdomme!' De Drost onderbrak het gesteggel. 'We hebben dit besproken. Wij hangen oom agent niet op, dat doen de socialisten. Maar hoe weten ze dat morgen? Dankzij de rode vlag. Die rode vlag is godverdomme de enige reden dat we hier staan, eikels. Anders slaat die hele vertoning nergens op.'

'Ik ren wel terug, baas.'

'Jazeker ren jij terug.' De Drost draaide zich om en liep langzaam in de tegenovergestelde richting de Lindenstraat in.

'En wij dan?' De twee mannen met het touw keken naar de derde overgeblevene.

'Blijven staan zo? Ik weet het anders ook niet.'

97

Berthold de Winter was de jongste van zes zoons. Dat betekende dat hij bij iedere maaltijd het kleinste bord kreeg en in het gevecht om de restjes altijd het onderspit delfde. Bertje, zoals hij genoemd werd, had misschien daarom maar weinig natuurlijke weerstand op weten te bouwen en had een groot deel van zijn jeugd hoestend en koortsig doorgebracht onder de rokken van zijn moeder. Hij was tenger gebouwd en een stuk kleiner dan zijn broers. Om die reden was hij niet veroordeeld tot de kaarsenfabriek waar de rest van de familie van zes uur in de ochtend tot negen uur 's avonds werkte. Bertje overleefde in de steegjes van de Jordaan, waar hij in een constante strijd verwikkeld leek met de andere buurtkinderen die vaak jonger maar toch sterker waren dan hij. Het gebrek aan fysieke kracht deerde hem niet. Berthold leerde al vroeg dat lengte en gewicht van ondergeschikt belang waren in een gevecht. Het verschil tussen winnen en verliezen zat hem in het venijn. De eerste klap, bij voorkeur gemeen, hard en onverwacht, gaf hem altijd de overhand in een confrontatie met de vaak veel dommere leeftijdsgenoten. De keren dat dit niet voldeed kon hij altijd nog terugvallen op de hulp van zijn vijf broers, die geleerd hadden dat familie altijd op de eerste plaats kwam. Zijn opvliegende karakter gaf hem al snel de status van vechtersbaas, en dankzij die reputatie overleefde hij moeiteloos tussen de kleine criminelen die de scepter zwaaiden in de sloppen.

Daarnaast beschikte Bertje over een natuurlijk aangeboren zakeninstinct. Tot na zonsondergang struinde hij de markten en de dokken af naar ogenschijnlijk waardeloze restanten waarvoor hij altijd een afnemer wist te vinden. Van het vinden van zijn koopwaar was het maar een kleine stap naar het stelen ervan, en al snel bracht Bertje meer geld mee naar huis dan zijn vijf broers bij elkaar verdienden in de fabriek.

Berthold de Winter begreep hoe de wetten van de sloppen in elkaar staken. Hij wist wanneer hij onzichtbaar moest zijn en wanneer hij vooraan moest staan. Het deed zijn moeder veel verdriet, maar het was een kwestie van tijd voor Bertje zijn weg had weten te vinden naar de onderste gelederen van het straatlegioen, ofwel de bende van De Kaiser.

Hier kwam zijn gevoel voor de politiek van de straat pas echt tot uiting. Bertje wist wanneer hij iets kon zeggen, maar belangrijker nog: hij wist wanneer hij zijn mond moest houden, en dat was een waardevol onderscheid in de branche die hij gekozen had. Als ondernemer onder het straattuig liet hij het na ten prooi te vallen aan de arrogantie en de hoogmoed die veel van de andere dieven en helers uiteindelijk een enkele reis naar de bodem van de gracht bezorgden. De unieke combinatie van talenten plaatste Bertje al snel in de hogere rangen rond de sloppenheer, al was dat vooral te danken aan zijn chronische schriele verschijning die maakte dat niemand hem als een bedreiging zag.

98

Van alle plekken in de stad hadden de havens de meeste aantrekkingskracht op Berthold. Ieder schip dat binnenvoer betekende een mogelijk fortuin. Hij had het tot een prioriteit gemaakt om iedere havenarbeider op het vasteland persoonlijk te kennen. Hij maakte grapjes met de lossers, de loodsen en de opzichters. Hij kende de namen, de bijnamen en de gewoontes van iedereen. Hij kende alle familieleden en wist waar ze van hielden en waar ze bang voor waren. De eerste grote slag die Bertje de Winter sloeg had hij dan ook te danken aan zijn connecties in de haven.

Al een tijdje ging het gerucht dat er een bijzondere lading verscheept zou worden. Het ging om een lading van honderdtien kratten Beaumont-geweren die vanuit Limburg naar Afrika vervoerd werden. De vracht zou, vanwege het bijzondere karakter, tijdens de nacht van zondag op maandag overgescheept worden, en een aantal havenarbeiders klaagde over het tijdstip en de moeilijke omstandigheden. Berthold zag in die omstandigheden alleen maar een uitgelezen kans, maar wat hem nog het meest opviel was het bijzondere aantal kratten. Waarom waren het er honderdtien en waarom hadden ze niet gewoon gekozen voor het ronde getal van honderd? Het kostte Berthold ruim twintig rondjes, verspreid over twee avonden in de week voor de overslag, voor hij erachter kwam dat het bij dergelijke complexe en gevoelige orders gebruikelijk was om een overschot te leveren. Fabrikanten gingen er, zo bleek, van uit dat een tiende van iedere 'bijzondere lading' verloren ging, en omdat ze de klantrelatie met de afnemers niet op het spel durfden te zetten, leverden ze liever te veel dan dat ze het risico namen een nalevering te moeten verschepen. Als het surplus toch gewoon zou arriveren, dan zou de klant dit als een bonus zien en was het een eenvoudige investering in de relatie.

Deze ongeschreven tienprocentregeling zette hem aan het denken. Als de vrachtbrief het overschot niet vermeldde en tien kratten zouden als surplus ergens op het schip of rond de haven voor het oprapen liggen, waarom zou hij dan niet degene zijn die ze opraapte?

Berthold huurde een kleine loods, net buiten het havengebied, en leende het bedrag dat hij zou gebruiken om de betreffende havenwerkers om te kopen. Hij had geen geld meer over, en als alles goed zou gaan moest hij de loodzware kisten één voor één naar het buitengebied sjouwen. Het was de grootste gok die hij ooit had genomen, en tot twee keer toe werd hij bijna gesnapt, maar die maandagochtend, net voor zonsopgang, was Berthold de Winter de onrechtmatige eigenaar van honderdvijftig Beaumontgeweren.

Iedere andere kleine crimineel zou dit succes hebben aangegrepen om naam voor zichzelf te maken. Berthold deed het tegenovergestelde. Hij vertelde aanvankelijk niemand over zijn grote succes en wachtte tot de geruchten via de haven de Jordaan door gefluisterd werden. Ondertussen was hij zo goed als blut. Hij bezat een potentieel fortuin aan handelswaar, deed daar niks mee en wachtte op de dag dat hij bij De Kaiser werd geroepen.

Berthold had de sloppenheer twee keer kort gesproken, maar hij was nog nooit voor een onderhoud naar de oude schuilkerk geroepen waar De Kaiser zijn kantoor hield. Speciaal voor de gelegenheid had hij het enige pak geleend dat zijn vader bezat, het kostuum waarin hij getrouwd was. Het pak was aan alle kanten te groot, waardoor Bertje misschien nog wel kleiner en onschuldiger leek dan zijn roepnaam beloofde. In de schuilkerk vormden gestapelde kratten geïmproviseerde muurtjes. Twee mannen begeleidden hem door de doolhof tot ze achter in het gebouw bij het bureau van de sloppenheer aankwamen. De Kaiser miste twee voortanden. Hij gebruikte de inkeping als een natuurlijke opening voor zijn sigaar die, nog niet ontvlamd, tussen zijn ondertanden en het bovenste tandvlees bungelde. Zonder iets te zeggen wees de sloppenheer Bertje op de stoel aan de andere kant van het bureau. Met de sigaar tegen zijn gehemelte was de man moeilijk te verstaan.

'Ik vroeg of je het zoontje bent van Adje de Winter.'

'Ja, meneer, mijn vader heet Adriaan.'

'Adje, goochem. Ga je me nu al tegenspreken?'

'Adje is mijn vader.'

De sloppenheer ging vlak voor hem op zijn bureau zitten. Hij keek Berthold nauwelijks aan. 'Luister, Bertje, we hebben wat dingen over jou gehoord en die dingen die zinnen mij niet.'

Berthold hield zijn kaken stijf op elkaar. Het zweet stond in zijn handpalmen.

'Jij hebt een handeltje opgezet, nietwaar?'

'Nee, meneer De Kaiser. Geen handeltje. Ja, kleine zaken. Laken en hout. Alles wat ik kan vinden. Daar weet u van.'

'Dat bedoel ik niet, Bertje. Dat is kruimelwerk. Ik heb wat anders gehoord.'

'Ik weet niet wat u bedoelt, meneer.'

De Kaiser zuchtte en keek naar de mannen die achter Berthold stonden. 'Dus nu noem je mij een leugenaar?' Hij stond op van zijn bureau en liep naar hem toe.

Berthold haalde zijn handen van zijn knieën en zag de zweetplekken in de broek van zijn vader zitten.

'Je werkt voor mij, toch?'

'Ja, meneer De Kaiser.'

'Je werkt voor mij. Je houdt er een clandestien handeltje op na en je komt in mijn huis, aan mij, in mijn gezicht, vertellen dat ik een leugenaar ben? Heb je gedronken, Bertje?'

'Nee, meneer. Ik heb niets gedronken. Ik heb geen handeltje. En ik zou nooit zeggen dat u een leugenaar bent.'

'Als ik geen leugenaar ben, dan kan dat twee dingen betekenen. Het kan betekenen dat Keesie hier heeft gelogen, of dat jij de leugenaar bent. Wat mag het wezen?' Berthold keek naar de man die Keesie werd genoemd. Hij was zeker twee koppen groter dan hij en zou met één omhelzing alle botten in zijn lichaam kunnen verbrijzelen.

'Ik ben geen leugenaar, meneer. En Kees is dat zeker niet. Misschien is het zo dat iemand hem verkeerd heeft geïnformeerd.'

'Toe maar. Spreek je mij nu tegen?'

'Dat zou niet in me opkomen, meneer.'

'Ik zal het je één keer gewoon vragen en daarna laat ik het Keesie even uitzoeken. En geloof me, dat ga je voelen. Heb jij wel of niet een handeltje in gloednieuwe Beaumont-geweren opgezet vanuit een loods in het buitengebied? En laat me daar nog iets aan toevoegen, Bertje. De Jordaan is een grote familie. Als we niks hebben, hebben we samen niks. Als we succes hebben, hebben we samen succes. We zorgen voor elkaar. We delen de poet en ik ben hier degene die gaat over de verdeling. Dus, nog één keer: heb jij een zooitje geweren op de kop getikt, of niet?'

Berthold hield zijn mond dicht, ook toen hij door Keesie onder handen werd genomen. De boomlange vent liet hem bewusteloos, bijna levenloos, achter op de drempel van zijn ouderlijk huis.

Pas drie maanden later, toen kleine Bertje de Winter, samen met zijn vijf broers die ieder drie goede vrienden hadden meegenomen, gewapend met gloednieuwe Beaumont-geweren op klaarlichte dag terugkeerde in het kantoor van De Kaiser, vertelde hij de details van het decimeren van de vrachtladingen, net voor hij met een kogel door de linkerlong een einde maakte aan de regering van de sloppenheer.

Zijn eerste moord ging hem relatief gemakkelijk af. Berthold wist nog hoe het sissende en slurpende geluid van de long met iedere ademstoot afnam, maar hij herinnerde zich vooral de woorden van zijn oudste broer toen ze de lichamen van De Kaiser en zijn bewakers eindelijk hadden geloosd.

'En nu, Bertje, wat wil je nu?'

99

Het lag namelijk niet voor de hand dat de moordenaar van de sloppenheer automatisch gekroond zou worden tot diens opvolger. De Kaiser werd gevreesd, maar was ook geliefd geweest. Het volk van de Jordaan zou eerst genoegdoening eisen voor er een nieuwe koning op kon staan, en bovendien had Berthold tot dat moment nooit de ambitie gehad die rol te vervullen.

Hij besloot zich daarom voorlopig koest te houden, maar breidde ondertussen zijn handel uit. Van iedere waardevolle lading die door het Amsterdamse westelijke havengebied geloodst werd, pakte hij zijn tiende deel, en iedere cent investeerde hij in de uitbreiding van zijn onderneming. Een halfjaar later verdienden ruim honderdvijftig Jordanezen hun dik belegde boterham met het belastingconcept dat Berthold had geïntroduceerd. Dat leverde hem eindelijk de verlossing van zijn kleinerende bijnaam op. Bertje werd de Drost, de eerste en enige tolheffer namens de Jordaan.

Net als De Kaiser begreep Berthold de grillen van de Jordaan. Hij verdeelde zijn tienden en verzorgde 'brood en spelen' voor zijn volk.

De spelen werden georganiseerd op de binnenplaats die hij zich had toegeëigend. Als een arena naar Romeins model had Berthold hier zijn eigen Colosseum opgebouwd. De hondengevechten waren niets nieuws in de Jordaan, maar door ze te organiseren had hij het evenement verheven tot iets wat van iedereen was. Dat plaatste hem in het centrum van de macht, en nu kon hij zich kronen tot de onbetwiste sloppenheer.

100

De onrust in de Jordaan werd steeds beter zichtbaar voor de bewoners van de sloppen. De aanwezigheid van de politie nam toe en resulteerde in soms wel tientallen aanhoudingen per dag. Vrijwel ieder politieoptreden werd beantwoord door de Jordanezen. Zodra een buurvrouw of buurjongen werd aangesproken door een agent verzamelde zich een groep omstanders rond de diender. Dankzij een voorzorgsmaatregel van het hoofdbureau patrouilleerden de politiemannen nu in groepen van vier, waardoor de onvrede bij de bewoners alleen maar toe leek te nemen.

De onvrede werd ook gevoed door de bijeenkomsten en de pamfletten van de socialistische partij. De eerste sociale initiatieven hadden al geleid tot een verbod op kinderarbeid, en dat liet zien dat er wel degelijk iets kon veranderen. Dat het verbod in de praktijk niet gehandhaafd werd, werkte tegelijkertijd frustrerend en binnen de beschermde driehoek tussen de Lijnbaansgracht, de Prinsengracht en de Brouwersgracht zorgde de opgekropte woede voor een isolement, waarmee het tegenovergestelde werd bereikt van wat de parlementariërs hoopten te bereiken.

Veel Jordanezen hingen rode vlaggen uit hun ramen. Niet zozeer om hun politieke ideologie toonbaar te maken – ze hadden vaak geen flauw idee wat socialisme en communisme betekenden, laat staan dat ze er openlijk mee te koop zouden lopen – maar meer om hun woede en onmacht een symbool te geven. Het rood gaf andere buurtbewoners de illusie van een vrijbrief. Onder die vlag konden ze doen wat ze wilden, en dat deden ze dan ook. Het was niet de bedoeling daarmee een werkelijke revolutie te ontketenen, maar het vereende hun agressie en binnen die sfeer was iedereen ineens veel dapperder dan anders.

101

Voor de Drost was het socialisme een welkome zondebok. Hij wist dat iedereen die de gevestigde orde bedreigde op weinig sympathie kon rekenen bij de gezagdragers, en als zijn vruchtbare opstand in de sloppen dan toch een gezicht moest hebben, zou rood daar het beste bij kleuren. Het kostte hem weinig moeite de woede van zijn volk te kanaliseren, maar tegelijkertijd kende hij de Jordanezen goed genoeg om te weten dat er een ander probleem was dat hij moest oplossen voordat hij een vuist kon maken; een die het politieapparaat hard genoeg raakte om het te verstoren.

De bewoners van de sloppen waren namelijk van nature zelfzuchtig en lui. Er bestond geen werkelijk breed gedragen Jordanees belang. De gemene deler was 'ieder voor zich' en pas als er een gezamenlijk belang bestond waarvan ieder individu beter zou worden, wilde de Jordanees er überhaupt over nadenken om in beweging te komen. Als het hem lukte de gemene deler te vinden en die te voeden met woede, dan was er een kans van slagen, maar dan bestond er nog steeds een gebrek aan slagkracht en moed in de sloppen. De mensen kropen liever onder een steen dan dat ze hem uit de grond trokken om hem naar de vijand te smijten.

De Drost had dus dringende behoefte aan een groep echte soldaten. Mannen die niet bang waren om samen op een groep politieagenten af te lopen die talrijker was. Mannen die doortrapten als hun tegenstander al verslagen op de grond lag. Mannen zonder geweten die naar hem luisterden. Van dat soort had hij er hooguit een stuk of acht, negen misschien, tot zijn beschikking en de Drost wist dat hij voor deze strijd een groter leger nodig had.

102

De Drost stond op een kratje aan de kade, omringd door een groep van twintig van zijn beste mannen, te kijken naar de platbodem die zijn versterkingen af kwam leveren. Nu de boot dichterbij kwam begon hij te twijfelen aan zijn beslissing. De mannen aan boord van de boot waren misschien groot en breedgebouwd, maar ze leken hem totaal ongeorganiseerd. Ze droegen lompen, nog erger dan de daklozen in de Jordaan, en hadden ruige, donkere tronies. Het waren primaten, maar voor het geld dat hij wilde besteden, kon hij niet verwachten dat zijn huurlingen zich in uniform en goedgetraind aan hem presenteerden.

Terwijl de oermensen van de boot stapten, telde hij mee. Het waren er achtenvijftig. Twee minder dan hij had gevraagd, maar hun massale verschijning compenseerde dat ruimschoots. Ronnie en Joop hadden kennelijk dezelfde indruk, want ze beschouwden de mannen bijna onhoorbaar, op een toon die hij niet van ze gewend was.

'Het zijn zigeuners uit Brabant.'

'Uit Brabant? Dan zijn het toch Brabanders?'

'Nee, volgens mij niet. Er komen ook zigeuners uit Brabant. Ze wonen overal en nergens. Ik hoorde dat ze geeneens in huizen wonen. Ze leven gewoon buiten op het land. Ze trekken van boer tot boer en in de nacht slachten ze het vee en verkrachten ze de dochters. Ze vreten alles kaal en trekken dan weer verder.'

Hij wachtte tot de laatste man van boord was voor hij van zijn kratje stapte en in de richting van de huurlingen liep. Hij zag hoe zijn eigen mannen terughoudend tegen elkaar aan kropen. Pas toen hij langs de eerste twee zigeuners liep en het gedrang in ging, volgden zijn twee oudste broers hem. De groep zigeuners leek een automatische doorgang te vormen, die hen naar hun leider voerde. Het was de man die de boot als laatste had verlaten, en van dichtbij was hij enorm. Hij stond met zijn vuisten in zijn zij en zijn benen gespreid voor de Drost die geleerd had zich niet te laten imponeren. Hij bewaarde de rust, keek naar links en dan naar rechts, spuugde op de grond en stak zijn arm uit. Van onder zijn bolhoed bekeek hij de man met argusogen.

'Rijnbach?' Veel meer woorden gunde hij de zigeuner vooralsnog niet. De reus droeg een platte pet en het leek er niet op dat hij hem af zou nemen.

'Ik ben Rijnbach. Waar is De Kaiser?'

'De Kaiser is er niet meer, ik heb het overgenomen.' Nu pas pakte de man zijn uitgestoken hand beet.

'De Winter. Ze noemen me de Drost.'

'Dat maakt voor mij geen verschil. Als jij mijn geld hebt, doen we zaken met jou.'

103

Rijnbach en zijn mannen werden ondergebracht in de oude schuilkerk, maar voor ze daarheen gingen nam de Drost ze mee naar zijn arena. Hij wees op de bar waar ze de hele avond en nacht vrij konden drinken en nam Rijnbach mee voor een glas whisky.

'Laat ze maar drinken en vechten samen. Er is geen beter begin voor kameraadschap dan een glaasje te veel en een sportief gevecht,' zei de Drost. Rijnbach weigerde de whisky en vulde zijn glas met een substantie die hij uit zijn zakflacon goot. 'Als wij gaan vechten, dan wil ik wel weten met wie.'

'Het zal je meevallen. We vechten met de politie. We zijn al enkele dagen bezig en het zou me verbazen als ze er veel moeite in steken. Een paar dagen fel en rommelig, dat moet genoeg zijn. We laten het donderen in de sloppen, als een goede onweersbui. En daarna kunnen jullie terug en rapen wij de restanten op.'

De reus met de platte pet knikte en nam een slok van zijn eigen brouwsel. 'Heb je wapens?'

'Ik verwacht een lading penvuurrevolvers uit Maastricht. Een stuk of dertig. Dat zou genoeg moeten zijn. Ik reken op de buurtbewoners. Zodra er gevochten wordt, zullen ze meedoen.'

Rijnbach zweeg. Berthold kon maar moeilijk hoogte krijgen van deze kerel. 'We hebben een wedstrijd voor jullie georganiseerd,' probeerde hij.

'Een wedstrijd?' Voor het eerst toonde Rijnbach zijn interesse. 'Wat voor wedstrijd?'

'Een hondengevecht.' Hij wees op het midden van de arena waar de ring werd opgebouwd. Rijnbach schreeuwde in een taal die hij niet kon verstaan naar de mannen bij de bar, die daarop begonnen te juichen.

'Volgens mij heb jij het wel begrepen, Drost. Drink je glas leeg, ik wil je wat laten proeven.'

Het zelfgestookte bitter van Rijnbach brandde een gat in zijn keel, maar de Drost dronk stug door en na het tweede hondengevecht kreeg hij eindelijk meer dan twee zinnen uit de man die zijn huurleger zou leiden.

'Een gevecht tussen honden is voor ons de mooiste dans. Het is tragisch en trots, zigeuners herkennen dat. Een hond is niet per se agressief. Hij wil het liefst volgen. Het zijn kuddedieren. Er is veel voor nodig om ze te laten vechten, maar als ze daar uiteindelijk voor kiezen, dan vechten ze voor hun leven. Een hond gaat het gevecht alleen maar aan omdat zijn baas, de baas die hij zelf heeft gekozen, het van hem vraagt. Hij strijdt tot een bepaald moment voor zijn meester en daarna pas, helemaal op het einde, voor zijn leven. Een hond is niet slim, een hond is trouw en hij zal nooit begrijpen dat het die trouw is die hem uiteindelijk van het leven berooft.'

De Drost besloot hem niet tegen te spreken. Het was hem niet duidelijk of de zigeuner het over hem had of dat hij een grotere bedoeling had met zijn vergelijking. Het maakte niet uit. Op dit moment was Rijnbach zijn vechthond, en de vechthonden die in de Jordaan waren, was nooit een lang leven beschoren.

104

De zon was al enkele uren onder. De zigeuners van Rijnbach hadden zich dankzij de drank en de spelen verbroederd met zijn eigen mannen. Ronde Donna was al een paar keer komen klagen over de zigeuners die haar meisjes uitgeput hadden.

De binnenplaats was nu helemaal gevuld met buurtbewoners. De poort bleef gesloten, er kon niemand meer bij. Nog even en dan zou het finale gevecht van de avond plaatsvinden. Publiekslieveling Caesar zou het opnemen tegen de uitdager, die ze voor de gelegenheid hadden omgedoopt tot Brutus. In de luwte van het hoogtepunt had de Drost zijn moment gepland. Dit was de reden dat hij met mate van de whisky had gedronken. Hij wachtte tot zijn mannen zich verspreid hadden over de binnenplaats voor hij Ronnie aangaf hem aan te kondigen.

Het geroezemoes hield aan tot zijn mannen op hun vingers floten, waarna het uiteindelijk stil werd in de hele Jordaan.

'Dames en heren! Vrienden! Mag ik even de aandacht voor jullie gastheer! Hier is-ie, we kennen hem allemaal, onze... eigen... Drost!' Onder luid applaus en gejuich klom Berthold op het verhoogde vat dat in het midden van de ring was neergezet.

'Dames, heren, geëerde gasten, kameraden, broeders en zusters... welkom!' Hij wachtte tot het applaus voor de tweede keer was weggeëbd.

'Kijk eens om je heen. Kijk eens naar de mannen en de vrouwen naast je. Kijk eens met hoeveel we zijn. Kijk eens waar we staan met z'n allen. Hebben we het goed of niet?'

Met beide handen maande hij de aanwezigen tot stilte. 'Dit is de Jordaan, fijne mensen. Dit is onze speeltuin. Een plek waar alles kan en mag. Dit is een plek waar we samen huilen en waar we samen lachen. Wij weten wat het is om het zwaar te hebben. Wat het is om te werken. Maar wij weten ook wanneer het tijd is om feest te vieren, nietwaar?'

Nu hief hij zijn handen en hij merkte direct hoe zijn publiek daarop reageerde.

'Wij weten hoe het leven in elkaar steekt. We zien het elke dag. We zien onze broeders en zusters bloeden in de fabrieken voor de schamele centen die nodig zijn om wat aardappels op tafel te kunnen zetten. Wij breken onze armen, onze benen, onze rug om iedere dag te zorgen dat de fabriek blijft draaien. En wat krijgen we daarvoor terug? Wat krijgen we daarvoor terug? Kruimels! Dat is alles!'

Hij wachtte tot het gejoel afnam voor hij op een andere toon verderging.

'Jullie kennen Karel. Kareltje Knijp.' Hij wees naar de man van wie hij tot vorige week nooit had gehoord.

'Karel heeft meer dan dertig jaar in de houtfabriek gewerkt. Meer dan dertig jaar! Opstaan voor zonsopkomst en pas naar huis als zijn gezin alweer lag te slapen. Zes dagen in de week! Veertien uur per dag! Natuurlijk is Karel uitgeput. En ook al is hij de beste en de meest ervaren arbeider van die hele klotefabriek, iedereen knippert wel eens met zijn ogen. Maar als Karel knippert terwijl hij aan de zaagmachine werkt, dan heeft dat dramatische gevolgen. Karel ging naar de fabriek als een gezonde man, onze broeder, maar hij verliest in die onverlichte overspannen klotefabriek in een onbewaakt moment zijn rechterhand.'

Zoals afgesproken stak de man zijn armen in de lucht.

'En wat denk je dat de mooie meneren doen?'

Opnieuw steeg er gejoel op uit het publiek.

'Wat denk je dat ze doen? Niks! He-le-maal niks! Kareltje wordt aan zijn lot overgelaten. Sterker nog: als hij een maand later aanklopt om te informeren naar zijn baan, dan wordt hij vriendelijk bedankt. Ze geven hem een weekloon mee, uitbetaald in jenever, en hij kan oprotten! Der-tig jaar, vrienden!'

Het publiek zweepte hem op. Berthold voelde hoe de gloed zich van hem meester maakte.

'Zo doen ze dat. Dat betekenen wij voor ze. Kareltje kwam bij mij. Hij vertelde hoe ze hem afgeschreven hadden en ik kon het niet geloven. Ongeschikt voor werk? Ongeschikt mijn reet! Kareltje werkt nu voor mij. In de havens. Want zo doen we dat hier. Zo ga je met je naasten om, godverdomme! Wij zijn geen oud vuil, wij zijn mensen!' Even nam hij de tijd om op adem te komen.

Hij nam een slok van de whisky die Ronnie hem voorhield.

'We hebben allemaal gemerkt dat het broeit in de straten. We voelen het allemaal. Ze zijn iets van plan. Ze sturen hun agenten vooruit. Ze denken dat wij het niet doorhebben. Maar wij zijn niet van gisteren. Wij hebben precies in de gaten wat er gaat gebeuren.'

'Wat dan? Vertel op!' riep een vrouw uit het publiek.

'Ze willen hier een einde aan maken. Ze komen de Jordaan opruimen. We zijn hun een doorn in het oog. Vuilnis. Nu zijn we nog goed om de radertjes in de fabrieken te smeren met ons eigen zweet en bloed, maar nog even en we zijn overbodig en dat wachten ze niet eens af. Ze vrezen de revolutie. Ze zijn bang voor ons, want wij zijn met meer. We zien het in alle andere steden. De kleine minderheid onderdrukt de meerderheid. Nou, hier niet! Niet in onze eigen achtertuin!

Meer dan ooit komt het erop aan, kameraden. Ze komen ons beproeven. En het zal ze zuur smaken! Want wij bepalen zelf wel wie er welkom is in ons eigen huis! Daarom sta ik hier, vrienden. Ik sta hier om te vertellen dat er oorlog komt. Ze zullen proberen ons te breken. Maar wij breken niet! Ik heb me voorbereid. Wij zijn er klaar voor! Kijk om je heen. Kijk naar de sterke mannen van de sloppen! Zij staan hun mannetje. Iedereen die zonder uitnodiging de Jordaan betreedt, gaat er horizontaal weer uit. Zo is het!

Het zal niet makkelijk worden, maar ik weet dat ze zich vergissen, de hoge heren van het stadhuis. Waarom? Omdat ik om me heen kijk. Ik zie broeders en zusters die elkaar steunen. Als je een van ons slaat, slaan we met z'n allen terug. Samen zijn we onverslaanbaar. Dat is altijd zo geweest. De Jordaan is van ons! En dit is nog maar het begin. We rammen ze onze straten uit en daarna stormen we door! Tot er geen hoge hoed meer rondloopt in onze stad! Tot mannen als Karel het respect krijgen dat ze verdienen. Vrienden! Kameraden! Broeders en zusters! Strijden jullie mee?'

Het lawaai op de binnenplaats was oorverdovend.

'Strijden jullie mee, als de tijd daar is?' Hij pakte zijn glas en hield het in de lucht.

'Dan zullen we zegevieren! Maar voor we de overwinning vieren, en dat gaat gebeuren, vieren we eerst het leven. Op de enige manier die we kennen in de Jordaan: met drank en spektakel!'

Berthold stapte van het vat af, geholpen door Ronnie. Hij kreeg schouderklopjes en werd omhelsd door de mensen die op zijn binnenplaats stonden. Een warm, voldaan gevoel maakte zich van hem meester. Hij was de messias van de sloppen. Zo zou het zijn vanaf nu.

105

De ringmeester had de plek overgenomen van de Drost, die plaatsgenomen had op de tribune naast de zigeunerhoofdman, in het midden van de arena. Hij maande de toeschouwers tot rust. Het publiek schuifelde aan de kant en maakte een looproute vrij voor de honden en hun menners die vanuit de 'vechtstallen', zoals het houten hok waar de vechthonden opgesloten zaten werd genoemd, naar de ring liepen. Vooraan liep de uitdager, een valse terriër met een zwarte vacht, die vanavond als Brutus werd aangekondigd. De hond, die voor de blauwe kleur streed, werd uitgejouwd en bekogeld met rot fruit. Na de aankondiging van de ringmeester werd er ruimte gemaakt voor Caesar, de kampioen van het volk, die een rode doek droeg. Rat en zijn collega-wedjongens liepen hun rondes door het publiek en namen de weddenschappen aan. De rode hond, Caesar, was bij vrijwel iedereen favoriet, en ook Rijnbach zette flink in op de donkere herdershond, die groter en zwaarder was dan zijn tegenstander.

'Einde wéd-ronde!' riep de ringmeester. De toeschouwers verdrukten elkaar bijna om zo dicht mogelijk bij de ring te staan. De ringmeester sloeg met zijn korte zweep tegen zijn rijlaarzen en gooide zijn hoed naar een vrouw in het publiek.

'Voor het rode kamp. De kampioen. Uw kampioen! Ongeslagen voor een recordaantal van veertien wedstrijden op rij. De schrik van de sloppen! Uw eigen... Caesar!' Rijnbach gooide zijn glas weg en sloeg zijn handen, groot als kolenschoppen, stevig in elkaar.

'En voor het blauwe kamp. De uitdager. De tiran! De duivel uit Oost... Brutus!'

De terriër hapte naar zijn fokker, die over de kistjes de ring uit sprong. De man kon op weinig sympathie rekenen en werd bijna teruggeduwd. De ringmeester klapte met zijn zweep en stapte op de gestapelde kisten in de hoek van de ring. 'Allez!'

De blauwe hond richtte zijn woede eerst op de joelende menigte die om de fruitkisten stond. Hij blafte en gromde terwijl de schuimkraag rond zijn bek in het zand lekte. Even leek de rode hond te twijfelen, maar toen viel hij aan. Hij hapte naar een achterpoot van Brutus, die zich met een sprong in de lucht omdraaide en naar de bek van zijn belager beet. Caesar stoof naar links, richtte zich op en leek even stil te staan op zijn achterpoten, waarna hij zich op de terriër stortte. Hij hapte twee keer voor zijn hoektanden grip hadden op de schouder van Brutus. De kleinere terriër jankte en probeerde weg te rollen, waardoor Caesar zijn kaken toch weer moest openen. Het leek een ongelijke strijd. De blauwe hond bloedde hevig en hinkte op drie poten naar een hoek van de ring. Caesar leek even afgeleid en genoot zichtbaar, kwispelend, van de aandacht die hij kreeg. Met een kort bevel van de fokker herpakte hij zich en sprong na een aanloopje weer boven op de terriër.

Brutus kon de sprong niet ontwijken en opnieuw had de herder zijn kleinere tegenstander klem. De bek van het beest doorboorde het vlees van de blauwe hond. Nu hij de juiste grip had gevonden schudde Caesar zijn kop naar links en naar rechts. Het geluid van de scheurende pezen en het bloed dat vrijkwam maakte de mannen op de voorste rij gek.

De Drost draaide zich om en bukte zich in de richting van Ronnie. 'Haal de vaten met bier maar vast. Dit is zo afgelopen.'

De rode hond liep terug naar zijn hoek. In zijn bek droeg hij een lap vlees. Die spuwde hij uit en hij likte aan zijn trofee. Aan de andere kant kon de blauwe hond zich nog maar nauwelijks oprichten. In de rode hoek richtte de fokker zich nu tot zijn hond. Hij klapte in zijn handen om de aandacht van zijn beest te vangen en riep: 'Caesar! Dood!'

Het publiek scandeerde het laatste woord met de fokker mee. De rode hond liep, met zijn kop naar beneden, grommend op de terriër af om het laatste bevel van zijn baas in te willigen. Toeschouwers die wat verder van de ring stonden draaiden zich al om in de richting van de barretjes. Caesar hield zijn kop laag tot hij vlak bij de gehavende blauwe hond was. Hij gromde zijn tanden bloot en trok zijn nek in om voor een laatste keer aan te vallen, maar net toen hij zijn sprong maakte, bleek er nog wat leven in de terriër te zitten. Hij ontweek de eerste klap van Caesar, die zich enigszins vertwijfeld in de richting van zijn fokker draaide. Brutus maakte gebruik van de verwarring en stortte zich, blind van woede en overlevingsdrang, met een laatste krachtsuitbarsting op de hals van zijn tegenstander. De Drost hoorde vanaf het podium hoe de kaken van de blauwe hond tot op het merg van de herder klapten. Hij doorboorde Caesars halsslagader en het bloed spoot in het rond. De mensen die vooraan stonden deinsden terug voor de bloedfontein, en de fokker van Caesar probeerde van de commotie gebruik te maken om de terriër in de ring van zijn prijshond af te trappen. De ringmenner greep in en sloeg met zijn knoet hard op de grond voor de voeten van de fokker. Het verzet van de herdershond nam af en verdween uiteindelijk helemaal. Brutus lag halfdood op zijn belager, waarvan hij de hals nog steeds stevig in zijn kaken geklemd hield.

Toen allebei de honden levenloos waren afgevoerd en de opstootjes bij de wedjongens waren gesust, staarde de Drost naar een halfleeg binnenplein. De toeschouwers waren teleurgesteld afgedropen en er stonden alleen nog maar dronkenlappen en zigeuners in zijn arena. De vaten bier die de Drost had willen schenken aan zijn volk stonden weer opgestapeld in het voorraadhok en het bloed in de ring was alweer omgespit. Het enige lichtpuntje van de avond was de winst die zijn wedjongens hadden behaald dankzij de pyrrusoverwinning van Brutus, al zou dit nauwelijks opwegen tegen de kosten van de alcohol die de zigeuners in grote mate verbrasten. Het verlies van zijn kampioen, de rode hond, deed hem niks. Deze Caesar was dood, maar er kwam altijd weer een nieuwe Caesar.

'Wist je dat wij een bijgelovig volk zijn?' Rijnbach stond nog steeds naast hem op het podium. 'Wij Roma voorspellen de toekomst op basis van voortekenen. Je zou kunnen zeggen dat dit niet zo'n mooi voorteken is.'

Het humeur van de Drost stond hem nog niet toe de dialoog aan te gaan.

'Aan de andere kant zijn wij bekend met de grillen van het hondengevecht. Je mag een hond nooit onderschatten. Lengte en gewicht doen ertoe, maar hun tanden zijn even belangrijk. Ieder gevecht is grillig. De uitkomst laat zich nooit voorspellen. Misschien is dat wel het mooiste eraan.' De reuzenzigeuner dronk zijn glas leeg en gooide het naar de grond. 'Goed! Het was een mooie avond. Er is vertrouwen. Dat is belangrijk. Nu is het laat. Ik ga slapen. Morgen kom ik terug. Dan hebben we het over het andere gevecht.'

Met één been stapte hij van het podium af. Hij liep in de richting van de poort en het grootste deel van zijn mannen volgde hem zonder dat er een woord gesproken was.

Misschien had de zigeuner wel gelijk. De uitkomst van ieder gevecht was onzeker. Het risico dat hij nam was groter dan hij had ingeschat. Hij had zich laten verleiden door de notaris, maar dat zou hem niet meer gebeuren. Waarom zou hij zich überhaupt iets aantrekken van Vroom? Hij was maar één man. Hij had zich laten afschepen met de 30 procent, maar er was niemand die hem aan die afspraak zou kunnen houden. Hij moest grijpen wat hem toekwam. Zo had hij het altijd gedaan en zo zou hij het nu weer doen.

Zijn oog viel op het meisje van Weisenthal dat in de hoek van de binnenplaats stond. Er waren geen andere meisjes meer te bekennen. Ze had dit dus ook overleefd. Hij zou haar moeten laten gaan. Voor nu. Daar was geen ontkomen aan. Hij had Vroom nog nodig. De notaris moest de panden kopen en daarna zou hij ze afnemen. Als het meisje na al die beslommeringen nog steeds in leven was, zou hij haar weer terughalen van Weisenthal. Daarna zou hij nooit meer genoegen nemen met de restjes van anderen. Misschien was hij slechts de koning van het tuig van de sloppen, maar hij was wel een koning. Zo zou hij zich vanaf nu laten behandelen, en met minder zou hij geen genoegen nemen.

HOOFDSTUK XIII

Het weerzien

107

De Pijpenmarkt zag er anders uit dan in haar herinnering, maar misschien vormden haar gedachten nu nieuwe beelden die de oude verdrongen en was dat de oorzaak van haar desoriëntatie. De gevel van het maison joeg Anna nu minder angst aan. Pas toen Ronnie haar bij de voordeur had gebracht, merkte ze de aanwezigheid van Lotte op.

'We zijn er, meisje. Vanaf hier lukt het wel, toch? Ik moet als de sodemieter terug.' Ronnie draaide zich om en liep weg zonder aan te kloppen. Voor het eerst sinds haar vluchtpoging stond ze onbegeleid in de hoofdstad. Ze zou weer weg kunnen rennen – waarschijnlijk was het niet eens nodig om te rennen – maar de onzekerheid die de gedachte met zich meebracht, maakte dat Lotte de controle over haar ledematen overnam. Ze klopte drie keer op de voordeur.

Toen Kool opendeed, keek hij haar verbaasd aan. De madam was nog niet beneden geweest, vertelde hij. Het was een opluchting voor Anna. Voor Lotte maakte het niks uit. Kool wilde zijn bazin niet storen en besloot dat het beter was als ze vast naar de poederkamer zou gaan.

De kamer maakte wat herinneringen los, al leken die ook ergens in een donker deel van haar hoofd te hebben gelegen. Rosa was de eerste die haar begroette. Ze stond op uit de tobbe en gleed bijna weg toen ze op haar afrende.

'Anna! Dit is een wonder! Hoe kan dit? We dachten dat je nooit meer terug zou komen!'

'Sterker nog: we dachten dat je ergens op de bodem van een

gracht lag,' verbeterde Fien, die nu ook naar haar toe kwam.

'Hoe kan dit?' herhaalde Rosa. 'Wat is er gebeurd? Waar was je? Was je met een klant mee?'

'Je kunt me beter Lotte noemen.'

'Anna, Lotte, wat maakt het uit! Je bent er weer. Dat is fantastisch nieuws. We gaan het vieren. Roep Bo. Ik koop een fles voor ons. Vanavond beginnen we met drinken vóór de bel gaat. Maar vertel nu eerst! En begin bij het begin.'

'Wat valt er te vertellen? Ik was weg. Ik ben weer terug.'

Rosa lachte van de opwinding. 'Ja, dat snap ik. Maar wat is er ondertussen gebeurd?'

'Ondertussen heb ik me laten neuken door meer beesten dan ik kan tellen.'

Fien verslikte zich bijna en barstte in een hoestende lachbui uit. Kennelijk was dit zelfs voor haar te grof. Rosa keek haar stomverbaasd aan.

'Ze hebben me naar de sloppen gebracht. Ze had me verkocht aan de Drost. En nu ben ik weer hier. Ik weet niet waarom. Het interesseert me niet. Niet meer in elk geval.'

'Wat is er met je gebeurd?' Rosa had een stap teruggedaan en keek nu alsof ze haar voor het eerst in haar leven zag.

'Dat heb ik al verteld. Mooier kan ik het niet maken. Het enige wat ik weet is dat het hier een paradijs is vergeleken met de modderkuil waar ik zat.'

'Ha!' riep Fien. 'Dat zei ik toch. We rijden hier in een stronttrein, maar we zitten wel eersteklas.'

'Je bent veranderd, je bent inderdaad iemand anders geworden,' zei Rosa uiteindelijk. Ze haalde haar hand door het haar van Lotte.

'En wat dan nog?' zei Fien. 'Ze is een van ons en we gaan vieren dat ze terug is.' Ze opende de fles wijn die Bo had gebracht en vulde de glazen. De eerste twee glazen klokte ze achterover, en toen ze zag dat Lotte haar tempo kon bijbenen, vroeg ze: 'Hoe waren de mannen daar? Was het heel anders?'

'Er is geen verschil. Wat is het verschil tussen varkens en zwijnen? Je zou het alleen vanbuiten kunnen zien. Het zijn beesten en zo moet je ze behandelen. Dat besef is het enige wat me anders maakt dan Anna.'

108

Ze was door Kool op een stoel bij de haard in de salon gezet. De kamer was leeg. Zelfs Lotte was er niet. Er liep een hooiwagen voor haar voeten die al ingesnoerd zaten in de schoenen met hoge hakken die ze vanavond zou moeten dragen. Was de spin vrij? Had hij ervoor gekozen om zijn leven binnen deze muren te slijten? Of was hij buiten gelukkiger geweest? Anna vroeg zich af of er nog wel een verschil bestond, tot Lotte haar voet boven op het beestje plaatste. Ze draaide de spin met haar schoenzool tot een kleine vlek.

'Wat maakt het uit?' zei Lotte.

'Niks, misschien.'

'Niks. Hij zat niet buiten. Hij zat binnen. En nu is hij er niet meer. Net leefde hij nog en nu is hij dood. Dat is alles. Meer is er niet.'

'Dat geloof ik niet.'

'Geloof het maar. Dat is beter voor je.'

'Als je het dan allemaal zo goed weet: waarom zijn we hier dan nog?'

'We zijn hier omdat het nog niet afgelopen is. Bovendien bevalt het me. Ik ben geboren in deze stad. En je moet toch toegeven dat het een stuk beter is dan tussen die stinkende planken in de sloppen.'

'Ik ben hier niet geboren. Soms denk ik dat ik hier ben gestorven. En als dat nog niet is gebeurd, dan zal het wel niet lang meer duren.'

'Daar zou je wel eens gelijk in kunnen hebben. En wat dan nog?'
'Dan niks. Misschien is dat ervoor nodig om vrij te kunnen zijn.'
'Dat zijn jouw woorden, maar ik spreek je niet tegen.'

109

Toen de deur opensloeg en de madam binnenkwam, vulde de salon zich met de scherpe geur van haar parfum. Anna maakte zich zo klein als ze kon. Lotte zat kalm bij de haard en kruiste haar benen.

'Zo, daar ben je weer,' klonk het uit de mierzoete walm die op haar afliep. 'Je bent een hardnekkige uitslag, meisje. Ik kan krabben wat ik wil, maar je blijft terugkomen.' De vrouw duwde haar rokken naar voren en nam plaats in de stoel tegenover haar.

'Ik hoop dat je je lesje hebt geleerd in de sloppen.'

'Ik heb bijgeleerd.' De stem van Lotte sloeg over. Het leek alsof Anna de woorden uitsprak.

'Dat mag ik hopen. Wat hebben ze je bijgebracht? Dat je je poten thuis moet houden?'

'Ik heb een lesje in nederigheid gehad, mevrouw.'

De weduwe lachte smalend. 'Nederigheid. Dat was een nieuw woord voor je, of niet?'

'U vraagt zich af of ik me zal gedragen?'

'Is dat nederigheid? Dat jij mijn vragen voor mij bedenkt? Maar vooruit, daar komt het wel op neer, ja.'

'Daar hoeft u zich geen zorgen meer om te maken.'

'Ik bepaal zelf wel waar ik me zorgen om maak, meisje. En als je dacht dat ik me zorgen maakte om jou, als je dacht dat ik ook maar een seconde nachtrust zou verliezen om jou, dan vergis je je grondig.'

'Sorry, mevrouw. Zo bedoel ik het niet.' Zelfs Lotte begreep dat er momenten waren om te breken en te buigen. 'De sloppen waren vreselijk. Een nachtmerrie. Ik weet niet waar ik het aan te danken heb dat u me terug wilt nemen, maar ik besef dat ik dankbaar moet zijn. Ik ben hier om voor u te werken en om uw vertrouwen terug te winnen. Ik ben veranderd en ik hoop dat ik u dat kan laten zien.'

'Dat is beter. En het is je geraden. Je hebt je laatste kans hier allang gehad. Zie het als een godswonder dat je weer naar binnen mag. Ik zou niet weten hoe ik het anders zou moeten noemen, maar dit is dan ook de eerste keer dat ik iemand heb zien terugkeren uit de dood. Je leeft in geleende tijd en er bestaat voor jou geen alternatief meer. De eerstvolgende keer dat je mij tegen de haren in strijkt maak ik zelf een einde aan jouw opstandigheid. Je hoeft dan niet naar het hok, je hoeft niet eens naar de sloppenheer, ik snijd hoogstpersoonlijk je strot door en dat is dan het einde van het verhaal. Is dat duidelijk?'

Lotte knikte. Het had geen zin een vrouw tegen te spreken die het gewend was geraakt haar zin te krijgen.

110

Er zaten zeven mannen in de salon toen Lotte, als laatste van de dames, beneden kwam. Vier mannen waren bij de haard in gesprek en twee dronken aan de toog bier met Bo. Fien hield zich bezig met nummer zeven, maar die leek nog nauwelijks in de ban van haar uitgesmeerde charmes.

'Het is een dooie boel,' zei Rosa. 'Ze zijn druk aan het con-verse-ren, de deftige heren. Er kan geeneens een drankje vanaf.'

'Laat mij eens kijken,' zei Lotte alleen maar. Ze deed haar schoenen uit en liep op blote voeten op de groep bij de haard af.

'Sorry, meisje. Wij komen zo dadelijk bij je. We zijn nog even in conclaaf.' De man hield één brillenglas tussen zijn jukbeen en wenkbrauw geklemd.

'Ik zal heel stil zijn, meneer. Ik heb het alleen maar een beetje koud. Ik kom hier bij u zitten en u zult niet eens merken dat ik er ben. Is dat goed?' Met haar linkerhand wreef ze over de broekspijp van de man met de monocle. Langzaam kropen haar vingers in de richting van het kruis waar de zwelling zijn antwoord al voorspelde.

'Vooruit. Het deert ook eigenlijk niet. Blijf maar zitten en straks zullen we je wel even opwarmen.'

De man die schuin tegenover haar zat, liet nauwelijks merken dat hij zich stoorde aan de interruptie en sprak onverstoorbaar door.

'Ons politiekorps telt driehonderd agenten. De helft is ongewapend en de mannen die zich kunnen verdedigen moeten dat doen met een roestige sabel of een enkel handpistool. Ik zeg u, heren, als het tot een confrontatie komt, dan leggen wij het grandioos af. En dát kan het begin van de revolutie inluiden.'

'Dan hebben de socialisten ons precies waar ze ons hebben willen,' zei de man tegenover hem.

'Op onze rug,' zei de man met de monocle, die nu met zijn hand onder Lottes jurkje gleed.

'Onzin!' De vierde man droeg een brede grijze snor die als het juk van een os op zijn dikke lip rustte. 'Het is een bende daar. Ongeorganiseerde bedelaars en lapzwanzen. Daar heb je geen driehonderd man voor nodig. Daar stuur je vijftig man op af en die hoeven hun gevest niet eens aan te raken. Die bedelaars stuiven uiteen als ze onze mannen zien marcheren.'

'Ik weet het niet,' zei de man bij de haard. 'Ik hoorde dat ze al een aantal agenten flink te grazen hebben genomen.'

'Ze hebben er eentje opgetakeld voor het politiebureau aan de Noordermarkt! Meer dood dan levend. Die kerel ligt nu in het Binnengasthuis. Een wonder als-ie het overleeft.'

'Ze hebben zogenaamde proclamaties opgehangen uit naam van de koning. Een schandelijke vertoning. Ik heb er een gezien. Dat is geen socialisme. Die lui zijn je reinste anarchisten.'

'Wat een grap. Die lui kunnen niet eens lezen, man.' De ossensnor stak nu een pijp tussen zijn lippen onder het struikgewas. 'Maak je nou maar geen zorgen. Dat waait over, geloof me. Het komt door de hitte. Dan krijgen ze de kolder in hun kop. Eén goede regenbui en ze druipen af.'

'Ik help het u hopen.' De man met het glas voor zijn oog maakte een boog van zijn wenkbrauwen, waardoor de monocle naar beneden viel. Het glas bungelde aan een touwtje langs zijn stropdas. 'En nu wij, meisje. Ik krijg dorst van dit gesprek. Wat wil je van me drinken?'

111

Toen Lotte naar beneden kwam met de man met het bungelende brillenglas zag ze dat madam Rowel bij de haard zat. Tegenover haar zat een man die haar leek te domineren. Het was geen typische klant. Ze herkende een beest, maar het was een ander soort beest dan ze gewend was geraakt. Toen de madam haar kant op keek, wenkte ze haar.

'Anna, dit is meneer Vroom.'

Ze stak haar pols naar voren zoals ze dat Rosa een paar keer had zien doen. 'Aangenaam, ik ben Lotte.'

Haar naam leek hem even te verwarren, tot madam Rowel ingreep. 'Anna heet nu kennelijk Lotte. Ik laat jullie even kennismaken.' Ze stond op en gebaarde naar Bo dat hij wat te drinken moest inschenken.

De man hield Lottes hand nog steeds vast en bekeek haar van top tot teen.

'Wat mag ik vanavond voor u betekenen, meneer Vroom?' Haar vraag verbrak zijn ogenschijnlijke hypnose en hij liet haar hand los. Lotte nam plaats op de stoel die madam Rowel had verlaten. De mierzoete walm van de parfum die ze had achtergelaten prikte in haar ogen.

'Voor vanavond is dit misschien genoeg, meisje. Ik wilde je ontmoeten. Ik heb veel over je gehoord.'

'Dat zal ik als een compliment opvatten. U moet weten dat ik nog niet zo heel lang werk in het maison van madam Rowel.'

'Nog niet zo lang, maar lang genoeg om een onuitwisbare indruk achter te laten. Je zou eens moeten weten hoeveel moeite het me gekost heeft je te kunnen spreken.'

'Nu maakt u me nieuwsgierig, meneer.'

'Mag ik vragen waar je vandaan komt, Lotte?'

'Ik kom van een veel minder beschaafde plek dan u gewend bent. Het zou u niet interesseren, vrees ik.'

'Je komt uit het noorden.'

Even leek het of ze Anna hoorde schreeuwen.

'Je bent een meisje van het veen.' Het kostte Lotte nu moeite om het gesprek te sturen. Ze kon de man niet peilen. Het was niet duidelijk wat hij van haar wilde.

'Als u dat wenst, meneer, dan ben ik een meisje van het veen.'

'Ik weet dat omdat ik je heb laten halen.'

Ze voelde hoe Anna naar de voorkant van haar hoofd kroop.

'Als u mij heeft laten halen, dan zal dat wel een bijzondere reden hebben gehad.'

De man dronk uit het glas dat door Bo was bijgevuld. 'Misschien. Maar als dat zo is, dan wist ik dat op dat moment nog niet.'

'Dat klinkt als een raadsel, meneer Vroom. Ik ben bang dat ik daar niet zo goed in ben. Ik heb andere kwaliteiten. Die zou ik u graag willen laten zien.'

'Ik heb je niet één keer laten halen. Om precies te zijn heb ik je twee keer laten halen. Ik ben de reden dat je weg bent uit de Jordaan.'

'In dat geval moet ik u waarschijnlijk bedanken. Heeft u daarvoor een speciale manier in gedachten?'

'Dat weet ik niet. Daar moet ik over nadenken. Maar voor nu is het geloof ik even genoeg.'

Anna was weer weggekropen. Ze was nu nauwelijks te bekennen.

'Is er geen enkele manier waarop ik u kan overhalen? Ik denk dat ik zelfs een erudiet man als u nog wat zou kunnen leren.' Ze legde haar hand op zijn bovenbeen, maar hij stond haar niet toe die te laten afdwalen.

'Dat geloof ik graag. En maak je maar geen zorgen. Ik kom snel weer terug. Ik geloof dat je me fascineert, meisje. Je hebt je op de een of andere manier in mijn hoofd genesteld. Het gebeurt mij niet vaak dat ik van mijn plannen afwijk.' De man stond op en pakte opnieuw haar hand beet. Nu kuste hij de rug van haar hand voor hij in de richting van de uitgang liep.

Madam Rowel staarde vanaf het buffet haar kant op. Anna wist niet of het afkeuring was of afgunst wat ze in haar blik kon lezen.

112

Twee dagen na haar ontmoeting met Vroom maakte Lotte zich op voor het koningsbal. Madam Rowel had kostuums gehuurd via een connectie bij een klein theatergezelschap. Kool en Bo droegen een livrei en hadden zich in de opwinding een accent aangemeten dat hen als bedienden alleen maar ongeloofwaardiger maakte.

'Môneer, mag ik u verzoeken, de glazen als het u belieft.'

'Direct, môneer, en als u mij toestaat, de borstel en de emmer als het u belieft.'

In de poederkamer zorgde de spanning voor nog meer gekakel dan anders.

'Ze zijn gek geworden. Trek die apen een pakkie aan en ze krijgen ineens manieren,' zei Fien.

'Het zijn mannen, dat zijn net kinderen,' antwoordde Rosa. Ondertussen trok Fien de purperen jurk over haar hoofd. 'Help! Ik zit vast!' De taille bleef steken op haar buste en met het paars over haar hoofd, boven haar blote, kolossale lichaam, waggelde ze blind door de kamer. 'Ik zie niks. Trek hem naar beneden.'

'Fien! Je bent net een enorme pik, met die paarse kop op je schouders.' De meisjes schaterden het uit, tot Fien over de rand van de tobbe struikelde en voorover in het water stortte. Met veel gespetter richtte ze zich op. 'Mijn haar! Nu moet ik godverdomme weer opnieuw beginnen,' klonk het uit de paarse huls.

Nu pas trok Rosa de jurk van haar hoofd. 'Hoogheid, wat mag ik voor u betekenen?'

Op een goede dag had Anna deze verstoring misschien aangegrepen om mee te lachen, om zich even te ontspannen, maar met Lotte aan het roer was er nog maar weinig lichtzinnig. Ze volgde de klucht via de spiegel maar nauwelijks, en ze concentreerde zich na de plons weer op de vorm en richting van haar wenkbrauwen.

Waar het belletje voor Anna als een noodklok had geklonken, betekende het voor Lotte een startsein. Met het geklingel viel het doek en kon ze eindelijk zichzelf spelen. Hier was ze voor geboren, een andere betekenis kende ze niet.

113

Die zaterdagavond opende het maison pas om acht uur zijn deuren. Er was een protocol, er waren optredens, de meisjes zouden dansen en er stond een visschotel op het buffet, waar Kool maar met moeite van af kon blijven. Het was niet de bedoeling dat de gasten, zoals dat normaal ging, naar binnen en buiten druppelden. De deuren zouden stipt opengaan, madam Rowel zou haar gasten welkom heten en de salon zou ineens gevuld zijn, waarna het programma kon beginnen.

De meisjes zagen er schitterend uit. Als een bontgekleurd schilderij stonden ze in zorgvuldig afgewogen poses voor de open haard. Het kraken van de trap kondigde de komst aan van de madam, die nog een laatste controle zou doen voor de deuren open konden. De walm van haar parfum ging haar voor en vulde de salon voor ze naar binnen liep. Bo greep de gelegenheid aan om zijn bazin met veel grandeur aan te kondigen. '*Mesdames*, ik presenteer u hare majesteit de koninklijke hoogheid madam Rowel.' Met de onderkant van de bezemstel sloeg hij driemaal op de grond.

Van achter het gordijn schoof de grote donkere verschijning naar voren. Madam Rowel droeg een zwarte jurk, die als een omgedraaide roos op de grond voor haar uit bolde. De puntige veren die rond haar kraag via haar geaccentueerde buste naar beneden liepen, maakten dat ze op een roofvogel leek. Ze had haar krullen zorgvuldig opgestapeld, waardoor het leek alsof ze het hoofddeksel van een huzaar droeg. Halverwege de toren had ze een zilverkleurige tiara in het haar gestoken.

Ze schreed door de salon, via het buffet naar de haard, en zei geen woord.

Lotte bekeek het tafereel met een lichte fascinatie. Ze kende de madam vooralsnog alleen door de ogen van Anna, maar nu wekte de vrouw haar verbazing. Waarom deed deze zwarte pauw eigenlijk wat ze deed? Was haar verschijning een overlevingsmechanisme zoals zij dat voor Anna was, of ging het veel verder? Kon je de rol worden die je speelde? En als dat mogelijk was, wat kon dat dan voor haar betekenen?

Na een goedkeurend knikje draaide madam Rowel zich in de richting van de deur. De mierzoete walm verdampte en het ruisen van haar rokken ebde langzaam weg in de verder alleen met spanning gevulde salon. Kool en Bo volgden haar naar de voordeur en vanuit de salon hoorden de meisjes hoe die met veel bombarie werd geopend. Enkele seconden later werd de salon gevuld met de maskerade van de mannelijke elite van de stad. Het vormde een schouwspel dat Lotte vrijwel direct betoverde. Iedereen speelde een rol: de advocaat, de officier, de directeur, de professor, de ambtenaar, de jonkheer, de dokter, het raadslid en de bankier, ze waren allemaal gelijk. De franje en status werden gecamoufleerd door hun kostuum, en zo ontstond er een zaal vol koningen en koninginnen.

De avond verliep extatisch, de mannen namen hun koninklijke gedrag zelfs mee tot in de kleine peeskamertjes, waar ze elegant waren en meer fooi gaven dan normaal. Pas toen Lotte voor de vierde keer naar beneden kwam, merkte ze dat er een andere sfeer hing in de salon.

Vijf mannen – ze stonden nog bij de gordijnen – gedroegen zich ondanks hun kostuums duidelijk anders dan de andere bezoekers. Ze keken angstig rond. Hun neuzen reikten niet in de hoogte, maar ze leken de vloer af te speuren naar het geschikte moment dat een einde zou maken aan de betovering. Ze bewogen zich langzaam naar het midden van de ruimte. Vier van de mannen posteerden zich rond de vijfde, die toen het moment aankondigde dat alleen Lotte had zien aankomen.

'Zondaars! Toon berouw! Het is nog niet te laat!'

Het rumoer verstomde tot een verdwaasde stilte.

'Vergeet uw aardse lusten, de duivelse drang en het donker van de Satan! U bent uzelf niet! U bent mijn buurman, mijn naaste, mijn medemens. Denk daaraan! Denk aan uw kinderen, denk aan uw vrouw en aan uw God! U wilt hier niet zijn! Wat u hier bracht, was de zonde. Keer u af van die zonde. Het is nog niet te laat. Draai om. Ga naar huis en vraag om vergiffenis. Smeek! En u zult deze krijgen.'

Lotte speurde de ruimte af. In een hoek van de salon, vlak bij de haard, stond madam Rowel. Ze staarde met stomheid geslagen, murw, naar het tafereel. De eerste mannen, die het dichtst bij de uitgang stonden, liepen al naar buiten. Andere bezoekers keken elkaar twijfelend aan en bewogen langzaam in de richting van de gordijnen. Koos en Bo stonden bij het buffet. Ze keken naar madam Rowel, wachtend op een teken, of een commando, maar er gebeurde niets. De betovering was doorbroken en niemand verzette zich tegen de realiteit.

Lotte bewoog zich als enige in de richting van de mannen. 'Marcel? Nee, Wouter? Johan?' De man die aan de rechterkant van hun woordvoerder stond, keek nu haar kant op. 'Ja, Johan! Jij bent het. Ik dacht al dat ik je herkende.'

De man keek schamper naar zijn kompanen.

'Je was hier gisteren ook al. Ik dacht dat je vanavond niet zou komen. Wat leuk! Bied je me weer wat te drinken aan? En kom je zo mee naar boven?'

Nu begrepen Rosa en Fien wat haar bedoeling was. Ze begroetten de andere mannen op een bijna vergelijkbare hartelijke manier, en direct leek hun standvastigheid gebroken.

'Johan?' zei de middelste. 'Wat heeft dit te betekenen? Ken je haar? Je wilt toch niet zeggen dat...'

'Kom nou toch, heren...' Lotte pakte de handen van de man in het midden beet. 'Laten we wat drinken. We maken gewoon wat lol. Waarom doet u niet met ons mee?'

De man die zich Johan had laten noemen maakte van de verwarring gebruik door naar buiten te rennen. Twee anderen liepen snel achter hem aan. Nu de opstand van de zedenprekers doorbroken leek, haastten Bo en Kool zich naar de drie overgebleven mannen. Het kostte hun weinig moeite ze de deur uit te krijgen, en toen ze terugkwamen en op aanwijzing van madam Rowel de bar vulden met glazen oranjebitter keerde de betovering langzaam terug.

Lotte straalde als nooit tevoren. Ze speelde niet langer alleen een rol, ze regisseerde ook de voorstelling waar ze in speelde. Die regie gaf haar voor het eerst een gevoel van macht, en ze rechtte haar rug en voelde zich vederlicht.

HOOFDSTUK XIV

Het Palingoproer I

114

Het was die zondag uitzonderlijk warm. Te warm voor de Jordaan. Te warm om binnen te zitten. De mensen die niet naar het Volkspark waren gegaan zaten al voor het middaguur buiten, in hun stoelen en op de grond voor hun huizen. Ze deelden oud brood, soms wat vis, bier en de zelfgestookte drank die op vrijwel iedere straathoek verkrijgbaar was. Er hing een onschuldige en jolige sfeer in de Jordaan. Niet zo grimmig als de afgelopen dagen – de politie had de patrouilles verdubbeld en dat leidde vrijwel iedere dag tot nieuwe opstootjes en arrestaties – maar wel beladen; je voelde dat er die dag iets ging gebeuren waar je bij moest zijn. Een groepje kinderen had een brandende tak aan de staart van een hond gebonden. Met veel lawaai renden ze achter het beest aan, tot ze tot de orde werden geroepen door een van de moeders uit de buurt. Jongeren hadden aan de Palmgracht twee platte handkarren op elkaar gestapeld, die ze gebruikten als verhoging om ervan in het ondiepe water te springen. In de Lindenstraat was een wedstrijd zaklopen georganiseerd die begon voor de kinderen, maar die was overgenomen door volwassen, die er een race van hadden gemaakt waarop omstanders konden wedden.

Zelfs de patrouillerende politieagenten leken in een milde bui te zijn, want waarom zouden ze de onschuldige sfeer bezoedelen met de geforceerde aanwezigheid die hun was opgelegd en waar ze zelf nauwelijks het nut van inzagen?

115

Toen politiecommissaris Voute na de eerste patrouilles een impressie kreeg voorgeschoteld van de sluimertoestand waarin de Jordaan verkeerde, reageerde hij buiten verwachting fel op de rapportage. 'Dat vertrouw ik niet. Ze zijn iets van plan. Ik geloof niet in een kalme Jordaan. Er is vast iets gaande. Ik wil een gedetailleerd verslag van alle mogelijke strafbare ondernemingen. Op een dag als vandaag kruipt de hitte in hun kop en die hitte moet er ook weer uit. Er moet meer aan de hand zijn. Zoek het uit!'

Een politieagent wist te melden dat er wat jongeren bezig waren met het opzetten van een spelletje palingtrekken. Een andere agent vertelde over een gekapseisde trekschuit op de Keizersgracht en in de Bloemstraat was een winkelier beroofd.

'Waar moet dat palingtrekken plaatsvinden?'

'Op de Lindengracht, commissaris. Vlak bij de Zaterdagse brug.'

'En wat is het in godsnaam?'

'Ze hangen een levende paling aan een touw en dat spannen ze over de gracht. Daar varen om beurten bootjes onderdoor en de man op de voorplecht probeert die aal er dan af te rukken. Als het lukt, heeft-ie gewonnen, maar het gaat vaker mis dan goed.'

'Wat een onzin, waar slaat dat op? Is het illegaal?'

'Ik weet het niet, commissaris. Misschien is het dierenmishandeling?'

'Nee, het mag wel,' antwoordde een andere agent. 'Je hebt er een vergunning voor nodig. Ik heb er wel eens een gezien, zo'n vergunning.'

'Een vergunning om een vis kapot te maken? Of een vergunning om in het water te lazeren?'

De agenten lachten, tot ze doorkregen dat Voute geen grap probeerde te maken.

'Een vergunning voor dat touw.'

'Het touw?'

'Het touw dat ze over de gracht moeten spannen. Het touw waar die paling aan bungelt.'

'En hebben ze zo'n vergunning?'

'Niet dat ik weet. Nee, die hebben ze niet.'

'Goed, dat lijkt me genoeg. Een touw spannen over een gracht zonder vergunning, is verboden. Paling of geen paling. Goossens, ik wil dat je vier mannen meeneemt en een einde maakt aan die vertoning.'

116

Op de zanderige binnenplaats stond geen zuchtje wind. Normaal waren er zeker vier barretjes open rond dit tijdstip op de zondagmiddag, maar nu was het uitgestorven in het Colosseum van de Drost. Behalve zijn eigen mannen en het merendeel van de zigeuners, die op zijn kosten nu al twee dagen en nachten gestaag doordronken, was er niemand. De Drost begon te twijfelen aan zijn beslissing de huursoldaten hierheen te halen, en de hitte had een slechte uitwerking op zijn humeur.

De nacht ervoor had een politieagent, tijdens een opstootje, met zijn sabel het oor van een van zijn mannen eraf geslagen. Ze deden het vaker, een aantal van zijn mannen miste een deel of delen van een oor. Het leek wel of de agenten er een sport van maakten. Het was hun vorm van machtsmisbruik en er viel formeel niks tegen te beginnen, als ze dat überhaupt al zouden willen. Voor zijn mannen betekende een gehavend oor ook vaak een merkteken van hun moed. Het zou dus geen ramp zijn geweest, ware het niet dat dit het oor was van Kareltje en dat het er in zijn geheel af geslagen was. Kareltje met de ene hand was nu dus ook Kareltje met het ene oor. En dat terwijl hij tegenover de hele Jordaan had verkondigd dat hij zijn mensen zou beschermen.

De Drost had zich net voorgenomen zijn chagrijn te koelen op de eerste die hem zou aanspreken, toen Ronnie door de poort zijn kant op rende.

'Het is begonnen! Het is begonnen!' Ronnie rende door tot hij voor de Drost stond en boog voorover om op adem te komen.

'Wat is er begonnen? Nou? Zeg op, man!' Hij gaf Ronnie een zet met zijn schoenzool, waardoor hij achterover in het zand viel.

'Bij de brug! Bij de Zaterdagse brug!'

'Niet wáár... Wát!'

'Er zijn rellen, Bertje...'

De Drost sloeg hem met vlakke hand in het gezicht. Ronnie was de enige die zich zijn oude bijnaam nog wel eens liet ontvallen.

'Drost, de rellen zijn begonnen.'

'Hoe bedoel je, de rellen zijn begonnen?' Een aantal zigeuners, onder wie Rijnbach en zijn mannen, liep nu hun kant op.

'Er waren er een zooitje aan het palingtrekken. Op de Lindengracht. Een heel spektakel. Meer dan honderd lui langs de gracht. Toen kwam rechercheur Goossens. Ze waren met z'n vijven. Hij zei iets over een verbod. Iedereen muiten natuurlijk. Ze hebben een van die agenten in de gracht gelazerd. Goossens droop af en toen ging het weer door.'

'De korte versie, Ronnie.'

'Toen kwamen ze even later terug met vijftien man.'

'Wie?'

'De juten.'

'Ga door.'

'Goossens kapte het touw door met zijn sabel en dat touw zwiepte naar beneden, het publiek in. De mensen waren woedend. Die agenten stonden op de stoep, in het gelid, te wachten tot de rechercheur weer beneden kwam, maar voor hij er was, werden ze van alle kanten aangevallen. Leo en dikke Daan trokken zo'n agent de menigte in en schopten hem helemaal lens, tot-ie niet meer bewoog. Die andere juten trokken hun sabel en begonnen om zich heen te slaan. Eerst met het plat, maar toen met het scherp. Toen werd iedereen woest. Zo'n agent hakt met zijn sabel zo in de schouder van Everdina van de Dwarsstraat. Zij krijsen, maar dat ding blijft steken. Dus dikke Daan...'

'Korter, Ronnie.'

'Die smerissen werden aan alle kanten uit elkaar getrokken en getrapt en geslagen. De meesten zetten het op een lopen. Die rechercheur ook. Die trapten ze van een keldertrap af, zo bij bakker Beertje naar binnen, maar die gooide zijn deur in het slot. Allemaal stenen door de ruiten, maar hij deed zijn deur niet open. "Gooi hem in de oven," gilden ze. Maar dat deed Beertje niet. Die Goossens zit daar nog...'

'Genoeg! Het is begonnen. We gaan eropaf. Rijnbach, ik heb twaalf revolvers. Ze liggen bij ronde Donna. Verdeel ze onder je mannen. Pak het staal en het hout en neem de platte kar met stenen mee. We lopen langs het Fransepad naar de Lindengracht. We gaan kijken of die vent nog bij Beertje zit.'

Van alle emoties overheerste de opwinding bij de Drost. Het chagrijn had plaatsgemaakt voor een ongeduldige agressie. Hij zou vooropgaan in de strijd. Hij zou laten zien dat hij voor zijn volk vocht. Ze waren dan misschien wel zonder hem begonnen, maar hij zou het afmaken.

117

Vanaf het Fransepad was de drukte in de straten al zichtbaar. Mensen verdrongen elkaar beide kanten op. Vrouwen sleurden kinderen weg uit het gedrang en jonge kerels baanden zich een weg in de richting van de Zaterdagse brug.

Toen ze op de Lindengracht aankwamen, zag de Drost al van een afstand waar de agenten zich moesten bevinden. Vanuit de ramen op de tweede en derde verdieping gooiden mannen en vrouwen pannen en bloempotten naar beneden. Een man was op het dak geklommen en wrikte dakpannen los, die hij naar de agenten slingerde. De zigeuners waren misschien nog wel gretiger dan de Drost en zijn mannen. Hij had zich voorgenomen in de voorste linies te strijden, maar door het gedrang raakte hij nu steeds meer op de achtergrond. Een tweede golf aan Jordanezen vluchtte weg van het gedruis.

'Ze komen met versterking!' riep een man die een schuine bloedrode streep over zijn overhemd had staan. 'Ze gaan naar Beertje!'

'Ze hebben paarden en geweren!' riep een vrouw in een gescheurde jurk. De vluchtelingen maakten plaats voor zijn kleine leger, maar door zijn positie in de achterhoede voelde de Drost zich niet de aanvoerder die hij hoorde te zijn. Vooraan zag hij de platte pet van de reuzenzigeuner.

Toen de Drost eindelijk bij de voorste rangen was aangekomen, zag hij dat de twee legers tegenover elkaar in een schijnbare impasse waren beland. Ter hoogte van de bakker lagen drie handkarren op hun kant. Met behulp van losgewrikte klinkers en het hout dat op de karren had gelegen was er een kleine barrière opgeworpen. De politiemacht die was uitgerukt om hun rechercheur te ontzetten stond aan de kant van de Noordermarkt te wachten op een bevel om de bakkerswinkel te bestormen. Aan de andere kant stonden de Jordanezen nu zij aan zij met de zigeuners te wachten op de eerste zet die de agenten zouden doen. Het stond de Drost niet aan dat het initiatief nu bij de politiemacht lag. Hij probeerde verder naar voren te komen, maar door zijn geringe lengte en postuur schoot hij geen stap op. In de voorste linie meende hij een glimp van Rijnbach op te vangen.

'Voorwaarts!' schreeuwde de Drost, maar hij kwam nauwelijks boven de scheldkanonnades uit. Het leek erop dat de reuzenzigeuner hem toch had gehoord, want de Drost zag nu duidelijk hoe Rijnbach de barricade beklom. De Drost probeerde opnieuw naar voren te dringen, maar werd juist naar achteren geduwd toen hij kracht zette. Hij zag hoe Rijnbach een van zijn revolvers op de politiemacht richtte.

'Je waagt het niet! Laat zakken!' hoorde hij van de kant van de smerissen. De reuzenzigeuner draaide zich om en zocht met zijn ogen tot hij de Drost zag staan. Hij lachte zijn gele gebit bloot en haalde, zonder in de richting van zijn doelwit te kijken, de trekker over. De Drost hoorde het schot en zag hoe de grimas van Rijnbach overging in een angstkreet. De revolver was in zijn hand tot ontploffing gekomen en het bloed gutste in het ritme van zijn hartslag uit het uiteinde van zijn rechterarm. De zigeuner drukte de stomp tegen zijn middel en viel vrijwel direct daarna van de stapel stenen af. Twee van zijn mannen doorbraken de linie en sleurden hun hoofdman weg van het front. De politieagenten grepen de verwarring aan door met getrokken sabel de barricade op te stormen. Vanuit de huizen werd hun charge beantwoord met een regen aan puin en andere projectielen. De agenten die naar voren vluchtten voor de bekogeling werden direct door de zigeuners achter de linie getrokken en gelyncht.

'Voorwaarts!' schreeuwde de Drost opnieuw en voor het eerst werd er naar hem geluisterd. Twee van zijn broers trokken samen met Ronnie een platte kar weg en zijn mannen, direct gevolgd door de zigeuners, stormden op de politiemacht af. De agenten in de voorhoede probeerden de opmars te verstoren door wild met getrokken sabels om zich heen te slaan, maar ze merkten al snel dat ze niet opgewassen waren tegen de woedende menigte die, gewapend met stalen pijpen en knuppels, door hun linie brak. Toen de agenten omkeken, zagen ze dat de achterhoede vluchtte naar het bureau op de Noordermarkt. Dat was het teken om de aftocht te blazen.

Er klonk luid gejuich uit de omringende woningen, dat door de mannen van de Drost met gespreide armen in ontvangst werd genomen. Eindelijk vond de Drost de ruimte om te bewegen in de menigte. Geflankeerd door Ronnie en een van zijn broers beklom hij de omvergetrokken platte kar.

'Kameraden! Vrienden! Soldaten!' Hij kwam nauwelijks boven het rumoer uit.

'De eerste slag is aan ons! Wij laten niet met ons sollen! We hebben ze laten zien wie de baas is in de Jordaan.'

Nu pas keken de mensen in zijn richting.

'Wie is de baas? Wij zijn de baas!' Met zijn armen zweepte hij de menigte op.

'Wie is de baas?' Zijn mannen reageerden als eersten door hun armen in de lucht te gooien en te roepen: 'Wij zijn de baas!'

'Wie is de baas?'

'Wij zijn de baas!' Het leek of de hele Jordaan hem in harmonie antwoordde.

'Wie is de baas?'

'Wij zijn de baas!' galmde het. Maar de Drost hoorde wat anders. Hij hoorde wat hij moest horen. Jij bent de baas, klonk het in zijn hoofd.

118

Van de overkant van de Lindengracht zag Rolf Rowel hoe de massa zich splitste. De agenten trokken zich terug in het politiebureau aan de Noordermarkt, en het grootste deel van de Jordanezen volgde de sloppenheer naar het Fransepad. Voor de bakkerij werd het nu rustiger, en Rolf besloot de Zaterdagse brug over te steken om er te gaan kijken. Het jasje van zijn pak had hij inmiddels afgegeven aan een jongen met een wond aan zijn arm en hij had de mouwen van zijn overhemd opgestroopt om minder op een buitenstaander te lijken.

Bij de bakker stond nog een groep van vier jongens aan de deur te trekken. Hij gaf ze ieder een stuiver en de jongens gingen ervandoor. Hij klopte een aantal keer op de kelderdeur en verzekerde de bakker dat hij er was om te helpen. Het duurde even voor de sleutel in het slot werd omgedraaid.

De rechercheur zag er redelijk ongehavend uit. Hij had zijn neus gebroken en zijn linkerarm leek uit de kom te zijn geschoten.

'Kunt u nog lopen?'

De rechercheur knikte.

'Het is nu rustiger buiten, maar het zou me niks verbazen als ze zo terugkomen. Het zijn niet alleen de buurtbewoners, ziet u. Ze worden aangemoedigd door de sloppenheer.'

'Door wie?' De politieman hield zich staande tegen een broodrek. Een ander rek, dat waarschijnlijk gediend had als barricade voor de deur, werd door de bakker en zijn zoons rechtgezet.

'Ze noemen hem de Drost. Hij heeft een klein leger om zich heen verzameld. Ze brengen hun gewonden terug en zullen zich waarschijnlijk hergroeperen.'

'Wie bent u, meneer?'

'Dat doet er niet toe. Ik ben hier om te helpen. Kunt u met uw andere arm op mijn schouder leunen?'

Hij probeerde te gaan staan en zakte bijna door zijn rechterenkel.

'Het gaat,' zei de rechercheur. 'Als het nu rustig is, moeten we direct gaan.'

Rowel knikte naar de bakker, die de kelderdeur opnieuw van het slot draaide. Er stond niemand op de stoep voor de keldertrap.

'Trek uw jas uit en veeg wat bloem over uw broek.' Van de bakker leende hij een platte pet, die hij de rechercheur opzette en tot over zijn oren trok.

'Zo moet het gaan. Niet omkijken en doorlopen. Het is misschien driehonderd meter lopen.'

De eerste honderd meter ging voorspoedig, totdat Rowel merkte dat de man zwaarder op hem begon te leunen. Uit de ramen in de Lindengracht hingen nu rode vlaggen en lappen. Een vrouw die een rood laken aan een lijn hing, herkende de rechercheur. Rowel zag haar en bracht zijn wijsvinger naar zijn mond. Even twijfelde de vrouw, maar toen begon ze toch te schreeuwen.

'Hiero! Het is die smeris van Beertje! Hij zet het op een lopen!'

Van achteren hoorde Rowel de kreten van een groep jongeren dichterbij komen. Het was nog honderd meter voor ze naar rechts konden en het politiebureau in zicht kwam.

'We redden het niet. Ren vast vooruit en kom dan terug met versterking.'

'Ze zullen u meeslepen.' Rowel probeerde de man over zijn schouder te dragen, maar door het gewicht viel hij zelf bijna op de grond. Hij sleurde de man nu aan zijn goede schouder mee. Er werden stenen gegooid. De eerste vlogen over hun hoofden. Rowel hoorde de voetstappen van hun achtervolgers dichterbij komen.

'We redden het niet,' zei de diender opnieuw. 'Waarom komen ze godverdomme dat bureau niet uit!'

Rowel werd door een halve klinker in zijn rug geraakt. In een reflex greep hij naar de pijnlijke plek, waardoor de rechercheur naar de grond stortte. Even twijfelde hij. Moest hij de politieman hier achterlaten? Toen zag hij de deur van het bureau openslaan. Een groep van zes agenten rende met getrokken sabel naar buiten. De achtervolgers leken te twijfelen, maar draaiden zich toen om en zetten het op een lopen.

119

In het politiebureau zag hij de werkelijke schade die de sloppenbewoners hadden aangericht. Er lagen mannen te kermen op brancards, overal lag bloed op de vloer en een man lag bewusteloos op een leeggemaakt bureau.

Rowel herkende de politiecommissaris die in de hal bevelen

gaf. Het was Voute. Even was hij bang dat hij herkend zou worden, maar Voute leek zich hem niet meer te herinneren. De commissaris zag er ongehavend en onberispelijk uit in zijn uniform. Vanaf het bordes blafte hij zijn mannen toe.

'Er komen drie koetsiers die naar het Binnengasthuis zullen rijden. Selecteer de gewonden die er het ernstigst aan toe zijn. Vier man aan de voorkant, op de uitkijk. De rest hergroepeert. We blijven niet binnen. We moeten naar buiten. Laten zien dat ze ons niet ongestraft kunnen aanvallen. Er komen versterkingen uit de hele stad. De noodtoestand is uitgevaardigd.'

Rowel viel nauwelijks op in de chaos. Het merendeel van de politiemannen droeg geen uniform, en hij zag er niet uit als een sloppenbewoner. Hij liep naar de achterkant van het bureau en keek door het raam naar de kerk. Daar zag hij hoe de versterkingen van commissaris Voute zich opstelden om de Jordaan in te nemen. Het was nog lang niet afgelopen. Het was nog maar net begonnen.

Aan de andere kant van het politiebureau hoorde Rowel glasgerinkel. Hij draaide zich om en van halverwege de hal zag hij stenen door de ruiten vliegen. Zouden de mannen van de Drost het gewaagd hebben het bureau op de Noordermarkt aan te vallen? Bijna alle politieagenten lagen op de grond, om dekking te zoeken voor de glasscherven en het vallende puin.

Voute stond nog steeds op het bordes. Hij leek in trance. 'Opstaan, lafbekken! Opstellen in rijen van twee! We voeren een charge uit! We stormen naar buiten! Wij zijn de baas! Dit is mijn stad, godverdomme!'

De versterkingen van Voute renden vanuit twee richtingen om het politiebureau heen en stormden op de oproerkraaiers af. De Jordanezen vluchtten terug de sloppen in en stoven uiteen. Sommige politiemannen braken uit de linie en renden achter ze aan. Ze kwamen niet terug toen hun bevelhebber de charge beëindigde.

Voute verwelkomde de hulptroepen en gaf ze direct hun orders. 'We voeren de rest van de middag en avond charges uit. We verspreiden ons in twintig groepen van vijf door de driehoek tot aan de grachten. We arresteren iedere socialist en relschopper. De arrestanten worden hier verzameld en naar het hoofdbureau gebracht. We moeten deze opstand direct de kop indrukken, heren. Nu is er nog verdeeldheid.'

Maar in die verdeeldheid school juist de kracht van de Jordanezen. De kleine patrouilles werden op iedere straathoek aangevallen, waarna de daders vlug verdwenen. Ze konden ieder huis binnen, en als de agenten aanbelden om een van de voortvluchtigen aan te houden, werden ze van bovenaf bekogeld en tegelijkertijd aangevallen door een ander groepje relschoppers.

De patrouilles keerden één voor één terug, zelden compleet en vrijwel altijd met meer slecht nieuws. 'De inspecteur is meegesleurd en zit opgesloten in de kruidenierswinkel.' 'Nelissen en Van Es liepen de hoek om en daarna waren ze spoorloos.' 'We werden bekogeld. De commandant werd op zijn hoofd geraakt. We moesten hem achterlaten.'

Telkens gaf Voute het bevel tot hergroeperen en stuurde hij de dienders direct weer de straat op. Rowel besloot het bureau via de achterdeur te verlaten voor hij zou worden aangezien voor een politieagent en de sloppen in gestuurd zou worden.

120

Op de binnenplaats van de Drost heerste een jubelstemming. Iedere keer als de poort openzwaaide kwam er iemand binnen met goed nieuws. De Drost beloonde iedereen met gratis bier en jenever.

De wond van Rijnbach was ontsmet met aangelengde alcohol en dichtgeschroeid met een gloeiende pook. Hij had zijn wijsvinger en duim verloren toen het wapen in zijn hand ontplofte. De zigeunerreus lag inmiddels buiten bewustzijn in de schuilkerk. Het was niet zeker of dat kwam door de hoeveelheden sterke-drank die hij zichzelf als verdoving had toegediend of door de pijn en de shock van de schroeiplek.

'We hebben er eentje te pakken!' Het enthousiasme van Ronnie klonk alsof hij zojuist ontmaagd was. 'We hebben hem naar de schuilkerk gebracht.'

In de schuilkerk was het een stuk koeler dan in de verzengende namiddagzon. De Drost liet zijn ogen even wennen aan het donker en liep snel achter Ronnie aan. Achter in de kerk stonden zijn twee oudste broers naast een stoel waar een politieagent op zat. Zijn benen waren aan de stoelpoten gebonden en zijn handen zaten achter de rugleuning aan elkaar vast. De woede bekroop Berthold als een spontaan hongergevoel. Hij trok het kromme vissersmes uit de schede aan zijn riem en zette het vrijwel direct op de bovenlip van de diender.

'Ik snijd je neus eraf! Daar begin ik mee. Daarna je vingers. Dan je tenen. Vervolgens je ballen, als je die tenminste hebt. Daarna je oren. Nee, één oor, zodat je jezelf nog kunt horen schreeuwen. Dan een oog. Dat duw ik door je strot. Ik duw alles door je strot. Ik prop je zo vol met je eigen lichaamsdelen dat je maag klapt! Hoe vind je dat?'

De politieagent barstte in huilen uit. 'Alstublieft, meneer. Ik heb twee kinderen. Ik heb een vrouw. Ik deed alleen maar wat me werd opgedragen. Ik ben vader. Mijn zoontje heet Floris. Hij is alles voor me. Ik ben zijn held. Mijn dochtertje heet Josette. Een schat van een meid. Ze kan pas slapen als ik haar heb ingestopt. Alstublieft, meneer! Ik smeek u!'

Met het gevest van zijn vissersmes sloeg de Drost een gat in de schedel van de man. Het bloed gutste in donkere stromen over zijn ogen en mond.

'Dat interesseert me dus echt helemaal geen reet. Weten ze wat jij hier komt uitspoken iedere dag? Weten Floris en Josetje dat jij hier ónze kinderen verminkt door hun de oren af te slaan? Vertel je haar dat voor je haar een knuffeltje geeft, varken?'

De man krijste alsof hij naar de slachtbank werd gevoerd. 'Alstublieft, meneer! Ik smeek u! Ik kan iets voor u betekenen. Ik weet dingen. Ik heb informatie!'

'Heb je informatie? Ik ook. Een varken heeft ongeveer zes liter bloed. Een politieagent ook. Het duurt ongeveer een halve dag om een varken in het juiste tempo leeg te laten lopen. Als je goed snijdt. Als je verkeerd snijdt, kan het soms wel dagen duren. Heb je enig idee hoelang het duurt voordat een smeris is leeggebloed?'

'Een dag,' zei de oudste broer van de Drost. 'Ik zet er vijf stuivers op.'

'Wil ik zien,' antwoordde Ronnie. 'Vijftien cent op anderhalve dag.'

'Ik weet van de versterkingen die komen.' De politieman sprak nu kalmer dan tijdens zijn smeekbede.

'Versterkingen? Die informatie zou het leegbloeden aanzienlijk kunnen verkorten.'

'Ik wil dat je me vrijlaat. Ik vertel alles als je me laat gaan.'

'Niet doen, baas. Hij weet waar we zitten. Hij kan deze plek verraden,' zei Ronnie.

'Weet ik, eikel,' zei de Drost, en tegen de diender voegde hij eraan toe: 'Als jij me alles vertelt wat je weet, dan wil ik wel wat met je afspreken.'

'Ik weet alles. En als u me laat gaan, vertel ik u alles wat u wilt weten. En ik houd mijn mond. Na vandaag ben ik weg bij de politie. Ik zweer het! Ik vertel alles, maar u moet me laten gaan.'

'Als jij me waardevolle informatie geeft, dan zorg ik ervoor dat je hier lachend naar buiten loopt. Hoe vind je die?'

De man knikte. 'Morgenochtend komen er versterkingen aan. Ze hebben het leger ingeroepen.'

'Het leger? Nu ben je aan het fantaseren. Heb ik je iets te hard op je kop geslagen?'

'Nee, ik weet het zeker. Er komt infanterie. En een regiment huzaren.'

'Huzaren? Ben je bezopen? En de koning? Komt die ook?'

'Dat is alles wat ik weet. Ik zweer dat het de waarheid is. Ik zweer het op...'

'Stop maar, generaal. Als het waar is, is het zeker waardevolle informatie. Wat maakt het uit dat ze met paarden komen, we zetten gewoon de straten dicht. We stapelen de stenen op. Laat ze daar maar eens overheen springen.'

De Drost draaide zich om. Hij moest zijn mannen instrueren. Als ze afzettingen opwierpen, zouden de huzaren, als die daadwerkelijk kwamen, kansloos zijn. Als het leger zou komen, was hij in zijn aanvankelijke opzet geslaagd. Dit was chaos. Er was geen ander woord voor. Hij had een boodschap willen afgeven aan het stadhuis en die was doorgekomen. Dat stond buiten kijf.

'Baas?'

'Ronnie?'

'Wat doen we met die smeris?'

'O ja, die smeris.'

'Hij weet waar we ons schuilhouden.'

'Steek zijn ogen uit.'

'En dan?'

'Snijd zijn bovenlip eraf en snijd zijn mondhoeken open. Naar boven. Ik heb hem tenslotte beloofd dat hij hier lachend weg kon lopen.'

'En zijn tong?'

'Ja, zijn tong natuurlijk ook. Voer die maar aan de honden.' Ronnie grinnikte.

'Generaal, ik wens u nog een prettige avond. En veel liefs aan Floris en de kleine Josette.'

121

Die avond vierde de Jordaan feest. Omdat ze hadden laten zien wie er de baas was in de sloppen. En omdat ze bang waren. Er was maar één beproefd middel tegen de angst: hem vergeten, al was het maar voor even. De Jordanezen aten, dansten en dronken alsof de zorgen van de volgende morgen niet bestonden. En bovendien: wat kon het stadsbestuur doen? Wilden ze soms iedere Jordanees oppakken en opsluiten? Dan zouden de fabrieken op halve kracht verder moeten, als ze al konden draaien zonder de ruggen, benen en armen van de mensen die als vervangbaar werden gezien. Zouden de directeuren en de kapitalisten soms zelf achter de lopende band gaan staan?

Ze waren onaantastbaar, want ze waren met veel en in die massa verdween het individu. Hun armoede was hun kracht. Morgen, als die dag er al toe deed, zouden ze hun op hun blote knieën komen smeken om weer aan het werk te gaan, en dan zou de Jordanees nog wel even zien wat ervoor nodig was om hem weer over te halen.

Met iedere slok nam het zelfvertrouwen toe. De angst werd ondergedompeld en kwam als herboren weer boven. Wat vandaag was gelukt, kon morgen weer gebeuren. Als morgen al bestond.

HOOFDSTUK XV

Het Palingoproer II

122

'Gisteren was een incident. Niks meer, niks minder,' herhaalde Voute op het stadhuis tegenover de burgemeester en een wethouder. Het was zes uur in de ochtend en de eerste zonnestralen trokken banen van licht over de ovale tafel in de vergaderzaal.

'Een incident? En hoeveel doden en gewonden moet de gemeente betreuren dankzij dit incident, commissaris?' De burgemeester sprak met een lijzig accent dat zijn Brabantse herkomst verraadde. Zijn kroezige baard liep door tot in de kraag van zijn overhemd, waardoor het leek alsof hij geen nek had en zijn hoofd op een spons op zijn romp steunde.

'Een handvol. Dat is waar. Er zijn doden gevallen. Er zijn gewonden gevallen en de daders zullen worden gearresteerd, berecht en bestraft, maar dat ligt allemaal binnen onze macht. Wij kunnen dit aan. We zijn ervoor opgeleid en we hebben de ervaring. Amsterdam heeft de beschikking over een sterk en goedgeorganiseerd politiekorps en ik beloof u dat wij dit in de kiem smoren.'

'Dit? En hoe noemen wij dit eigenlijk, commissaris?'

'Het is een kleine rel, burgemeester. Geen opstand, geen oproer en al zeker geen revolutie.'

'Ik heb begrepen dat de socialist Domela Nieuwenhuis voornemens is naar onze stad te komen.'

'Laat hem maar komen. Voor het middaguur is er niks meer te zien van het incident en is het een maandag als alle andere.'

'Als u dat zegt, commissaris, dan zal ik dat aannemen. U verdient wat speling en ik vertrouw op uw oordeel. U heeft twaalf uur de tijd om de verantwoordelijken voor dit... ehm... incident te arresteren. Als de onrust aanhoudt, zien wij ons genoodzaakt stevigere maatregelen te nemen. Ik wens u veel succes, al zult u dat naar eigen zeggen niet nodig hebben.'

123

Die ochtend kwam de Jordaan nog later op gang dan gebruikelijk was op maandag. De mensen die werk hadden in de fabrieken werkten zeventig tot tachtig uur in de week, verspreid over zes dagen, en ze gunden het zichzelf geregeld om op maandag te laat op hun werkplek te verschijnen. Het was normaal, het werd gedoogd. De arbeiders dachten zo wat uren af te snoepen, maar de fabriekseigenaren plakten die er aan het einde van de dag gewoon weer bij, verspreid over de week.

Op de Noordermarkt liepen de kramers scheel van een kater op en neer van het café naar hun standplaats. 'De beste remedie is de kwaal bestrijden met de veroorzaker.'

Buiten de Jordaan was de opstand in de sloppen niemand opgevallen, en nu bracht het geroddel een wilde geruchtenstroom op gang. Eén gerucht wilde dat de Jordaan zich onafhankelijk had verklaard en een eigen burgemeester had uitgeroepen. Een ander verhaal was dat die nieuwe burgemeester, onder het voorwendsel van een revolutie, een aanval zou voorbereiden op de rijkere delen van de grachtengordel. Een kamenierster vertelde dat er opgeroepen werd te stelen van de huishoudens waar ze werkten, om de revolutie te financieren. Dat zou zij nooit doen, natuurlijk, maar ze hoorde dat anderen erover nadachten.

Vanuit de Pijp en andere arme delen van de stad kwamen jongeren, de meeste zonder werk, kijken wat er waar was van de geruchten, maar ze troffen de sloppen die ochtend aan in een apathische rust en alleen het puin, de dakpannen en de stenen in de straten zouden kunnen getuigen van de ruzie om een paling.

124

Op de binnenplaats van de Drost was het feest tot zonsopkomst doorgegaan. Nog steeds lagen mannen en vrouwen hun roes uit te slapen in de kraal, wars van de werkelijkheid en verdwaald in de droomwereld die zoveel mooier was dan het bewuste deel van hun leven.

Het was geen verrassing voor de Drost zijn mannen zo aan te treffen, maar toch maakte hij zich zorgen, al was het alleen maar omdat er nog niks was gebeurd. Hij was niet gewaarschuwd, aangehouden of gearresteerd en hij had van niemand een bericht ontvangen. Niet van de mannen die hij op de Noordermarkt had geplaatst, niet van degenen die zich met de socialisten ophielden en zelfs niet van het mannetje van Vroom.

Achter het podium, dat op twee plekken in elkaar gezakt was, ontdekte hij Ronnie. Hij lag met zijn neus in het zand te slapen, zijn vuist nog stevig geklemd om een kruik waarvan de inhoud het zand verkleurd had. Met zijn voetzool gaf hij hem een zet. 'Ronnie!'

Het uitblijven van een reactie frustreerde hem en voedde op de een of andere manier de zorgen die hij had. Hij nam een korte aanloop en schopte de bewusteloze met de punt van zijn schoen in de zij. Het lichaam veerde mee en Ronnie schrok wakker. Hij kroop op zijn knieën, keek met half dichtgeknepen ogen naar het licht en braakte toen zijn maaginhoud uit. Een zwerfhond liep op een drafje naar het dampende braaksel en begon eraan te likken.

'Godverdomme!' schreeuwde Ronnie toen hij weer op adem was gekomen. En vervolgens voegde hij er, op een andere toon, aan toe: 'Sorry baas, ik moest nog even wakker worden.'

'Met de zigeuners erbij heb ik bijna honderd man tot mijn beschikking. Allemaal worden ze goed verzorgd en betaald en allemaal liggen ze nog te tukken. Inclusief jij, Ronnie. Wat heb ik daaraan?'

'Ik ben al wakker.' Ronnie keek om zich heen en wreef met zijn knuisten in zijn ogen. 'Hoe laat is het?'

'Te laat. De commissaris heeft al twee keer gegeten, vier keer vergaderd, al zijn mannen opgetrommeld en godverdomme zelfs alle paarden van die huzaren staan borstelen!'

Ronnie stak nu zijn beide pinken in zijn oren. Het leek wel of hij zijn lichaam handmatig moest activeren door al zijn holtes te beroeren.

'Zet het bier klaar,' zei de Drost tegen Ronnie.

'Ha, dat is een goed idee.'

'Er wordt gevochten vandaag, daar kun je donder op zeggen. Bier werkt tegen de kater. Bier voedt de roes. Zet de vaten klaar en roep iedereen naar het plein. Ik loop naar de schuilkerk om daar de schade op te nemen.'

125

In de schuilkerk trof de Drost nog maar de helft van zijn huurleger aan. De reuzenzigeuner lag nog steeds op de balen stro waar ze hem hadden achtergelaten. Hij was volkomen van de wereld, maar het gesnurk verraadde dat hij in leven was. Met veel moeite, en de belofte van bier, lukte het de Drost het twintigtal zigeuners over te halen hem te volgen naar de binnenplaats. Hier hadden zijn broers en Ronnie inmiddels het merendeel van zijn mannen weer op de been gekregen.

'De politie heeft al op de Zaterdagse brug gestaan,' wist Ronnie te melden. 'Maar ze werden de Lindenstraat en de Lindengracht weer uitgeknikkerd door de mensen daar. Ze smijten met stenen, pannen en huisraad en de socialisten lijken zich ermee te bemoeien.'

'De socialisten?' De gedachte dat iemand anders in zijn strijd zou meedelen was ondraaglijk voor de Drost.

'Ze hangen overal rode en zwarte vlaggen op. Dat is mooi, toch? Straks krijgen zij de schuld.'

'De schuld? De eer zal je bedoelen! We moeten als de sodemieter naar de brug. Oprotten met die vlaggen! We bouwen een wal om de Jordaan. Laat ze dan nog maar eens proberen de brug te heroveren. Drink dat bier op! We moeten de straten dichtgooien!'

De mannen van de Drost werden met gejuich onthaald op de Lindengracht. Met pikhouwelen en spades wrikten ze de straatstenen los. De helft werd verdeeld onder de buurtbewoners om ze vanaf de verdiepingen als munitie te gebruiken en de andere helft werd op karren geladen. In de Lindenstraat werden met planken en klinkers barricades opgeworpen. Toen de wegen waren afgezet, liet de Drost vier vaten bier aanrukken.

Tot twee keer toe probeerden de politieagenten met een aanval tot bij de barricades te komen, maar ze kwamen niet eens in de buurt. Een regen van stenen verjoeg de angstige dienders en de mannen van de Drost kwamen een derde keer niet eens meer van de grond, waar ze in de zomerzon alweer stevig aan een nieuwe dronk werkten.

126

Toen de kerkklok op de Noordermarkt voor de zesde keer had geslagen hoorde commissaris Voute het gedreun van de marcherende infanterie. Vanuit de richting van het IJ klonk het galmende hoefgetrappel van het eskadron cavaleristen. Voute trok zijn uniform recht en fatsoeneerde zichzelf voor de spiegel in de grote hal die de bekogelingen wonderlijk had overleefd. 'Aanstellers,' mompelde hij bij zichzelf. Het leger was voor hem één grote poppenkast. De hele dag was het bezig met uiterlijk vertoon. Het zou hem verbazen als die huzaren ooit iets anders hadden gedaan dan de hele dag hun paarden roskammen. Hij gaf het bevel de voordeuren te openen en zag hoe de beide commandanten hautain over zijn drempel stapten. Voute twijfelde. Moest hij op ze aflopen of moest hij ze naar het kantoor laten brengen? Even dacht hij aan de krappe ruimte, die nog steeds besmeurd was met het bloed van zijn mannen, en toen rechtte hij zijn rug en stapte op de twee blaaskaken af.

'Heren, welkom. Ik ben dankbaar voor uw aanwezigheid, maar wij hebben de zaak onder controle.'

De commandant van de huzaren nam het woord. De horizontale strepen op zijn gilet deden Voute denken aan een xylofoon. 'Wij zijn hier op verzoek van de burgemeester. Het geniet de voorkeur de zaak in harmonie af te ronden, maar als een samenwerking niet mogelijk is, zijn wij gemachtigd het commando over te nemen.'

'Het commando over te nemen?' Voute hoorde zijn kaken knarsen en herpakte zich. 'Heren, dat zal niet nodig zijn. Zoals gezegd: ik ben u dankbaar voor uw assistentie en samen zullen wij ervoor zorgen dat dit tuig spijt krijgt van iedere rebelse gedachte die het ooit heeft gehad. Wilt u mij maar volgen? Dan breng ik u op de hoogte van de situatie.'

Op een kaart van de binnenstad liet Voute zien waar de barricades waren opgeworpen en op welke plekken aan de Lindengracht en in de Lindenstraat ze op de meeste weerstand 'van bovenaf' konden rekenen. De huzaar draaide zijn hoofd af en toe met een grijns in de richting van de infanterist, die de minachting vervolgens concreet maakte door te vragen wat er dan tot nog toe wél gedaan was. Het verslag van Voute leek voor de commandanten niet meer dan een vermakelijk verhaaltje. 'In kleine patrouilles?' 'Een frontale charge?' 'Zonder omtrekkende beweging?' 'Met sabels?' De kleinerende opmerkingen werkten Voute op zijn zenuwen, en pas toen de huzaar op zijn kaart ging zitten, knapte er iets bij hem.

'Ik heb godverdomme acht van mijn mannen verloren! Er zijn er dertig zwaargewond! Het is nog maar de vraag of ze het zullen redden. Mijn agenten worden gemarteld. Ze hebben er één de ogen uitgestoken. Verminkt voor het leven. En u komt hier even soldaatje spelen? Heren, buiten zult u een slagveld aantreffen zoals u dat nog niet eerder heeft gezien. Het zijn beesten. Ze zijn gewapend en ze schieten, zonder enig ontzag, op iedereen die hun onbekend is. Deze veldslag houdt zich niet aan uw regeltjes. Hij verloopt volledig asymmetrisch. U doet er goed aan naar mij te luisteren!' Hij veegde de lok die voor zijn ogen was gaan hangen terug achter zijn oor. 'Met respect,' voegde hij eraan toe.

'Excuses, commissaris.' De commandant van de infanterie nam nu voor het eerst het woord. 'Misschien hebben wij de zaak onderschat. Daarom is het goed dat u ons deze details geeft. Wij vatten dit niet licht op, dat verzeker ik u. Wij waarderen het als u zij aan zij met ons optrekt in de tegenaanval.'

'En wij zullen uw mannen wreken,' voegde de huzaar eraan toe. 'We schieten met scherp. Als deze zwervers het wagen een afgezant van de koning onder vuur te nemen, zullen wij iedere kogel beantwoorden met een veelvoud daarvan. Nu... mijn paarden kunnen de gebarricadeerde straten niet innemen. Dat zal de infanterie moeten doen. Wij zorgen voor een afleidingsmanoeuvre.'

Voor het eerst keek de infanteriecommandant nu veelbetekenend naar Voute. 'Gaan jullie maar mooi paardje spelen. Wij knappen het zware werk wel weer op.'

127

Voute eiste van de infanteriecommandant dat hij hem in de voorhoede met zijn agenten mocht vergezellen. 'Wij kennen de weg en we moeten de gezichten zien van de schobbejakken die we zullen arresteren als het verzet is gebroken.'

In de Lindenstraat werden ze vrijwel direct vanuit de ramen en vanaf de daken bekogeld met halve klinkers. Er werd nu ook geschoten vanaf de daken. De soldaten en de handvol agenten gingen aan beide kanten van de straat met hun rug tegen de gevels staan en schoten kruislings in de richting van de belagers. Na het eerste salvo werd het even rustig en konden ze in formatie oprukken naar de barricade.

Op de stapel stenen stond een jongen, nog geen achttien jaar oud en duidelijk beschonken, in de houding met een bezemsteel in de hand. Hij bracht zijn rechterhand naar zijn slaap en salueerde. 'Halt, soldaten!' Hij liet zijn hand weer zakken en pakte een jeneverkruik. 'Dit is de grenspost van de soevereine republiek van de Jordaan. Kunt u zich bekendmaken?'

Van achter de barricade klonk een luid gelach.

'Laden!' beval de commandant.

'Ze zijn bezopen,' zei Voute tegen hem.

'We geven een waarschuwingsschot met los kruit.' En naar zijn mannen riep hij: 'Vuur!'

Het geluid en de rook die van de acht voorste geweren kwamen was indrukwekkend. Toen Voute naar de barricade keek, was de jongen verdwenen. Even was het stil en toen klonk het van de andere kant: 'Hij is dood! Ze hebben hem vermoord! De klootzakken!'

De volgende order bracht hen aan de rand van de barricade. Voute was geschrokken, het geweersalvo had hem wakker geschud. Hij had geen controle meer over de situatie en dit ging hem veel te ver. Hij kon niet meer terug. Het gezichtsverlies zou onaanvaardbaar zijn en hij was omringd door infanteristen. Was er nog een kans om dit te sussen?

Zonder het te overdenken beklom hij de stapel stenen. Hij kon de Jordanezen nog toespreken voordat dit echt uit de hand zou lopen. Toen hij boven op de barricade stond trok hij zijn sabel om een strijdbare indruk te wekken. 'Beste mensen...' begon hij, en toen klonk er een schot. De kogel schampte zijn kruin en hij verloor zijn evenwicht.

De infanteriecommandant reageerde direct. 'Laden! Met scherp! En vuur! Ruk op! Blijven vuren!'

De Drost en zijn mannen waren op geen enkele manier voorbereid op het geweld. De soldaten schoten op alles wat bewoog: de verdiepingen, de daken en de mannen en vrouwen. Een meisje, hooguit acht jaar oud, werd in haar oog geraakt en was op slag dood.

Bij het eerste salvo zag de Drost zeker zes van zijn mannen op de grond vallen. De barricade aan de andere kant van de Lindenstraat werd nu ook bestormd, en aan de rechterkant zag hij de eerste huzaren de hoek om komen. Ze konden nu geen kant meer op. Alleen via de Zaterdagse brug zouden ze misschien nog bij de binnenplaats kunnen komen.

Hij rende in de richting van de Lindengracht en zag hoe een van zijn broers in zijn rug werd geraakt. Om hem heen werd hij ingehaald door de zigeuners. Toen hij de hoek om sloeg, hoorde hij nog net het laatste commando – staakt-het-vuren – en alsof hij door de duivel op de hielen werd gezeten sprintte hij de laatste meters tot aan de poort voor de binnenplaats.

'Godverdomme! Vervloekte klootzakken!' De Drost liet zich op de grond vallen. Met een muur in zijn rug en met zijn handen voor zijn ogen kroop hij langzaam weer omhoog. Toen hij om zich heen keek, zag hij dat er hooguit een dozijn mannen over was. Aan de andere kant van de muur hoorde hij de paardenhoeven.

Het hoefgetrappel hield op. Ze stonden voor de poort.

'In naam van de koning, open deze deur!'

De Drost rende naar de overkant. De deur van ronde Donna zat op slot. Hij hoorde twee harde klappen tegen de poort en zag hoe die openbrak. De cavaleristen stormden naar binnen en stortten zich met getrokken sabel op de mannen die over de binnenplaats renden. Hij probeerde een andere deur. Op slot. Hij trok aan de volgende deur, die direct openging. Het was de deur naar de vechtstallen. De honden jankten en blaften zenuwachtig in hun kooien. Toen de Drost naar binnen ging en de deur dichtsloeg, begonnen de beesten te grommen. Hij barricadeerde de deur en liet zich op de grond zakken. Hoe had dit kunnen gebeuren? Waar was Rijnbach? Waar waren zijn zigeuners? Waar waren zijn mannen? Buiten hoorde hij zijn naam roepen. 'Berthold de Winter! Wij hebben een bevel voor uw arrestatie! In naam der koning, kom tevoorschijn.'

Dit kon zo niet eindigen. Er was nog niks verloren. Zo dadelijk zouden de zigeuners het plein bestormen. Met de geweren en de pistolen zouden ze de huzaren verjagen. De Jordanezen! Ze zouden komen! Ze zouden hun leider bevrijden. Dit was nog niet voorbij. Hij was de sloppenheer. Hij hoorde het bonzen op de deur.

'Hier zit iemand. Openmaken!'

De honden. Hij had zijn honden nog. Die zouden voor hem vechten tot de laatste snik. Als de deur werd opengebroken, zouden de honden naar buiten stormen en zijn belagers verslinden. En ondertussen zouden zijn mannen terugkomen.

Hij tilde de balken voor de kooien weg. De beesten gromden. De deuren van de kooien vielen naar buiten open. De Drost stond met zijn schouder tegen de deur, klaar om hem open te gooien. De eerste twee honden sprongen naar buiten, met de staart tussen de poten, de kop naar beneden en de tanden ontbloot. De andere honden volgden. Opnieuw werd er hard op de deur geslagen.

'Wacht!' riep de Drost tegen de honden. 'Koest!'

Maar de uitgehongerde dieren hadden geen boodschap aan zijn bevel. De donkere herdershond, de nieuwe Caesar, sprong als eerste op de Drost af. Zijn kaken klapten dicht in de uitgestoken onderarm. Een pitbull hapte naar zijn bovenbeen. De eerste keer miste hij, de tweede keer was het raak. Hij klemde zijn kaken vast en schudde met zijn kop, waarna hij het vlees tot op het bot wegscheurde. De Drost zakte naar de grond en schreeuwde. Het bonzen op de deur was opgehouden. De Drost hoorde niks meer en zag alleen nog maar zijn eigen bloed. Een tweede herdershond kwam van achteren zijn kant opgelopen. Waarom had hij naar Vroom geluisterd? De herder veerde door zijn achterpoten. Nu verdreef de paniek de laatste zinnige gedachte: het is voorbij.

De hond sprong met gesperde muil naar zijn hoofd. De tanden boorden zich in zijn hals. Het laatste wat hij hoorde was het geweersalvo dat het hok doorzeefde en dat definitief een einde maakte aan de heerschappij van de laatste sloppenheer.

129

Het ontzet had bij elkaar nog geen uur geduurd. Voute noemde het in zijn telegram naar het stadhuis een 'daverend succes'. Er waren wat doden gevallen en de gewonden werden nog steeds op karren, brancards en ladders via het politiebureau naar het Binnengasthuis geleid, maar het belangrijkste was dat de opstand was verijdeld. Hij bedankte de beide commandanten voor hun inspanningen en nodigde hen uit voor het diner.

'Een andere keer, commissaris.' 'Wij moeten terug naar de kazerne.' 'Wij danken u vriendelijk.'

Na etenstijd stuurde Voute nog drie patrouilles op pad, belast met de taak de rode vlaggen te verwijderen en boetes uit te delen wegens ordeverstoring aan iedereen die zich nog in groepjes langs de grachten ophield. Hij besloot zelf met de laatste patrouille mee te lopen om te kijken of alle herstelwerkzaamheden op de Lindengracht voltooid waren.

Tijdens de wandeling dacht Voute voor het eerst aan de notaris. Hij zou hem een vergoeding moeten vragen voor de schade. Hij zou een toelage eisen voor de inzet van de militairen. En als de man zou weigeren, zou hij hem dreigen alles openbaar te maken.

Toen hoorde hij het geneurie. Het waren de tonen van het vrijheidslied. Het kwam van boven. Toen hij naar boven keek zag hij de stenen naar beneden komen. De eerste vielen achter en voor hem op de grond. Een volgende steen raakte hem op zijn hoofd. Hij stortte vrijwel direct naar de grond en toen zijn hoofd de straatstenen raakte verloor hij het bewustzijn.

Voute zat vastgebonden aan een stutpaal toen hij bijkwam. Het was donker in de kelder. Toen zijn ogen aan het gebrekkige licht waren gewend, zag hij dat hij omringd was door vier mannen. Zijn mannen hadden hem achtergelaten. Ze waren gevlucht. Hiervoor zou hij de agenten in het gevang gooien!

'Het is een hoge, dat zie je aan die knoopjes.' Twee van de mannen hielden kaarsen vast en een andere had een mes in zijn hand.

'Wat zullen we met hem doen?'

'We kunnen losgeld vragen.'

'Ben je gek. Dan nemen ze ons meteen te grazen.'

'Hij is wakker.'

Voute keek naar de tronies van de mannen. Hij herkende niemand. Hij schraapte zijn keel. 'Ik beveel u mij onmiddellijk vrij te laten!'

De mannen lachten. 'Hoor je dat, Manus? Hij beveelt ons. Hoe vind je die? Nou, meneer agent, dan zullen we dat maar meteen doen, hè?'

Voute kreeg een stomp in zijn maag en moest slikken om niet te braken. Hij hapte naar adem en herpakte zich. 'Ik ben commissaris van politie. Met deze ontvoering riskeren jullie een gevangenisstraf van meer dan tien jaar.'

'Toe maar. Tien jaar. Dat willen we niet, hè jongens? Bestond er maar een manier om dat te voorkomen.'

'Als jullie mij nu onmiddellijk vrijlaten, zal ik dit als een vergissing beschouwen en zie ik het geheel door de vingers.'

'De vingers. Laten we daar eens mee beginnen.' De man pakte

zijn pink en trok hem naar links. Voute hoorde het bot kraken en er schoot een scherpe pijn via zijn handpalm door zijn arm. Hij schreeuwde en kon nu niet voorkomen dat zijn maaginhoud over de vloer stortte.

'Gadverdamme, man! Smeerlap! Wie denk je dat dit op moet ruimen!' Nu pas zag Voute de ernst van de situatie in. 'Alstublieft, heren, laat mij gaan. Er is nog niks gebeurd dat we niet kunnen vergeten.'

'Is er nog niks gebeurd, agentje? En Rietje dan? Mijn dochtertje? Zijn zusje? Huppelt die morgen weer gewoon langs het Fransepad? Dacht het niet, godverdomme! Kunnen we dat gewoon vergeten? Dacht het godverdomme niet.' Hij stak het mes naar voren. Voute voelde de brandende pijn pas toen het wapen weer uit zijn buik werd getrokken.

'Het is een commissaris, Manus. Dit kunnen we niet zomaar doen.'

'Rot op, Koos. We gaan dit zomaar doen. Als je er niet tegen kunt, kun je nu nog oprotten.'

Nu pas brak politiecommissaris Voute. Hij zou het daglicht niet meer zien en begon te huilen. Hij smeekte om zijn leven en dacht aan zijn moeder, aan zijn vrouw en aan zijn kinderen, tot het moment dat hij het lemmet tegen zijn strottenhoofd voelde drukken. De man sneed met één felle beweging zijn hals door, en terwijl het bloed over zijn uniform gutste, verdween het laatste licht uit zijn ogen.

130

Rolf Rowel had zich vlak voor de bestorming van de soldaten uit de voeten gemaakt. Hij was gevlucht naar de uiterste punt van de driehoek, de plek waar de Brouwersgracht en de Lijnbaansgracht elkaar kruisten, en had daar gezien hoe Rijnbach en het merendeel van zijn zigeuners aan boord van hun platbodem gingen.

Pas veel later, rond etenstijd, was hij langs de schuilkerk en de binnenplaats van de Drost gelopen. Hij zag hoe het lichaam van de Drost door twee van zijn broers in het midden van de arena werd begraven.

Vroom was in zijn opzet geslaagd en hij vervloekte de notaris daarom. Waarom zou hij hem nog verslag doen? Vroom kon hem niet langer bedreigen met de sloppenheer. De enige troef die hij nog bezat was zijn zeggenschap over het maison. Er was in elk geval geen reden meer om in de Jordaan te blijven hangen. Bij de Marnixstraat stapte Rowel in de tram. Hij had nog niet bedacht waar hij uit zou stappen.

131

Op maandagavond huilde de Jordaan. Vrijwel iedereen had een familielid of een goede bekende te betreuren. Ze hadden geschermd met hun trots en ze hadden verloren. Rouw en bezinning gaan vaak hand in hand, en de dagen van het Palingoproer werden al snel verzwegen. Het was gebeurd, het was van gisteren. Liever keek men vooruit en dacht men aan morgen, een dag als alle andere in de fabrieken of op de straten, om met man en macht de kruimels bij elkaar te schrapen die een volgende dag weer mogelijk maakten. Want wat gisteren was gebeurd, kon morgen weer gebeuren. Als morgen al bestond.

HOOFDSTUK XVI

Vuur

132

In Maison Weisenthal was maar weinig te merken van het vuur in de Jordaan. Het was een gespreksonderwerp met misschien een iets langere houdbaarheidsdatum dan de andere actualiteiten, maar veel klanten haalden de schouders op als het ging over het hoe en waarom. Kranten waren terughoudend in de berichtgeving en de socialisten durfden het niet aan het oproer breed uit te smeren, uit angst voor de consequenties. *Het Handelsblad* had het over tachtig doden, terwijl de officiële berichten van het stadhuis het over een derde daarvan hadden.

In het bordeel van madam Rowel was men het gewend mooi weer te spelen. Gevoelige onderwerpen waren slecht voor de zaken. Hoe meer de heren discussieerden, hoe minder ze dronken en hoe lastiger ze mee naar boven te tronen waren.

Buiten openingstijden werd er, vooral door Bo en Kool, wel gesproken over de gebeurtenissen, die steeds sterkere en mooiere verhalen op leken te leveren, maar als madam Rowel op gehoorsafstand was, was het onderwerp taboe. Zij had momenteel heel andere dingen aan haar hoofd.

Op de dinsdag na het koningsbal en het oproer stonden er – alsof de politie niets beters te doen had – in de ochtend twee agenten aan de deur. Madam Rowel stuurde Bo en ging zelf achter de gordijndeur boven aan de trap staan, waar ze alles kon horen. Bo was bijna net zo benauwd als zij, want net als bijna iedere Amsterdammer uit de lagere klasse kende hij wel iemand die in verband kon worden gebracht met het Palingoproer of met de socialisten die ervoor verantwoordelijk werden gehouden.

'Wij komen voor de weduwe Rowel. Wij willen haar een aantal vragen stellen.'

'Mevrouw is helaas niet aanwezig. Naar alle waarschijnlijkheid is zij zelfs een aantal dagen de stad uit, heren. Kan ik een boodschap aannemen?'

De agenten keken elkaar even weifelend aan. 'Kunt u haar vragen of ze zich op het hoofdbureau wil melden als ze weer terug is?'

'Natuurlijk. Mag ik vragen waar het over gaat?'

'Er is aangifte gedaan wegens mishandeling. Misschien weet u hier meer van, of misschien bent u er zelfs getuige van geweest. In dat geval zouden we u ook graag wat vragen stellen.'

'Ik heb geen idee. Nee hoor, ik heb niks gezien. Hoe bedoelt u, mishandeling?'

'Uw bazin heeft vorige week enkele heren bedreigd. Zij stonden, naar eigen zeggen, voor dit pand op de openbare weg en zij heeft een van deze heren ernstig toegetakeld met een houten emmer. De anderen hebben dit getuigd en wij willen haar hier zo snel mogelijk over horen. Wellicht zijn er nog andere getuigen? Misschien collega's van u?'

'Voor mij is dit nieuw. Ik zal het vragen, agenten. En ik geef uw boodschap door aan mevrouw Rowel.'

133

Duizend gedachten gierden door haar hoofd terwijl ze achter het gordijn stond te luisteren. Zou dit het einde betekenen? Of zou commissaris Voute dit voor haar kunnen oplossen? Moest ze de stad verlaten? En waar moest ze heen dan? En voor hoelang?

Toen de deur dichtsloeg, liep ze naar haar kantoortje. Met iedere stap kraakte en kreunde het maison met haar mee. Ze ging zitten in de stoel voor haar kapspiegel en wreef even door haar ogen voor ze zichzelf aankeek.

Met haar middelvingers duwde ze de wallen onder haar ogen omhoog. Ze telde de groeven in haar voorhoofd. Was er weer een bij gekomen? De rimpels aan de buitenkant van haar ogen spreidden zich uit als vingers van een hand. Ze tuitte haar lippen en vrijwel direct sidderde ze van walging.

Wat was er gebeurd met het meisje dat altijd in het middelpunt van de belangstelling had gestaan? Het meisje dat nooit hoefde te betalen voor de drankjes die ze bestelde. Wat was er nog over van de vrouw die werd nagestaard als ze over straat liep? Die vrouw die iedere man kon laten opkijken. Waar was de dame gebleven die met haar aanwezigheid een ruimte kon veranderen? Een dame over wie werd gefluisterd achter haar rug.

Ze zag haar niet meer als ze in de spiegel keek. Ze zag de vermoeidheid en de zorgen. Het gewicht ervan had haar huid doen hangen. In haar ogen zag ze alleen nog maar de grauwheid van het verleden. De sprankelende hoop was uitgedoofd. Was dit dan het einde? Zouden haar laatste jaren zo verlopen? Alleen, op de vlucht, ongewenst, onwelkom, zonder geld en zonder vaardigheden of mogelijkheden om in haar levensonderhoud te voorzien? Dan kon ze zich nog beter laten arresteren. Ze kon zich verweren tegen de aantijgingen. Misschien kon ze de advocaat-generaal chanteren, of waren er nog andere contacten die ze kon aanspreken? En zelfs als dat allemaal zou mislukken, zou ze dan niet beter af zijn in een tuchthuis dan op straat?

Ze wreef opnieuw door haar ogen en pakte de spelden die op de kaptafel lagen. Routineus stak ze de pinnen in het haar. Het haar dat ooit had geglansd en had aangevoeld als zijde, en dat nu meer weghad van een uitgedroogd scheepstouw.

134

De jurk die Johanna had aangetrokken, haar lievelingsjurk, gaf haar een ander gevoel dan ze gewend was. Ze voelde hoe het gewicht van de stof haar tred zwaar en traag maakte. Terwijl ze van haar kantoortje naar de salon liep, ontweek ze niet langer de rotte en krakende plekken in de vloer die ze altijd met zo veel zorg probeerde te verbergen. Ze ging er bewust op staan en voelde hoe de planken meeveerden met haar zwaarmoedigheid.

Toen ze naar binnen liep, zag ze dat de salon vrijwel uitgestorven was. Er waren pas drie meisjes beneden en er was maar één bezoeker. Hij zat met zijn rug naar haar toe op de stoel bij de haard. Johanna kneep haar ogen tot spleetjes en herkende de notaris. Bij het buffet haalde ze een fles cognac en ze ging tegenover hem zitten. Zonder iets te zeggen schonk ze twee glazen in.

'Het is rustig,' zei Vroom.

'Het is nog vroeg.'

'Het is vroeg én het is rustig.'

'We hebben afgelopen zaterdag een themafeest gehad. De dagen erna is het dan vaak wat stiller. De mannen moeten weer op krachten komen.'

'Of misschien komt het door de ongeregeldheden in de Jordaan?'

'Dat kan. Ik denk het niet, maar het kan.'

'Het hindert niet. Ik vind het eigenlijk wel prettig. Ik kom namelijk niet voor een zakelijk gesprek. Ik dacht vandaag eens van uw diensten gebruik te maken. Als klant.'

'Mijn diensten?'

Vroom glimlachte. 'Nou, om precies te zijn van de diensten van een van uw meisjes. Ik kom voor het nieuwe meisje. Voor Anna, of Lotte zoals ze zichzelf noemt.'

Johanna draaide haar hoofd en keek naar de drie vrouwen die in de hoek stonden. Het sloppenhoertje was er niet bij. 'Ik zal haar laten halen. Maar zullen we niet eerst samen een glas drinken?'

'Als het u om het even is, dan drink ik liever wat met het meisje.'

'Dat begrijp ik.' Ze liep naar het buffet en sommeerde Bo het meisje te halen.

'Ik ga weer naar boven,' zei ze. 'Ik voel me vandaag niet zo goed, ben ik bang.'

135

Lotte zat in de hoek van de poederkamer en veegde met een kwastje het overvloedige poeder van haar wang. Fien en Rosa zaten aan de andere kant van het vertrek en waren druk in gesprek over de rellen in de Jordaan. Het interesseerde haar niet, ze had de beelden alweer uit haar hoofd gewist.

'Ik heb het belletje nog niet gehoord. Misschien is het rustig vanavond?' Het was de stem van Anna. Ze had haar al een tijdje niet meer gehoord.

'Wat maakt het uit,' zei Lotte. 'Als ze vandaag niet komen, zijn ze er morgen wel.'

'Ik ben bang.'

'Dat weet ik, je bent altijd bang.'

'Nu is het anders.'

'Hoe bedoel je?'

'Ik ben bang dat ik aan het verdwijnen ben.'

'Waar slaat dat op? Ik ben er toch?'

'Daarom juist.'

'Doe niet zo raar. Wij zijn samen één. Wij horen bij elkaar. Zolang ik er ben, ben jij er. En andersom ook.'

'Ik wil dit niet meer. Ik kan dit niet meer.'

'Wat wil je dan? We kunnen niks anders.'

'Dat weet ik niet. Ik wil gewoon weg. Het maakt me niet uit waarheen. Ik wil in een huisje op de maan gaan wonen. Ik wil naar een plek waar niemand is of ooit zal komen.'

'Moet je jezelf nou horen. Je wilt in een huisje op de maan gaan wonen. Wat is dat nou voor onzin? Je bent een dromer. Prima. Je bent verdwaald, misschien. Dat snap ik ook nog wel. Maar ik ben er nou toch? En ik ben echt niet van plan om op de maan te gaan wonen.'

'Misschien niet op de maan, maar gewoon ergens anders. Weg van hier.'

'We zijn nog niet klaar. Dat heb ik toch al gezegd. Ik ben nog niet klaar hier.'

'Ja, dat weet ik, maar als we klaar zijn, kunnen we dan weg?'

'Misschien, ik zal erover nadenken.'

136

Lotte nam plaats in de fauteuil tegenover de man die naar haar gevraagd had.

'Ik weet nog wie u bent. U bent meneer Vroom.'

'Dat heb je goed onthouden, meisje. Ik ben jou ook niet vergeten. Je fascineert me.'

'Dat zei u de vorige keer ook al. Dat heb ik ook onthouden. Hoe komt dat, meneer Vroom?'

De man trok aan zijn sigaar en liet de rook door zijn opengesperde mond dansen.

'Ik weet het niet precies. Misschien is het de overgave. Daarin ben ik geïnteresseerd. Het is een hobby van me. Zelfbeschikking, weet je wel?'

'Dat zijn grote woorden voor een meisje zoals ik. Ik weet dat niet. Is overgave niet ook een vorm van zelfbeschikking?'

De man doopte het uiteinde van zijn sigaar in de cognac en stak hem tussen zijn lippen.

'Wilt u vandaag wel met mij naar boven, meneer Vroom?'

'Misschien klopt dat wel. Als overgave een vorm van zelfbeschikking is, dan is het de ultieme vorm. Je kunt niks groters weggeven dan jezelf.'

'Nu praat u weer in raadsels, meneer Vroom. Ik ben niet zo'n denker. Ik ben meer van de daad.'

Lotte zocht naar Anna, maar voor het eerst leek ze onvindbaar. De man gooide het restant van de sigaar in de haard.

'Je zou wel eens gelijk kunnen hebben. En als je het niet hebt, dan krijg je het van me. Voor even. Ik gun je het voordeel van de twijfel. Ik ga met je mee naar boven. Ik zal me aan je overgeven.'

137

Lotte had om de sleutel van de grote kamer gevraagd. De kamer die in het midden van het pand lag, boven de poederkamer. Die had geen ramen. Het was er pikdonker en het rook er muf. Lotte zocht naar de lucifers waarvan ze wist dat ze op het kleine tafeltje bij het bed moesten liggen.

Met één lucifer stak ze de vier kaarsen aan. Twee op het bijzettafeltje en twee naast het grote bed. Ze liep naar de deur en draaide die op slot.

Vroom stond weifelend links van het bed. Van het zelfvertrouwen dat de man op de benedenverdieping had gehad was nu nog maar een fractie over.

'En nu? Wat zal ik doen?'

'Ga maar op het bed liggen. Ik zal je helpen. Laat het maar gebeuren.'

De man trok zijn schoenen uit. Hij draaide zijn sokken tot een bal en stopte ze in de rechterschoen. Hij ging met zijn kleren aan op het bed liggen, dat kraakte onder zijn gewicht.

Lotte stond bij het voeteneind. Ze wiegde langzaam met haar heupen op denkbeeldige muziek. Haar handen gleden over de dunne stof van het jurkje dat ze droeg. De zijde spande zich om haar kleine borsten terwijl de man zijn broek naar beneden stroopte.

'Wacht nog maar even. Geniet ervan. Ik zorg voor alles. Probeer je over te geven.'

Hij liet zijn broek los en vouwde zijn handen achter zijn hoofd. Lotte pakte het laken dat bij het voeteneinde lag. Ze zette haar tanden in de stof en scheurde er een stuk af.

'Wat doe je?'

'Ik weet wat ik doe. Laat het aan mij over. Je hoeft alleen maar te genieten.' Met de reep stof bond ze zijn linkerbeen vast aan de spijlen van het bed. Nu stribbelde de man niet tegen. Opnieuw zette ze haar tanden in het laken. Ze bleef met haar heupen wiegen en zorgde ervoor dat ze het oogcontact met Vroom niet verbrak tot hij aan armen en benen aan het bed vastgebonden lag.

'Dus dit bedoel je,' hij sprak met zachte stem, bijna fluisterend. 'Nu ben ik van jou. Je kunt met me doen wat je wilt. Je hebt me helemaal in je macht.'

'Bijna...' Ze trok haar laatste kledingstuk uit en kroop via het voeteneinde over hem heen. De man kreunde terwijl ze met haar onderbuik over zijn erectie schuurde. Ze likte over zijn lippen, en toen hij zijn mond opende, stopte ze haar broekje tussen zijn tanden. Terwijl ze van hem af stapte bleef ze hem strak aankijken.

'Nu ben je van mij.' Voor het eerst knipperde ze met haar ogen. Er brandde een gretige lust in de ogen van de man. Ze bezat hem en hij wilde niks anders dan zich volledig aan haar overgeven.

Langzaam knoopte ze zijn overhemd open. Ze liet haar rechterhand over zijn lichaam naar zijn erectie glijden. Met haar handpalm schampte ze de stam van zijn pik en ze voelde hoe de man sidderde. Ze trok haar hand weer terug en pakte de kaars die naast het bed stond. Ze zag hoe de vlam in de bolling van de was weerkaatste voor ze de kaars boven zijn navel omdraaide. De man slaakte een kreet die gesmoord werd in de stof die als knevel tussen zijn tanden stak. Hij kneep zijn ogen dicht, en toen hij ze weer opende herkende ze voor het eerst iets wat leek op angst.

'Zal ik verdergaan?' vroeg ze. De man knikte.

'Is dit de overgave die je zocht?' Hij knikte opnieuw, gretiger dan eerst.

'En waar is de zelfbeschikking? Is die verdwenen?'

De man schudde zijn hoofd.

'Dit is wat je wilt, toch?'

Lotte stapte naast het bed en liep langzaam naar het tafeltje bij het voeteneinde. Ze trok haar jurk weer aan en keek de man opnieuw in zijn ogen.

'En nu? Wat voel je nu? Voel je al angst of is het alleen nog maar twijfel? Daar begint het. Wist je dat? De angst begint bij de twijfel.'

Ze pakte de kaars van het tafeltje. De man probeerde zich met beide handen los te rukken. Toen hij merkte dat dit zinloos was, probeerde hij zijn benen los te trekken. Nu pas klonk voor het eerst geschreeuw. Zijn kreet werd gedempt door het stuk stof waar hij bijna in stikte. Lotte hield de kaars bij het voeteneinde van het bed. De lakens vatten vrijwel direct vlam. De andere kaarsen zette ze onder het bed. Het droge hout aan de onderkant begon al te roken. Ze liep naar de deur en draaide de sleutel om.

'Vaarwel, meneer Vroom. Hopelijk heb ik u wat kunnen leren. Ik hoop dat dit is wat u zocht.'

Toen ze de deur dichtdeed en de sleutel opnieuw omdraaide, hoorde ze de man krijsen.

Van onder de deur kroop de zwarte rook dansend naar boven.

138

Johanna trok de krulspelden uit haar haar en smeet ze in een hoek van het kantoortje. Pas toen ze de deur dichttrok voelde ze dat ze niet alleen was. Toen ze de man in de stoel achter haar bureau herkende, bevroor ze. Ze was woedend, en tegelijk met de opwinding herkende ze het geluk dat ze al zo lang niet meer had gevoeld. Er liep een traan over haar wang.

'Herken je me nog?' vroeg Rolf, maar Johanna was niet in staat om de woorden te vinden die ze nodig had. Ze zakte door haar knieën en hield haar handen voor haar gezicht. Ze voelde hoe de tranen, geluidloos, bleven komen.

Rolf stond op, maar bleef aan de andere kant van het bureau

staan. 'Je bent geschrokken. Dat snap ik. Je bent boos. Dat snap ik ook. Maar ik hoop dat ik het mag uitleggen.'

Johanna schudde haar hoofd. Ze haalde diep adem en er ontsnapte een geluid.

'Ik had geen keus. Ik had echt geen keus. Dat moet je geloven.'

Eindelijk leek er weer bloed door haar hoofd te stromen, en met het bloed keerde de woede terug. Ze gooide de laatste twee spelden naar zijn hoofd.

'Je hebt altijd een keus. Als ik iets heb geleerd van onze jaren samen is dat het. Er is altijd een keus! En jij hebt niet voor mij gekozen!'

'Ik was laf. Ik ben een lafaard.'

'Gelul. Smoesjes. Je bent een leugenaar! Je bent niet laf. Je hebt niet voor mij gekozen omdat je voor jezelf hebt gekozen!'

'Ik zou altijd voor jou kiezen, Johanna.'

'Niet waar! Onzin. Je kiest voor mij als het je uitkomt, maar als we tegenover elkaar staan, als je moet kiezen tussen jou en mij, dan kies je voor jezelf!'

'Ik sta nu toch hier? Ik ben bij jou. We zijn samen. Ik kies voor jou. Dat heb ik altijd gedaan, al vanaf de dag dat ik je voor het eerst zag op die brug in Leeuwarden. En sinds die dag ben ik altijd bij je gebleven.'

'Dat ben je niet! Je hebt me in de steek gelaten! Ik was alleen. Ik was zo alleen. Ik heb me nog nooit zo eenzaam gevoeld.'

Nu begon het snikken. Johanna had geen controle meer over haar emoties en gedachten. De tranen stroomden over haar gezicht en het poeder veranderde in veelkleurige modderige klonten die op de vloer uiteenspatten.

'Ik kan het uitleggen, maar niet nu. We hebben geen tijd. We moeten hier weg. Dat is de enige manier waarop we bij elkaar kunnen zijn. In deze stad zijn we niet meer veilig.'

'Je bent een idioot! Je bent gek als je denkt dat ik nu nog met je meega. Jij was dood! Je bént dood! En als ik met je meega, ben ik nog gekker dan jij.'

'Luister naar me. Alsjeblieft. Je hebt gelijk. Ik ben een idioot. En ik wás dood. Ik moest wel. Ik werd gedwongen. En ik was gek. Het was idioot van me om je te verlaten, maar ik kon niet anders. Ik heb alles op het spel gezet. En ik heb verloren.'

'Jij hebt verloren? Wat dacht je van mij?'

'Ik heb een fout gemaakt, maar het is een fout die ik nooit meer zal maken.'

'Je bent een leugenaar! Zodra je de kans krijgt, kies je weer voor jezelf. Maar ik geef je die kans niet meer. Dat is het verschil. Ik heb ook gekozen. Ik werd gedwongen, maar ik moest ook kiezen. En ik heb voor mezelf gekozen!'

Rolf liep om het bureau heen en stond nu midden in de kamer. 'Kies dan nog een keer?'

'Wat?'

'Kies gewoon nog een keer en kies voor mij. Kies voor ons.'

'Je bent gek. Je bent een leugenaar én je bent doof.'

'Ik ben een dove, idiote leugenaar. En ik ben gek. Maar ik ben jouw gek. En dat is wat anders. Dat maakt alles anders.'

'Ik kan je niet vergeven. Dat kun je niet van me vragen. Ik kan je niet vergeven, maar ik kan je ook niet vergeten. Dat is mijn juk. Tot dat lot heb ik mezelf veroordeeld. Jaren geleden. Onvoorwaardelijk.'

'Dat hoeft ook niet. Waarom zou je? Dat vraag ik niet van je. Vergeving wordt overschat. Ik vraag alleen maar of je met me meegaat.'

'Ik ga niet met je mee. Ik kan niet met je meegaan. Deze plek is alles wat ik heb.'

Ze liet haar armen zakken en Rolf pakte haar hand. Met zijn andere hand veegde hij de tranen van haar gezicht. Heel even herkende ze de man die haar uit het ijs had getrokken. De jaren die waren verstreken leken in een seconde te passen.

'We kunnen niet weg. Begrijp dat dan.'

'We kunnen altijd weg. Kijk me eens aan.'

Ze keek in zijn ogen en ze herkende het vuur. En tegelijkertijd voelde ze hoe ze lichter werd, en toen hij haar kuste wist ze dat hij gelijk had. Ze waren tot elkaar veroordeeld. Zonder hem zou ze zich altijd verloren voelen. Ook als ze thuisbleef.

'Maar hoe dan?'

'Dat is het makkelijkste. We lopen de trap af. We lopen de deur uit en de straat in. Je houdt mijn hand vast en we laten elkaar nooit meer los. En we kijken niet meer achterom. Dat is het belangrijkste. We kijken naar elkaar en nooit meer achterom. De rest gaat vanzelf.'

139

Het gebouw op de Pijpenmarkt stond in een oogwenk in lichterlaaie. De houten balken van de oude leerlooierij waren nog steeds geïmpregneerd met de chemicaliën. De kleding, het tapijt en het velours maakten, samen met de grote hoeveelheid alcohol die in het pand aanwezig was, het geheel tot één grote fakkel.

Rosa, Fien en vier andere meisjes waren op tijd naar buiten gerend. Bo en Kool waren naar boven gegaan. Misschien om de brand te blussen. Misschien om de madam te waarschuwen. Of misschien om de inhoud van de kas en de kluis zeker te stellen. De vlammen sloegen nu ook uit de ramen van het kantoortje van madam Rowel.

Op straat trok de vlammenzee veel bekijks. 'Het was te verwachten,' zei een man met een platte pet. 'Het waren zondaars,' zei de vrouw die naast hem stond. 'Opgeruimd staat netjes,' zei een andere vrouw. 'Het is Gods gerechtigheid,' zei een predikant die daarna direct een kruis sloeg.

Tussen de mensenmassa viel het meisje met de brede glimlach nauwelijks op. Ze staarde in de vlammen en leek met haar gedachten aan de andere kant van de wereld te zijn.

'Dit is het mooiste wat ik ooit heb gezien,' zei Lotte.

'Het is prachtig,' zei Anna. 'Was dit je bedoeling?'
Lotte antwoordde niet.
'Is het nu klaar?'
'Voor jou is het klaar,' antwoordde Lotte.
'We moeten hier weg. Waarom blijf je nog staan?'
'Volgens mij weet je wel waarom.'
'Ja...'
'Waarom vraag je het dan?'
Rosa en Fien waren achter haar komen staan.
'Ik kan niet blijven,' zei Anna.
'Dat weet ik.'
'Ga je met me mee?'
'Dat kan niet. Dat weet je.'
'Waarom niet?'
'Waarom stel je die vraag nog?'
'Omdat ik op een ander antwoord hoop.'
'Waarom zou ik hier weggaan? Ik moet hier blijven. Ik ben hier geboren.'

Ze staarde in de vlammen. Het vuur bracht rust in haar hoofd. Lotte draaide zich om. Anna was er niet meer. Ze was verdwenen. Misschien was ze wel achtergebleven in de vlammenzee. Misschien woonde ze in het huisje op de maan. Het maakte niet uit. Ze was nu alleen. En ze voelde zich vrij.

* * *

Verantwoording

Dit verhaal is fictie. In de negentiende eeuw bestond er een bordeel op de Pijpenmarkt (tegenwoordig de Nieuwezijds Voorburgwal). Het heette Maison Weinthal en werd gerund door de weduwe Rouwerda. Het Palingoproer in de Jordaan is een van de zwarte bladzijdes in de geschiedenis van Amsterdam. Ik heb het gebruikt als inspiratie, maar alles eromheen is verzonnen. Als namen overeenkomen met de realiteit, dan is dat toeval.

Ik heb geprobeerd de werkelijkheid geen geweld aan te doen, maar de waarheid is, zoals bekend, vaak onwerkelijker dan fictie. De lijst van boeken waaruit ik ongetwijfeld vaker onbewust dan expres informatie heb geleend is te lang om op te sommen. Net als de lijst met mensen die ik zou moeten bedanken. Drie ervan zal ik nooit vergeten. Louise, Mink en Fenne, zonder jullie zou ik nauwelijks mijn bed uit komen. Laat staan dat ik een letter op papier zou krijgen.

Amsterdam, 2017